Helmut Merklein

Jesu Botschaft
von der Gottesherrschaft

Stuttgarter Bibelstudien 111

Herausgegeben von
Helmut Merklein und Erich Zenger

Helmut Merklein

Jesu Botschaft von der Gottesherrschaft

Eine Skizze

Verlag Katholisches Bibelwerk GmbH
Stuttgart

CIP-Kurztitelaufnahme der Deutschen Bibliothek

Merklein, Helmut
Jesu Botschaft von der Gottesherrschaft; e. Skizze / Helmut Merklein
– 2. Aufl. – Stuttgart: Verlag Katholisches Bibelwerk, 1984
  (Stuttgarter Bibelstudien; 111)
  ISBN 3-460-04111-0

ISBN 3-460-04111-0
Alle Rechte vorbehalten
© 1983 Verlag Katholisches Bibelwerk GmbH, Stuttgart
Gesamtherstellung: Wilhelm Röck GmbH, Weinsberg

Erich Gräßer
dem Kollegen und Freund

Inhaltsverzeichnis

Vorwort

Die Thematik der vorliegenden Studie wurde durch ein Oberseminar angeregt, das im Sommersemester 1982 von Prof. *Erich Gräßer* und mir gemeinsam durchgeführt wurde. Durch den regen Gedankenaustausch, der sich dabei und in weiteren gemeinsamen Veranstaltungen in Bonn und in Jerusalem sowie in vielen persönlichen Gesprächen ergab, habe ich für mein eigenes theologisches Fragen und Denken viele Anstöße bekommen. Darüber hinaus hat *Erich Gräßer* durch seine Freundschaft entscheidend dazu beigetragen, daß ich mich in Bonn sofort wohl gefühlt habe. Ihm sei deshalb dieses Bändchen in Dankbarkeit gewidmet.

Meine Darlegungen verstehen sich bewußt als eine „Skizze", die sich auf das Nachzeichnen der Hauptlinien der Botschaft Jesu beschränkt. Dabei bin ich mir bewußt, daß manche Themen eine ausführlichere Würdigung verdient hätten. Für viele Textanalysen muß ich auf meine Habilitationsschrift „Die Gottesherrschaft als Handlungsprinzip" verweisen, wobei ich allerdings glaube, daß ich in der Sache manches klarer und differenzierter zu sehen gelernt habe. Gerne hätte ich das zu Gebote stehende synoptische Material noch eindringlicher bearbeitet, zumal unter wirkungsgeschichtlicher Rücksicht. Trotz all dieser Einschränkungen hoffe ich aber doch, daß die Konturen der Botschaft Jesu genügend deutlich hervortreten.

Danken möchte ich meiner Sekretärin, Frau *Elisabeth Pallenberg*, für die sorgsame Erstellung des Manuskripts, meinem Assistenten, Herrn *Thomas Kaut*, für manch anregendes Gespräch, sowie Frau *Stephanie v. Dobbeler*, Herrn *Johannes Hintzen* und Herrn *Andreas Hölscher* für Literaturbeschaffung und viele andere hilfreiche Dienste.

Bonn, im August 1983   Helmut Merklein

Vorwort zur zweiten Auflage

Die neue Auflage ist auf Druckfehler durchgesehen. Da sie nur wenige Monate nach der Erstauflage erscheint, bestand kein Anlaß für eine weitergehende sachliche Überarbeitung. Danken möchte ich den zahlreichen Fachkollegen, die mir ihre Meinung zu dem vorliegenden Bändchen mitgeteilt haben. Erfreulich für mich war, daß es in seiner Gesamtlinie nahezu durchweg Zustimmung gefunden hat. Die kritischen Anmerkungen, die meist zu Detailfragen gemacht wurden, werde ich in meinen weiteren Überlegungen gerne berücksichtigen.

Bonn, im Juni 1984   Helmut Merklein

I. Einführung

Die vor allem im letzten Jahrhundert unternommenen Versuche, anhand der Evangelien eine Vita Jesu zu schreiben, können als endgültig gescheitert angesehen werden. Bahnbrechend für diese Einsicht waren die Arbeiten von *Albert Schweitzer*[1], *William Wrede*[2] und *Karl Ludwig Schmidt*[3]. Dennoch hat in unserem Jahrhundert das Interesse am historischen Jesus, das sich nun von der Vita auf die *Botschaft* Jesu verlagert hat, nicht abgenommen, sondern ist eher noch gewachsen. Ausgelöst wurde dies durch die Neuentdeckung der eschatologischen Dimension der Verkündigung Jesu. Allen voran war es *Johannes Weiss,* der mit seinem aufsehenerregenden Buch über „Die Predigt Jesu vom Reiche Gottes" den Grundstein der neueren Jesusforschung legte.

Die weitere Forschung bewegte sich hauptsächlich im Spannungsfeld jener Pole fort, die bereits *Martin Kählers* Buchtitel „Der sogenannte historische Jesus und der geschichtliche, biblische Christus" markiert hatte. Die Frage nach der Verkündigung des historischen Jesus bekam eine neue theologische Relevanz, gleichgültig, ob man wie zum Beispiel *Joachim Jeremias* im Kerygma nur die Antwort der Gemeinde auf den für das Christentum letztlich entscheidenden Ruf *Jesu* sehen wollte[4] oder ob man, wie die Kerygmatheologie, dies gerade bestritt, so daß *Rudolf Bultmann* die Verkündigung Jesu konsequenterweise unter „den Voraussetzungen der Theologie des NT" abhandelte.[5] Die theologische Brisanz selbst dieser Stellungnahme zeigte sich nicht zuletzt am Widerspruch, der in der Bultmann-Schule laut wurde und die Frage nach dem historischen Jesus erneut aufwarf.[6] Eine exegetisch und theologisch konsensfähige Lösung des Problems, ob die Verkündigung des historischen Jesus und/ oder das österliche Kerygma der Grund christlichen Glaubens sei, ist bis

---

[1] Geschichte; die 1. Aufl. erschien 1906 unter dem Titel: Von Reimarus bis Wrede. Eine Geschichte der Leben-Jesu-Forschung.

[2] Messiasgeheimnis.

[3] Rahmen.

[4] Problem; vgl. den Titel der FS zu seinem 70. Geburtstag (hrsg. v. *E. Lohse* u. a.): Der Ruf Jesu und die Antwort der Gemeinde.

[5] Theologie 1; dabei sei nicht vergessen, daß *Bultmann* eines der eindrucksvollsten Jesus-Bücher geschrieben hat.

[6] Eröffnet wurde die Diskussion der Bultmann-Schule 1953 durch den Vortrag *E. Käsemanns* über „Das Problem des historischen Jesus"; zur Diskussion vgl. den Überblick bei *J. M. Robinson,* Kerygma 11–86, sowie *W. G. Kümmel,* ThR 31 (1965/66) 19–39.

heute noch nicht gefunden.[7] Dies zu leisten, will sich auch die vorliegende Untersuchung nicht anmaßen, die allerdings in der Hoffnung geschrieben ist, daß eine bewußt geschichtlich orientierte Darstellung der Verkündigung Jesu einer sachgerechten Verhältnisbestimmung die notwendigen Voraussetzungen schaffen kann.

Damit stoßen wir auf das methodische und religionsgeschichtliche Problem einer solchen Darstellung. Da uns die Verkündigung Jesu nur über das nachösterlich und damit christologisch vermittelte Zeugnis der Evangelien[8] zugänglich ist, stellt sich die Frage nach den methodischen Kriterien einer Rückfrage nach dem historischen Jesus. Hierbei konnte in den letzten Jahren ein gewisser Konsens erreicht werden,[9] so daß trotz manch divergierender Urteile im einzelnen die Erstellung eines Gesamtrahmens der Verkündigung Jesu möglich erscheint. Weit schwieriger dürfte das religionsgeschichtliche Problem sein, das heißt eine sachgerechte Einordnung der Botschaft Jesu in die Geschichte des Frühjudentums. Auf jüdischer Seite, wo zum Teil ein neues Interesse an dem „Bruder Jesus" erwacht ist,[10] neigt man dazu, die Verkündigung Jesu von der rabbinischen Theologie her verständlich zu machen, so daß Jesus nahezu mit methodischer Zwangsläufigkeit zum „Rabbi" werden muß.[11] So hilfreich und förderlich diese Beiträge sind und gegenüber einer einseitigen christlichen Vereinnahmung Jesu ein wertvolles Korrektiv darstellen, so erliegen sie doch meist der Gefahr, das „orthodoxe" rabbinische Judentum anachronistisch in die Zeit Jesu zurückzuprojizieren. Ein nicht weniger dogmatisch-anachronistisches Vorgehen läßt sich teilweise aber auch in

---

[7] Vgl. auch den instruktiven Beitrag von *N. Walter*, „Historischer Jesus".

[8] Eine gute Information über das Jesusbild in den Evangelien (und der Logienquelle) findet sich in: *W. Pesch* (Hrsg.), Jesus. Zu den außerchristlichen Zeugnissen über Jesus vgl. die kurze Übersicht bei *W. Trilling*, Fragen 51–62, speziell zu den jüdischen: *J. Maier*, Jesus.

[9] Vgl. dazu u. a. *N. Perrin*, Was lehrte Jesus, und bes. *K. Kertelge* (Hrsg.), Rückfrage. Auf die Position radikaler historischer oder theologischer Skepsis gegenüber einer Rückfrage nach Jesus (vgl. z. B. *L. Schottroff*, Mensch 243: „die Jesusforschung ist am Nullpunkt angelangt"; *W. Schmithals*, Bekenntnis 75: „Mag die Frage nach dem historischen Jesus auch historisch möglich und erlaubt sein, so ist sie theologisch doch verboten") kann hier nicht eingegangen werden; vgl. dagegen jedoch: *J. Ernst*, Anfänge; *E. Käsemann*, Jesus-Frage; *D. Lührmann*, Frage; *E. Gräßer*, Motive; *ders.*, Mensch.

[10] So der Titel des Buches von *Sch. Ben-Chorin;* vgl. weiter: *ders.*, Theologia; *M. Buber*, Glaubensweisen; *D. Flusser*, Jesus; *P. E. Lapide*, Josephs Sohn. Zur älteren jüdischen Forschung vgl. *G. Lindeskog*, Jesusfrage; bes. erwähnt sei das Jesus-Buch von *J. Klausner*.

[11] Vgl. den Titel von *P. E. Lapide*, Rabbi; siehe auch: *ders. – U. Luz*, Jude.

der christlichen Forschung beobachten, besonders dann, wenn Jesus etwa unter dem Vorzeichen einer Diastase von Apokalyptik und Eschatologie[12] nahezu völlig aus dem Rahmen des Frühjudentums herausfällt.[12a] Unter dem Eindruck der Ergebnisse einer verstärkten Bemühung um das Frühjudentum setzt sich immer mehr die Erkenntnis durch, daß das Judentum in der Zeit von 200 v. Chr. bis 70 n. Chr. eine höchst komplexe Größe gewesen sein muß, deren vielfältige, sich gegenseitig beeinflussende und überlagernde, aber auch auseinanderstrebende Strömungen selbst mit der üblichen Vorstellung von den „Religionsparteien"[13] nur unzulänglich beschrieben sind. Hinzu kommt, daß die Verflechtung von sozialen, wirtschaftlichen, politischen und religiösen Bedingungen und Wirkungen zwar grundsätzlich erkannt, keineswegs aber ausreichend erhellt ist. In dieser Situation der Forschung, die von einem einigermaßen abgerundeten Gesamtbild des Frühjudentums noch weit entfernt ist, muß eine Würdigung der Verkündigung Jesu als eines Phänomens dieses Frühjudentums notwendigerweise manche Unschärfe in Kauf nehmen. Dabei ist es für die Darstellung der Botschaft Jesu als solcher allerdings ein unschätzbarer Vorteil, daß wir ihre Wirkungsgeschichte an den Zeugnissen des Neuen Testaments, die sich wohl kaum aus dem österlichen Kerygma *allein* erklären lassen, relativ gut ablesen können.

Vor manche Schwierigkeiten stellt schließlich die mittlerweile fast schon unüberschaubar gewordene Literatur.[14] Die im Folgenden zitierten Titel stellen notgedrungen nur eine sehr begrenzte Auswahl dar, die sicher nicht allen Autoren und den von ihnen vorgetragenen Argumenten gerecht zu werden vermag. Doch geht es einer „Skizze" primär um eine positive Darstellung, die allerdings ohne die intensive Arbeit vieler anderer (auch nicht angeführter) Autoren nicht möglich gewesen wäre.

---

[12] Zur Problematik vgl. G. *Klein*, TRE X 270–274. Zu einer sachgerechten Einschätzung der frühjüdischen Apokalyptik vgl. K. *Müller*, TRE III; zur Apokalyptik-Forschung vgl. jetzt K. *Koch* – J. M. *Schmidt* (Hrsg.), Apokalyptik.

[12a] Eine aufschlußreiche Übersicht über die Geschichte und Problematik der Wertung des Frühjudentums in der religionsgeschichtlichen Arbeit am Neuen Testament bietet die Studie von K. *Müller*, Judentum.

[13] Vgl. dazu die informativen Übersichten (mit Lit.) bei: K. *Schubert*, Religionsparteien; J. *Maier* – J. *Schreiner*, Literatur, bes. 201–319; J. *Maier*, Geschichte, bes. 43–79; C. *Thoma*, Theologie 62–107.

[14] Vgl. die verdienstvollen Literaturberichte von W. G. *Kümmel* über die Jesusforschung (seit 1950), die ihrerseits den Umfang einer stattlichen Monographie haben. Aus der älteren Lit. sei bes. hervorgehoben: R. *Bultmann*, Jesus; M. *Dibelius*, Jesus; R. *Otto*, Reich Gottes. Weitere Lit. und Literaturberichte sind bei H. *Leroy*, Jesus, verzeichnet.

II. Der Begriff „‚basileia' Gottes" im Neuen Testament (Synoptiker)

Der Begriff ‚basileia' („Königsein, Königtum, Königsmacht, Königsherrschaft; Königreich"[1]) kommt im Neuen Testament 162mal vor[2], am häufigsten bei den Synoptikern (Mt: 55; Mk: 20; Lk: 46 [+ Apg: 8]).[3] Abgesehen von relativ seltenen Bezügen auf irdische Reiche oder Regimente[4] ist der Begriff überwiegend religiös gebraucht. Das gilt auch für die Stellen, wo der Terminus negativ gefärbt ist und – wie in der Offb – als ‚basileia' des Tieres (16,10), der Könige (17,12.17) oder des Weibes (17,18) in Opposition zur Herrschaft des Lammes, des Herrn der Herren und des Königs der Könige (17,14), oder – wie in der Logienquelle Q – als ‚basileia' des Satans (Lk 11,18 par Mt 12,26)[5] im Gegensatz zur ‚basileia' Gottes (vgl. Lk 11,20 par Mt 12,28) steht. Auffällig, wenngleich durchaus konform mit der alttestamentlich-frühjüdischen Vorstellung von der Königsherrschaft Gottes,[6] ist der Befund, daß der messianisch beziehungsweise direkt christologisch qualifizierte ‚basileia'-Begriff relativ selten vorkommt.[7] Die Tatsache, daß sich erst in den späten Schriften des Neuen Testaments die christologischen Belegstellen mehren,[8] zeigt, daß

---

[1] Übersetzung nach W. *Bauer*, Wörterbuch 267f. Zur Übersetzung des Syntagmas „‚basileia' Gottes" s.u. IV/1.1.

[2] Zugrundegelegt ist der Text von *Nestle-Aland*, Novum Testamentum Graece, Stuttgart [26]1979.

[3] Statistik nach K. *Aland* (Hrsg.), Konkordanz II.

[4] Mk 6,23; 13,8 (par Mt 24,7; Lk 21,10); Mt 4,8 par Lk 4,5 (Q); Lk 19,12.15 (Q? diff Mt); Hebr 11,33.

[5] Mk 3,24 (par Mt 12,25; Lk 11,17) wird ‚basileia' als Bild für die Herrschaft des Satans verwendet.

[6] Die Vorstellung von der Königsherrschaft Gottes ist begriffsgeschichtlich prinzipiell von der Herrschaft des Messias zu unterscheiden. Von ihren Ursprüngen her schließt die „Königsherrschaft Gottes" einen „Messias" aus (vgl. Dt-Jes; Dan 2; 7). Verbindungen kommen erst traditionsgeschichtlich sekundär zustande (vgl. PsSal 17; 18; wahrscheinlich in Opposition zur realpolitischen Herrschaft der Hasmonäer). Zur Geschichte des Verhältnisses von göttlicher und menschlicher Herrschaft vgl. W. *Dietrich*, Gott; zur sachlichen Problematik vgl. A. H. J. *Gunneweg*, Herrschaft Gottes.

[7] Direkt messianisch ist Mk 11,10 von der „kommenden ‚basileia' unseres Vaters David" die Rede. Dagegen muß die „‚basileia' für Israel" Apg 1,6 keineswegs messianisch verstanden werden, sondern kann unmittelbares Korrelat zur Königsherrschaft Gottes sein, wie dies auch in frühjüdischen Belegen nicht selten der Fall ist (vgl. Dan 7; 1QM 6,6; 17,7f; vgl. 12,7–16; 19,1–8).

[8] Während Mk noch keine syntagmatische Verbindung des ‚basileia'-Begriffs mit christologischen Hoheitstiteln kennt, sprechen Mt von der ‚basileia' des Men-

es sich durchweg um eine traditionsgeschichtlich sekundäre Vorstellung handelt, die im Zusammenhang mit der Ausbildung einer messianischen Christologie[9] entstanden sein dürfte.[10]

Die überwiegende Masse der Belegstellen, insbesondere der hier vorrangig zu behandelnden synoptischen Evangelien, zeigt einen *theologisch* qualifizierten ‚basileia'-Begriff. Am häufigsten findet sich der Ausdruck „‚basileia' Gottes" oder „‚basileia' der Himmel". Doch kann auch von der „‚basileia' des Vaters" beziehungsweise von „seiner/deiner ‚basileia'" die Rede sein. Nach Schichten (im Sinne der Zwei-Quellen-Theorie) geordnet, ergibt sich für die synoptischen Evangelien folgendes Bild.[11]

1. Der Befund der Spruchquelle Q

In Q[12] findet sich der Ausdruck „‚basileia' Gottes" beziehungsweise „des Vaters" wenigstens 10mal[13], und zwar ausschließlich als direkte Rede im Munde Jesu. Vom Satztyp her am häufigsten findet sich die Form: „‚basileia' Gottes" als Subjekt + Verbum der Bewegung („nahekommen": Lk 10,9 par Mt 10,7; „kommen": Lk 11,2 par Mt 6,10; „gelangen zu": Lk 11,20 par Mt 12,28; „sich Bahn brechen": Lk 16,16bα par Mt 11,12a[14]). Die ‚basileia' wird also als aktive, das Geschehen bestimmende Größe vorgestellt. Sachlich vergleichbar sind die Aussagen der Gleichnisse Lk 13,18f.20f par Mt 13,31f.33. Nur zweimal wird die ‚basileia' als Gegenstand (Akkusativobjekt) menschlicher Bemühung genannt („suchen": Lk 12,31 par Mt 6,33; „rauben, an sich reißen": Lk 16,16bß par Mt 11,12b[15]). Davon zu unterscheiden ist die Aussage der ersten Seligpreisung, wo die ‚basileia' (als Subjekt) den „Armen" zugesprochen beziehungsweise ver-

---

schensohnes (Mt 13,41; Mt 16,28 diff Mk 9,1), Lk und Joh von der ‚basileia' Jesu (Lk 22,29.30 diff Mt 19,28; Lk 23,42; Joh 18,36). Bes. deutlich tritt die christologisch verstandene ‚basileia' in den Deuteropaulinen hervor (Kol 1,13; Eph 5,5; 2 Tim 4,1.18; vgl. auch 2 Petr 1,11).

[9] Zur Entstehung der messianischen Christologie vgl. *H. Merklein*, Auferweckung.

[10] Bes. deutlich zu erkennen in 1 Kor 15,24; Lk 1,33; vgl. Offb 11,15; 12,10.

[11] Näheres bei *H. Merklein*, Gottesherrschaft 21–25.

[12] Zur Rekonstruktion der Q-Texte vgl. bes. *S. Schulz*, Q; *A. Polag*, Fragmenta; *W. Schenk*, Synopse.

[13] Bei ausschließlicher Berücksichtigung der von Mt und Lk gemeinsam bezeugten Stellen.

[14] Zur Übersetzung s. *Merklein*, Gottesherrschaft 81–83.

[15] Siehe die vorige Anm.

heißen wird (Lk 6,20b par Mt 5,3). Relativ selten sind präpositionale Wendungen (ausschließlich mit „in" + Dativ): „zu Tische liegen in der ‚basileia'" (Lk 13,29 par Mt 8,11), „der kleinere in der ‚basileia'" (Lk 7,28 par Mt 11,11); dabei handelt es sich möglicherweise um redaktionelle Bildungen.[16]

2. Der Befund des Markusevangeliums

Im Markusevangelium findet sich – mit Ausnahme von Mk 15,43 – die Rede von der „‚basileia' Gottes" ebenfalls nur im Munde Jesu. Sprachlich identisch mit Q ist die Rede vom „Nahegekommensein" der ‚basileia' Mk 1,15. Als aktive Größe erscheint die ‚basileia' außerdem in dem mit Lk 13,18f par (Q) traditionsgeschichtlich verwandten Gleichnis vom Senfkorn Mk 4,30–32 und in dem Gleichnis von der selbstwachsenden Saat Mk 4,26–29 (Sondergut). Vergleichbar mit dem Zuspruch der ‚basileia' in Lk 6,20b par (Q) ist Mk 10,14 („ . . . solcher [= der Kinder] ist die ‚basileia' Gottes") und – wenngleich schon weiter entfernt – Mk 4,11, wonach den Jüngern „das Geheimnis der ‚basileia' Gottes gegeben ist". Sprachliche Analogien bestehen auch zwischen Lk 13,29 par (Q) und Mk 14,25. Ansonsten fällt auf, daß der für Q charakteristische Satztyp (‚basileia' als Subjekt + Verbum der Bewegung) – von Mk 1,15 (vgl. Mk 9,1)[17] einmal abgesehen – zurücktritt. Dagegen häufen sich die Wendungen, wo die ‚basileia' als Gegenstand des „Sehens" (Mk 9,1) des „Annehmens" (Mk 10,15a) oder „Hineingelangens" (Mk 9,47; 10,15b.23.24.25) erscheint. Bei diesen Ausdrücken, in denen die ‚basileia' nicht mehr ein dynamisches Geschehen bezeichnet, sondern zu einer fast statischen Chiffre für das Heilsgut beziehungsweise den Heilszustand erstarrt ist, besteht der Verdacht, daß es sich um traditionsgeschichtlich sekundäre Bildungen handeln könnte, die möglicherweise in Analogie zu entsprechenden frühjüdischen Redeweisen vom „kommenden Äon" entstanden

---

[16] Zu Lk 13,29 par vgl. *D. Lührmann*, Redaktion 87f; *D. Zeller*, Logion 91; zu Lk 7,28 par vgl. *R. Bultmann*, Geschichte 177; *P. Hoffmann*, Studien 218–224.

[17] „ . . . bis sie die ‚basileia' Gottes *gekommen* (im Griech. Partizip Perfekt) sehen".

sind.[18] Sicher sekundär ist der Ausdruck „nicht fern sein von der ‚basileia‘
Gottes" Mk 12,34.[19]

3. Der Befund des Lukasevangeliums

Das Lukasevangelium übernimmt fast alle durch Q und Mk vorgegebenen
‚basileia‘-Stellen (Ausnahmen: Mk 1,15; 4,26; 9,47; 10,24.34). Daß Lukas
Mk 1,15 übergeht und dafür Jesus Jes 61,1f (58,6) auf sich beziehen läßt
(Lk 4,18–21), kann befriedigend kaum damit erklärt werden, daß Lukas
die Aussage von der Nähe beziehungsweise vom Kommen der ‚basileia‘
vermeiden will,[20] wenngleich er zweifelsohne die Brisanz einer zeitlichen
Naherwartung abgebogen hat. Dagegen spricht der Befund, daß Lukas
die Rede vom „Nahegekommensein" der ‚basileia‘ aus Q übernimmt (Lk
10,9) und redaktionell verdoppelt (Lk 10,11) und in der Endzeitrede sogar
den Ausdruck vom „Nahesein" der ‚basileia‘ einbringt (Lk 21,31 diff Mk
13,29). Auch vom „Kommen" der ‚basileia‘ zu sprechen, hat Lukas
grundsätzlich keine Scheu, wie die Rezeption von Lk 11,2 par (Q) und Lk
17,20b einschließlich der wohl redaktionellen Frage Lk 17,20a[21] zeigen.
Was Lukas allerdings zurückweisen muß, ist das eschatologische Kommen der ‚basileia‘ „in Macht" noch zu Lebzeiten eines der Zuhörer Jesu
(Lk 9,27 diff Mk 9,1[22]) oder zu Lebzeiten Jesu selbst (vgl. Lk 19,11) wie
auch die Berechnung des Termins dafür (Lk 17,20); ihr eschatologisches
Kommen selbst ist damit keineswegs ausgeschlossen (vgl. Lk 11,2; 21,31;

---

[18] Belege bei *G. Dalman*, Worte 88f.95f. Zu Mk 10,15a stellt die rabbinische
Ausdrucksweise „die (bzw. das Joch der) Gottesherrschaft auf sich nehmen" die
nächste *formale* sprachliche Analogie dar (vgl. *Dalman*, aaO. 80.101, und unten
Anm. 38.39). Doch ist der *sachliche* Unterschied zu beachten (vgl. *Dalman*,
aaO. 101; *Merklein*, Gottesherrschaft 117), so daß als nächste *inhaltliche* Parallele wohl doch die Rede vom Annehmen bzw. Empfangen des verheißenen
kommenden Äons in syrBar 14,13; 51,3 in Frage kommt (vgl. *Dalman*, aaO.
102).

[19] Vgl. *R. Pesch*, Mk II 243f.

[20] Gegen *H. Conzelmann*, Mitte 105.109.

[21] Vgl. *R. Schnackenburg*, Abschnitt 221.224; *R. Geiger*, Endzeitreden 29f.33–36;
J. Zmijewski, Eschatologiereden 361f; *Merklein*, Gottesherrschaft 122f.

[22] Lukas spricht daher nur vom „Sehen" der ‚basileia‘, was wohl auf das österliche
bzw. nachösterliche Geschehen zu beziehen ist (vgl. Apg 1,3): so *H. Schürmann*, Lk I 550f.

22,16.18).[23] Gegen das Ungestüm der Naherwartung kehrt Lukas den Gedanken hervor, daß sich seit dem Auftreten Jesu und in der von ihm in Gang gesetzten Verkündigung bereits das Heil der ‚basileia' ereignet (vgl. Lk 11,20; in diesem Sinn versteht Lukas wohl auch das „Nahegekommensein" in Lk 10,9.11). Lukas kann daher das Wirken Jesu als ein „Verkündigen" (‚*euaggelizesthai*': Lk 4,43; 8,1; 16,16b; ‚kēryssein': Lk 8,1; ‚lalein peri': Lk 9,11; vgl. Apg 1,3) der ‚basileia' Gottes zusammenfassen, wozu dann auch die Jünger beauftragt werden (Lk 9,2.60[24]; vgl. Apg 8,12; 19,8; 20,25; 28,23.31). Die „Verkündigung (Frohe Botschaft) an die Armen" (‚euaggelizesthai ptōchois': Jes 61,1) in Lk 4,18 ist daher keine Tilgung, sondern nur eine (im Sinn des Lukas) konsequente Auslegung des in Mk 1,15 proklamierten Nahegekommenseins der ‚basileia' Gottes. Dabei dürften Lk 4,18–21 diff Mk 1,15 und das lukanische Syntagma vom „Verkünden (‚euaggelizesthai') der ‚basileia' Gottes" nur unzulänglich gewürdigt sein, wenn man sie ausschließlich als lukanische „Erfindung" erklärt. Wirkungsgeschichtlich geurteilt, kommt darin vielmehr nur explizit zum Ausdruck, daß wahrscheinlich von allem Anfang an sowohl die urchristliche Rede vom „Evangelium"[25] wie auch die Botschaft Jesu von der „‚basileia' Gottes" im Überlieferungsgefälle von Jes 61,1–3 (und Jes 52,7)[26] stehen. An beiden Stellen ist vom „Freudenboten" (‚euaggelizomenos') die Rede, der Zion die Königsherrschaft Gottes ansagt (Jes 52,7) beziehungsweise den Armen frohe Botschaft kündet (Jes 61,1). Bereits in Q wurde dieser Zusammenhang mit der ‚basileia'-Predigt Jesu reflektiert: Jesus preist die Armen selig und sagt ihnen die ‚basileia' Gottes zu (Lk 6,20b par Mt 5,3); Jesus selbst ist daher der Freudenbote, der den Armen frohe Botschaft kündet (Lk 7,26 par Mt 11,5). Und auch die (wohl schon vor-markinische[27]) Zusammenstellung von „„basileia'

---

[23] Auch Lk 12,32 ist wohl futurisch-eschatologisch zu verstehen. In dem ursprünglich isolierten Logion erscheint die ‚basileia' als Heilsgut; traditionsgeschichtlich dürfte es daher ähnlich zu beurteilen sein wie die Mk-Logien vergleichbaren Charakters (s. o. 2). Zur parallelen frühjüdischen Aussage vom „Geben" des kommenden Äons s. *Dalman*, Worte 101.

[24] Vgl. dazu auch Lk 9,62 und 18,29. Das zweite Logion ist wohl redaktionell gestaltet, während das erste vorlukanisch sein dürfte. Zum rabbinischen Parallelmaterial („des kommenden Äons würdig sein") vgl. *Dalman*, aaO. 97f.

[25] P. *Stuhlmacher*, Evangelium 109–179.207–244.

[26] Anspielungen auf Jes 61,1–3 finden sich auch sonst in frühjüdischen Texten, die von der Königsherrschaft Gottes sprechen, vgl. TestDan 5,10–13 (Befreiung der Gefangenen); AssMos 10,1c (Hinwegnahme der Traurigkeit) und 11 QMelch, wo Jes 52,7 und 61,1f direkt zitiert sind.

[27] Vgl. *Stuhlmacher*, aaO. 234–238; R. *Schnackenburg*, „Das Evangelium" 318–321; R. *Pesch*, Mk I 100–103; vgl. auch G. *Dautzenberg*, Zeit.

Gottes" und „Evangelium" in Mk 1,15 dürfte von diesen traditionsgeschichtlichen Zusammenhängen beeinflußt sein.

4. Der Befund des Matthäusevangeliums

Bezeichnend für das Matthäusevangelium ist, daß es – wohl in Angleichung an den rabbinischen Sprachgebrauch („mal^{e}kût schämajim')[28] –
überwiegend von der „‚basileia' der Himmel" (32mal) anstelle von der
„‚basileia' Gottes" (so nur: Mt 12,28; 19,24; 21,31; 21,43) spricht beziehungsweise in reflektierterer Weise zwischen der ‚basileia' „der Himmel",
„Gottes", „des Vaters" (Mt 6,10.33; 13,43; 26,29; vgl. 25,34) und „des
Menschensohnes" (Mt 13,41; 16,28) unterscheidet.[29] Die durch Mk oder
Q überkommenen ‚basileia'-Stellen übernimmt Matthäus fast ausnahms-
los (es fehlen nur Mk 4,26; 10,24; 12,34) und vermehrt das Material aus
Sondergut und durch Redaktionsarbeit (besonders bei Gleichniseinleitun-
gen: Mt 13,24; 18,23; 25,1). Inhaltlich fällt auf, daß Matthäus bereits
Johannes den Täufer die ‚basileia' verkünden läßt (Mt 3,2; Redaktion im
Anschluß an Mt 4,17 par Mk 1,15; vgl. auch Mt 11,12f diff Lk 16,16).
Sprachlich-syntagmatisch ist interessant, daß die erstmals bei Mk belegte
Ausdrucksweise vom „Eingehen in die ‚basileia' Gottes" bei Mt durch
zwei weitere Stellen vermehrt ist (Mt 5,20 Red.; 7,21 Red. diff Lk 6,46;
vgl. auch Mt 21,31),[30] wobei die redaktionelle Differenz von Mt 18,9 zu
Mk 9,47 unterstreicht, daß die Rede vom „Eingehen in die ‚basileia'
Gottes" als christliche Analogiebildung zur geläufigen frühjüdisch-rabbinischen Ausdrucksweise vom „Eingehen in den kommenden Äon bzw.
das (ewige) Leben"[31] zu verstehen ist (vgl. auch Mk 9,43 par Mt 18,8; Mt
9,45; Mt 19,17). In diesem Zusammenhang ist auch die Rede vom
„Erben" („in Besitz nehmen") beziehungsweise vom „Bereitgestelltwer-
den" der ‚basileia' zu nennen (Mt 25,34; vgl. Mt 5,5).[32] Besonders typisch
für Matthäus sind Syntagmen mit der absolut gebrauchten ‚basileia' als

---

[28] Siehe IV/1.1.

[29] Zur unterschiedlichen Akzentuierung: A. Kretzer, Herrschaft 35f.140.167–171.
passim; W. Trilling, Israel 151–154.

[30] Die Auslassung von Mk 10,24 dürfte stilistisch bedingt sein; vgl. Mk 10,23.25
par Mt 19,23f!

[31] Vgl. dazu Dalman, Worte 95f.129–131.

[32] Vgl. Dalman, aaO. 102–104. Das Syntagma ist jedoch bereits vor Mt in
christlicher Tradition gebräuchlich, vgl. 1 Kor 6,9f; 15,50; Gal 5,21 (vgl. auch
Eph 5,5; Jak 2,5).

Genitiv: „Das Wort (von) der ‚basileia'" (Mt 13,19 diff Mk 4,15), „die Söhne der ‚basileia'" (Mt 8,12 diff Lk 13,28; Mt 13,38) und „das Evangelium (von) der ‚basileia' verkünden" (Mt 4,23 diff Mk 1,39; Mt 9,35; Mt 24,14 diff Mk 13,10). Diese Ausdrücke, die die absolut gebrauchte ‚basileia' chiffrenhaft (für „‚basileia' Gottes bzw. der Himmel") verwenden,[33] sind wahrscheinlich durchweg redaktionell. Doch dürfte insbesondere die Verbindung von „Evangelium" und „basileia'" durch „jüdische und judenchristliche Ausdrucksweise" beeinflußt und somit ein Reflex jener überlieferungsgeschichtlichen Zusammenhänge (Jes 52,7; 61,1) sein, die oben (3) bereits angesprochen wurden.[34]

5. Auswertung

5.1 Traditionsgeschichtliche Auswertung

Der sprachliche Befund bei den Synoptikern deutet auf eine Entwicklung in den Aussagen über die „‚basileia' Gottes" hin.[35] Im Blick auf die Rückfrage nach authentischen Jesusworten können vor allem drei Schlußfolgerungen gezogen werden, die zwar keine absolute Gültigkeit beanspruchen können, zumindest aber in ihrer Tendenz zutreffend sein dürften:

(1) Zur traditionsgeschichtlich ältesten (und damit am ehesten authentischen) Sprechweise dürften die Logien beziehungsweise Texte gehören, in denen die „‚basileia' Gottes" als eine *aktiv-dynamische Größe* erscheint. Dazu ist neben den Gleichnissen (Mk 4,26–29.30–32 par; Lk 13,18f.20f par Mt 13,31f.33) und der ersten Seligpreisung (Lk 6,20b par Mt 5,3) der vor allem in Q belegte Satztyp zu rechnen, der die ‚basileia' als Subjekt mit einem Verbum der Bewegung verbindet (Lk 10,9 par Mt 10,7; Lk 11,2 par Mt 6,10; Lk 11,20 par Mt 12,28; Lk 16,16bα par Mt 11,12a; vgl. Mk 1,15; 9,1).[36]

---

[33] Vgl. dazu *Dalman*, aaO. 78f.94f.
[34] Vgl. *Stuhlmacher*, Evangelium 238–243, Zitat: 243.
[35] Schon aufgrund dieses Befundes ist m. E. die von der skandinavischen Forschung vertretene These höchst unwahrscheinlich, daß Jesus seine Jünger die zu überliefernden Worte memorieren ließ; so: *H. Riesenfeld*, Gospel Tradition; *B. Gerhardsson*, Memory; *ders., Tradition*.
[36] Zu einem ähnlichen Ergebnis bezüglich der ipsissima verba in der Q-Tradition kommt *H. Schürmann*, Zeugnis. Neben Lk 11,2 par („mit *hoher, an Gewißheit grenzender Wahrscheinlichkeit*" authentisch: 179) rechnet er Lk 6,20b; 11,20;

(2) Dagegen sind die Aussagen, in denen die ‚basileia' als Inbegriff des *Heilsgutes* oder des *Heilszustandes* erscheint, aufs Ganze gesehen wohl jünger. Wie die im Zuge der christlichen Überlieferung sich mehrende Belegstellenzahl zeigt, wird die „‚basileia' Gottes" zunehmend zum christlichen terminus technicus für das (eschatologische) Heil, so daß dann analog zur frühjüdisch-rabbinischen Sprechweise vom „kommenden Äon" oder vom „(ewigen) Leben" (und teilweise wohl auch parallel zu deren Entwicklung) die „‚basileia' Gottes" mit Verben wie „eingehen in", „erben", „sehen" verbunden werden kann.

(3) Eine rein statistische Auflistung der synoptischen Syntagmen, „die in der Ausdrucksweise der Zeitgenossen Jesu *keine* (auch keine profanen) *Parallelen* haben", läßt daher noch nicht den Schluß zu, daß „Jesus selbst" beziehungsweise „seine sprachschöpferische Kraft" dafür verantwortlich ist.[37] Zumindest ein gut Teil dieser Wendungen kann auch traditionsgeschichtlich, das heißt im Zuge der Entwicklung einer christlichen Eigensprache, erklärt werden.

5.2 Der eschatologische Charakter der „‚basileia' Gottes"

Die synoptische Überlieferung insgesamt und insbesondere die der älteren Traditionsschicht zuzuweisenden Logien lassen keinen Zweifel daran, daß die „‚basileia' Gottes" als eschatologische Größe zu verstehen ist. Ihr vom Ansatz her futurischer Charakter wird vor allem durch Verbindungen mit „kommen" (Lk 11,2 par Mt 6,10) oder „nahekommen" (Lk 10,9 par Mt 10,7; Mk 1,15) unterstrichen und auch durch präsentische Aussagen wie Lk 11,20 par Mt 12,28 (vgl. Lk 16,16 par Mt 11,12 f; Mk 4,30–32 par) nicht in Frage gestellt, da letztere gerade dadurch ihre besondere Brisanz erhalten.

Es ist daher davon auszugehen, daß Jesus begriffsgeschichtlich bei dem

---

12,31; 13,18 f par mit „*größerer . . . Wahrscheinlichkeit*" zu den echten Jesusworten (178); bei Lk 16,16b par glaubt er „eine *Möglichkeit* zu sehen, ein redaktionell transformiertes *ipsissimum verbum Jesu* mit einiger Zuversicht vermuten zu dürfen." (178) Unterschiede in der Beurteilung ergeben sich bei Lk 10,9; 12,31; 13,20f, wobei aber nur die beiden ersten Stellen von sachlicher Bedeutung sind (s. dazu: IV/3.3; V/5.2). Die ansonsten zu konstatierende Konvergenz ist um so bemerkenswerter, als *Schürmann* sein Ergebnis von einer gänzlich anderen Fragestellung her erzielt. Weit zuversichtlicher in der Beurteilung authentischer Worte ist *J. Schlosser*, Règne de Dieu.
[37] Gegen *J. Jeremias*, Theologie 41–43 (Zitate: 41.43).

hauptsächlich von Deutero-Jesaja initiierten (vgl. Jes 52,7), von der nach-exilischen Prophetie weiter gepflegten (vgl. Mi 2,12f; 4,6–8; Zef 3,14f; Sach 14,9.16f) und dann apokalyptisch vermittelten (vgl. Jes 24,23; Dan 2; 7; Jub 1,27f; TestDan 5,10–13; AssMos 10; u.ö.) *eschatologischen* Sprachgebrauch von „‚basileia' Gottes" ansetzt. Ein Vergleich mit rabbinischem Sprachgebrauch[38] trägt, sofern er nicht seinerseits apokalyptisch beeinflußt ist (vgl. XVIII-Gebet 11; Targumim), für das Verständnis der Botschaft Jesu daher wenig aus; das gilt auch (trotz Mk 10,15a) für die beliebte rabbinische Wendung „die (oder: das Joch der) Gottesherrschaft auf sich nehmen"[39], sofern sie überhaupt bis in die Zeit Jesu zurückreicht.

5.3 Die „‚basileia' Gottes" als der zentrale Begriff der Verkündigung Jesu

Daß in den synoptischen Evangelien die ‚basileia'-Predigt als Predigt *Jesu* in aller nur wünschenswerten Breite bezeugt ist, läßt kaum einen anderen Schluß zu, als daß Jesus selbst ihr Initiator gewesen ist. Darüber hinaus wird man sogar behaupten müssen, daß die „‚basileia' Gottes" den zentralen Inhalt der Verkündigung Jesu bezeichnet. Nach der Überlieferung der Logienquelle (Lk 10,9 par Mt 10,7) wie auch der vormarkinischen Tradition (Mk 1,15) ist die Aussage „Nahegekommen ist die ‚basileia' Gottes" der Mittelpunkt der dort jeweils gegebenen Zusammenfassung der Verkündigung Jesu. Selbst wenn man die konkrete Formulierung dieses Satzes in ihrer Authentizität bezweifeln mag,[40] bleibt es immerhin bemerkenswert, daß die ‚basileia'-Predigt als das entscheidende Thema der Verkündigung Jesu herausgestellt wird. Überdies wird in der synoptischen Tradition kein anderes Thema der Verkündigung Jesu – weder die Umkehrpredigt noch eine sittliche Forderung (Feindesliebe, Liebesgebot) noch die Botschaft vom „Vater" – in vergleichbarer Weise zum zusammenfassenden Inbegriff der Botschaft Jesu erhoben.[41]

Dem Schluß, daß damit auch der entscheidende Inhalt der Verkündigung des historischen Jesus festgehalten ist, könnte man sich nur dann entziehen, wenn man voraussetzen könnte, daß die bei Jesus selbst noch keineswegs zentrale Thematik der ‚basileia' erst unter dem Eindruck einer

---

[38] Vgl. dazu *K. G. Kuhn*, ThWNT I 570–573.

[39] Belege bei *Bill* I 176f; oftmals im Sinne von „das Sch°ma° rezitieren": aaO. 177f.

[40] Die Gründe dafür oder dagegen hängen im wesentlichen von der Interpretation der „Nähe" ab; s. dazu unten IV/3.3.

[41] *Merklein*, Gottesherrschaft 33f.

durch Ostern ausgelösten oder intensivierten Naherwartung in das Zentrum des Interesses gerückt sei. Nun kann nicht ausgeschlossen werden, daß Ostern eine hochgespannte Erwartung des auch *zeitlichen* Naheseins der von Jesus angesagten ‚basileia' auslöste oder wenigstens verstärkte und auch zur Bildung von ‚basileia'-Worten mit dieser Aussageintention führte. Dies würde für die Rückfrage nach Jesus zunächst aber nur besagen, daß der Gedanke der *zeitlichen* Naherwartung nicht unbedingt typisch für die authentische ‚basileia'-Vorstellung Jesu gewesen sein muß, und noch nicht den Schluß rechtfertigen, daß die ‚basileia' nicht das zentrale Thema Jesu gewesen sein könne. Die (wie auch immer zu verstehende) ‚basileia'-Predigt Jesu, als Inbegriff seiner Botschaft vorausgesetzt, würde im Gegenteil gerade erst erklären, daß es nachösterlich zu einer Intensivierung der ‚basileia'-Botschaft im Sinne zeitlicher Naherwartung kam. Andernfalls, also unter Voraussetzung der ‚basileia'-Botschaft als eines neben- oder untergeordneten Themas der Verkündigung Jesu, wäre viel eher zu erwarten, daß die Ostererfahrung selbst beziehungsweise die Aussage von der Auferweckung Jesu und die dann (in zeitlicher Nähe) zu erwartende Parusie Jesu als des Menschensohnes als eigentlicher Inhalt der Verkündigung thematisiert worden wären und nicht nur den Anlaß für die nachösterliche Verkündigung gebildet hätten, wie es zum Beispiel für Q der Fall zu sein scheint.[42] In jedem Fall erklärt sich unter der im übrigen auch von der überwiegenden Mehrheit der Exegeten geteilten Voraussetzung der ‚basileia'-Predigt als der Mitte der Verkündigung Jesu immer noch am besten sowohl der nachösterliche Traditionsprozeß wie auch die Eigenart der sonstigen (theo-logischen und ethischen) Botschaft Jesu.[43]

---

[42] *H. E. Tödt*, Menschensohn 225–228. passim; *Hoffmann*, Studien 307; *Lührmann*, Redaktion 26 f; *Merklein*, aaO. 29 f.

[43] Sachlich muß diese Wertung der ‚basileia'-Botschaft Jesu nicht einmal der Auffassung *H. Schürmanns*, Hauptproblem, widersprechen, der meint, daß „die Theozentrik . . . Jesus ganz ohne Zweifel doch mehr (bewegt) als die Eschatologie, die Offenbarung und Sichtbarmachung des Herr- und Vaterseins Gottes letztlich doch grundlegender als die Kunde von der Nähe der Basileia" (28). Offensichtlich geht es *Schürmann* darum, die *zeitliche* Naherwartung der ‚basileia' als den eigentlichen Inhalt der Predigt Jesu auszuschließen. Nur so hat die von ihm aufgestellte Alternative von Theozentrik und Eschatologie m. E. einen Sinn. Denn, daß es Jesus primär um das Herr- und Vatersein Gottes gegangen sei, wird durch die Auffassung, daß die ‚basileia' den zentralen Verkündigungsinhalt Jesu gebildet habe, nicht in Frage gestellt, sofern man einräumt, daß Jesus nicht von einem Herr- und Vatersein an sich, sondern vom Herr- und Vatersein des jetzt eschatologisch handelnden Gottes reden wollte.

III. Johannes der Täufer und die Gerichts-verfallenheit Israels als „anthropologische" Prämisse der Verkündigung Jesu

Obgleich die Gestalt Johannes des Täufers[1] ihrerseits einer Einordnung in die Geschichte des Frühjudentums erhebliche Schwierigkeiten in den Weg legt, muß sie als ein sehr wichtiger Anhaltspunkt für eine sachgerechte religionsgeschichtliche Würdigung Jesu betrachtet werden. Es kann nicht bezweifelt werden, daß Jesus Johannes gekannt und zumindest anfänglich im Bannkreis seiner Verkündigung gestanden hat, möglicherweise sogar als Jünger des Täufers.[2] Daß Jesus die Taufe des Johannes empfangen hat, ist die einhellige Aussage der synoptischen Evangelien (Mk 1,9–11 par), die schon deswegen als historisch zutreffend gewertet werden muß, weil sie der Tendenz der nachösterlichen Christologie eher zuwiderläuft. In welchem Bewußtsein sich Jesus der Johannestaufe unterzog, wird sich kaum mehr aufklären lassen. Die christliche Überlieferung schweigt sich darüber aus; sie ist im Zusammenhang mit dem Taufgeschehen primär an der Geistverleihung und der messianischen Beauftragung Jesu interessiert (Mk 1,10f par).[3] Diese Darstellung wird sich aber schwerlich historisch auswerten lassen. Doch ist der bloße Befund, daß Jesus die Predigt des Johannes kannte und ihr wohl auch grundsätzlich zustimmte, schon bemerkenswert genug.

---

[1] An monographischen Darstellungen seien genannt: *M. Dibelius*, Überlieferung; *M. Goguel*, seuil; *E. Lohmeyer*, Urchristentum I; *C. H. Kraeling*, John; *A. Schlatter*, Johannes; *Ch. H. H. Scobie*, John; *R. Schütz*, Johannes; *W. Wink*, John; *S. Sabugal*, embajada; bes. hervorgehoben sei die Untersuchung von *J. Becker*, Johannes.

[2] Vgl. *Goguel*, aaO. 86–95; *Vielhauer*, RGG³ III 807; *J. Jeremias*, Theologie 53; *Becker*, aaO. 12–15.

[3] Nach *A. Vögtle*, Taufperikope 137, will Mk 1,10f „vom Standort des urchristlichen Christusglaubens auf eine ebenso nachdrückliche wie unanfechtbare Weise verkünden, ‚*wer und was der von Johannes getaufte und so diesem scheinbar untergeordnete Jesus in Wirklichkeit ist*': *der höhere Gottesbote, nämlich der verheißene Heilbringer selbst.*"

1. Die Gerichtspredigt Johannes des Täufers

Nach der Logienquelle Q (Lk 3,7–9.16f par Mt 3,7–10.11f)[4] hat Johannes folgendermaßen gepredigt:[5]

(7b)[6] Schlangenbrut, wer hat euch unterwiesen, dem kommenden Zorn zu entrinnen?
(8) Bringt also würdige Frucht der Umkehr!
(9) Und meint nicht, bei euch sagen zu können: Wir haben Abraham zum Vater! Denn ich sage euch: Gott kann aus diesen Steinen da dem Abraham Kinder erwecken!
(10) Schon aber ist die Axt an die Wurzel der Bäume gelegt. Jeder Baum nun, der keine gute Frucht bringt, wird umgehauen und ins Feuer geworfen.
(11) Ich taufe euch mit Wasser, der Kommende aber *ist stärker als ich, ich bin nicht wert, (ihm) seine Schuhe auszuziehen,* er wird euch mit Feuer taufen.
(12) Die Schaufel (hält er schon) in seiner Hand, und er wird seine Tenne säubern, und er wird seinen Weizen in seine Scheune sammeln, die Spreu aber wird er verbrennen im unauslöschlichen Feuer.

Sieht man von dem hervorgehobenen Stück in V. 11 ab, das als theologisches Interpretament der Logienquelle anzusehen ist,[7] dürfte der verbleibende Text eine authentische Täufertradition wiedergeben, in der sich, wenn nicht der Wortlaut, so doch die Intention des Johannes der Sache nach bewahrt hat.[8]

Ihrem Inhalt nach richtet sich diese Predigt nicht an bestimmte jüdische Gruppierungen, sondern prinzipiell an *ganz Israel.*[9] Die Anrede „Schlangenbrut" (V. 7b) ist nicht rhetorische Übertreibung, sondern Existenzbeschreibung Israels, das so, wie es sich vor-findet, unter dem Zorn Gottes steht und als solches keine Aussicht mehr hat, dem kommenden Gericht zu entrinnen (V. 7b). Von der Sache wie auch von der Motivik her

---

[4] Q dürfte, aufs Ganze gesehen, ein älteres Stadium der Täufertradition wiedergeben als Mk 1,1–8; vgl. *P. Hoffmann,* Studien 19–22.

[5] Zur Rekonstruktion: *Hoffmann,* aaO. 15–25; *S. Schulz,* Q 366–369; vgl. *A. Polag,* Fragmenta 28f; *W. Schenk,* Synopse 17–19.

[6] Verszählung nach Mt.

[7] *Hoffmann,* aaO. 18–25.28–33.

[8] Dem Text fehlt „jede jesuanische oder christliche Komponente": *Becker,* Johannes 109 Anm. 21; vgl. *H. Schürmann,* Lk I 183; *Dibelius,* Überlieferung 53–57.

[9] Dafür spricht auch die vermutliche Einleitung (V. 7a; die allgemeine lk Adresse dürfte gegenüber den mt „Pharisäern und Sadduzäern" ursprünglich sein; so auch alle in Anm. 5 genannten Autoren; vgl. auch *A. Fuchs,* Intention); inhaltlich ergibt sich die allgemeine Adresse aus der Apodiktik der Gerichtsaussage, der Nutzlosigkeit der Abrahamskindschaft und der Taufe als der einzigen Möglichkeit, dem Gericht zu entfliehen.

steht die Gerichtspredigt des Johannes im Gefolge der deuteronomistischen Verkündigung, welche die im Exil offenkundige Unheilssituation Israels als permanente Gerichtssituation in die jeweilige Gegenwart fortschrieb.[10] Doch ist die Analyse des Johannes noch weit ernüchternder. Während die deuteronomistischen Umkehrprediger den Väterbund als Hoffnungsinstanz für ein künftiges göttliches Umkehr- und Heilshandeln an Israel hervorkehrten, wird von Johannes gerade diese Möglichkeit bestritten. Israel ist so verloren, daß auch die Berufung auf Abraham keine Heilshoffnung mehr zuläßt (V. 9a). Der Bruch mit einer Heil versprechenden Vergangenheit, die in geschichtlicher Kontinuität heilsame Zukunft aus sich entläßt, ist total. Und wahrscheinlich ist auch die Wüste, in die sich Johannes zurückgezogen hat (vgl. Mk 1,3f par; Mt 11,7 par), nur Signum für einen „Exodus im Sinne des Auszugs aus dem Bestehenden"[11].

Sofern das Grundwissen der Apokalyptik in der „Beziehungslosigkeit zwischen Geschichte und Erlösung" zu suchen ist,[12] könnte man sagen, daß Johannes ein apokalyptisch radikalisiertes deuteronomistisches Geschichtsbild vertritt. Allerdings bleibt auch die apokalyptische Sichtweise des Johannes eine Sache sui generis. Während die Apokalyptik sich ansonsten vorwiegend auf die hoffnungsvolle Perspektive eines, zwar allein durch Gottes Eingreifen, aber dennoch möglichen Heiles konzentrierte, bleibt Johannes gerade in dieser Hinsicht sehr zurückhaltend. Die positiven Bilder des Heiles sind in seiner Predigt eher „versteckt".[13] Nur in V. 12 rückt das heilvolle Bild vom Sammeln des Weizens für einen Augenblick in den Vordergrund, um gleich wieder dem Gerichtsszenarium vom Verbrennen der Spreu im unauslöschlichen Feuer als Schlußpunkt zu weichen. Der „Kommende" (V. 11), in dem Johannes wahrscheinlich Gott selbst gesehen hat,[14] bleibt für ihn überwiegend Gerichtsgestalt.

Ihre besondere Brisanz erhält die Predigt des Johannes dadurch, daß das angesagte Gericht in *unmittelbarer Nähe* bevorsteht. Der „Kommende" hat bereits die Schaufel in der Hand, um seine Tenne zu säubern (V. 12). Die Axt ist „schon" an die Wurzel der Bäume gelegt (V. 10a). Der

---

[10] Vgl. dazu *O. H. Steck*, Israel.

[11] *Becker*, aaO. 26.

[12] *K. Müller*, TRE III 212.

[13] Vgl. *Becker*, aaO. 22f. Die latent vorhandene (semantische) Opposition zu V. 10b ist bezeichnenderweise textlich nicht realisiert.

[14] Vgl. *H. Thyen*, Studien 137; das Gegenargument von *Becker*, aaO. 34f, ist nicht stichhaltig, wenn in V. 11 Redaktion vorliegt.

Zeitfaktor ist nahezu eliminiert. Nun ist das Phänomen der Naherwartung im Frühjudentum prinzipiell nichts Neues. Und auch zu der atemberaubenden Überzeugung des Johannes, daß Gegenwart und Zukunft nahezu kurzgeschlossen sind, gibt es immerhin Vergleichbares.[15] Das Charakteristische an der Naherwartung des Johannes ist wiederum der Gerichtsgedanke. Denn während die Naherwartung ansonsten dazu dient, dem Erwählungskollektiv in aussichtsloser Situation durch den Glauben an Gottes baldiges Eingreifen neue Heilszukunft zu eröffnen, und so gerade den Gedanken an (das wahre) Israel als das Erwählungskollektiv aufrechterhält, ist sie bei Johannes mit dem Gedanken des Gerichts über *ganz* Israel verbunden und stellt somit das Erwählungskollektiv als solches in Frage. Israel, wie es Johannes vor-findet, kann ob seiner Schuldverfallenheit nicht mehr beanspruchen, das Erwählungskollektiv zu sein. Daher ist auch eine im Erwählungskollektiv gründende Hoffnung auf Heil sinnlos geworden. Der Begriff „Israel" gerät unter das Vorzeichen des Gerichtsgedankens, womit zugleich der sachliche Grund für die zeitliche Unmittelbarkeit des Gerichts angegeben ist. Die Predigt des Johannes ist also primär Gerichtspredigt beziehungsweise prophetisch-apokalyptische Aufdeckung eines theologisch unmittelbaren Zusammenhangs von faktischem Israel und göttlichem Gericht.

Dies bedeutet jedoch nicht eine völlige Eliminierung des *Heilsgedankens*, auf dessen Vorhandensein im Zusammenhang mit den „versteckten" Heilsaussagen bereits aufmerksam gemacht wurde. Denn auch die Gerichtspredigt des Täufers ist als Predigt der „Umkehr" (vgl. V. 8) natürlich nur sinnvoll, wenn sie wenigstens mit einer dennoch bestehenden *Möglichkeit* des Heils zu rechnen vermag. Und auch theologisch ist eine Preisgabe der Vorstellung von Israel als Erwählungskollektiv in alttestamentlich-frühjüdischer Tradition wohl nur denkbar, wenn der damit angezeigte Bruch Israels mit seiner eigenen Vergangenheit, in der die Erwählung stattfand, die Treue *Gottes* zu seinem Erwählungshandeln nicht in Frage stellt. Daß Israel, so wie es sich vor-findet, sein Recht der Berufung auf den Väterbund verloren hat, kann nicht bedeuten, daß Gott seine Verheißung an Abraham fallengelassen hat. Die Kontinuität göttlichen Erwählungshandelns steht auch für Johannes außerhalb jeden Zweifels. Gott hat die Macht, selbst aus leblosen Steinen dem Abraham Kinder

---

[15] Vgl. die von Josephus erwähnten (falschen) Propheten, die in die Wüste zogen, um dort die Wunder der Endzeit zu erwarten (*M. Hengel*, Zeloten 235–239). Ähnlich akut war die Naherwartung der Zeloten bei der Belagerung Jerusalems (*Hengel*, aaO. 248 f).

zu erwecken (V. 9b). Gerade der Gedanke an Gottes neuschöpfende Kraft ermöglicht es Johannes, alles irdisch-genealogische Kontinuitätsdenken beiseite zu fegen.

In dieser dialektischen Spannung von göttlicher Kontinuität und menschlicher Diskontinuität läßt sich auch die *Umkehr,* die Johannes predigt, näher charakterisieren. Es geht dabei nicht um einen Aufruf zu letzter Kraftanstrengung. Umkehr ist angesichts der apodiktischen Gerichtsaussage (V. 7b) wohl überhaupt keine Möglichkeit *Israels* mehr, die dieses von sich aus ergreifen könnte, um seine Gerichtsverfallenheit ungeschehen zu machen. Die Umkehr, die Johannes predigt, verlangt vielmehr von Israel geradezu das Bekenntnis, daß Gott mit seinem Zorn Israel gegenüber im Recht ist. Dieses Bekenntnis ist nach Auffassung des Johannes die letzte Möglichkeit, die *Gott* Israel einräumt, um trotz des unzulässigen Rekurses auf den Abrahambund dem kommenden Gericht entgehen zu können. Die Umkehr ist somit nicht so sehr ethisch ausgerichtet im Sinne der sonst üblichen Vorstellung von der Rückkehr zur Tora,[16] obgleich dies nicht ausgeschlossen sein muß.[17] Doch dürfte es kein Zufall sein, daß entsprechende ethische Anweisungen nicht überliefert werden.[18] Umkehr ist primär eschatologische Gabe Gottes, der insofern auch soteriologische Qualität zukommt, als sie wenigstens negativ vor dem Gericht zu bewahren vermag.

Konkret ist das „Bringen" einer „würdigen Frucht (Singular!) der Umkehr" (V. 8) wohl identisch mit dem Empfang der *Taufe,* die Johannes anbietet.[19] In ihrer speziellen Ausprägung ist diese ein religionsgeschichtliches Novum,[20] wozu insbesondere ihre Einmaligkeit und Unwiederholbarkeit wie auch die Tatsache zu rechnen ist, daß Johannes und nicht der Umkehrende die Taufe (das Untertauchen) besorgt. Nicht von ungefähr wird daher dem Johannes der Beiname „der Täufer" beigelegt.[21] Für die inhaltliche Würdigung der Johannestaufe sind von den überlieferten Texten her besonders zwei Gegebenheiten zu beachten: Ihre (semanti-

---

[16] Vgl. dazu *H. Merklein,* Umkehrpredigt 35 Anm. 39.

[17] Lk 3,10–14 ist jedoch wahrscheinlich redaktionell; vgl. *Hoffmann,* Studien 16 Anm. 5; *Thyen,* Studien 138; gegen *Schürmann,* Lk I 169.

[18] Zur Stellung des Johannes zum AT vgl. *Becker,* Johannes 36f.58.

[19] Vgl. *Merklein,* Umkehrpredigt 36f.

[20] Zum Problem der religionsgeschichtlichen Ableitung der Johannes-Taufe vgl. *Vielhauer,* RGG³ III 805f; *Thyen,* Studien 133–137; *J. A. Sint,* Eschatologie 83–102; *Becker,* aaO. 38–40. Zum Verhältnis des Täufers zu Qumran vgl. *H. Braun,* Qumran II 1–29, speziell zum Verhältnis zum Lehrer der Gerechtigkeit vgl. *Becker,* aaO. 56–60.

[21] Außerhalb der Evangelien auch bei *Josephus,* Ant XVIII, 116.

sche) Opposition zur Feuertaufe (V. 11) und ihre sündentilgende Qualität (Mk 1,4: „Taufe der Umkehr zu Vergebung der Sünden")[22]. Die Gegenüberstellung zur Feuertaufe (des Gerichts)[23] läßt die Wassertaufe des Johannes als Konditionierung zum Bestehen des Gerichts erscheinen. Die sachliche Grundlage dafür liefert die Vergebung der Sünden, die beim Taufakt wohl auch bekannt wurden (vgl. Mk 1,5). Die Johannestaufe ist also nicht nur ein „Zeichen", sondern selbst wirksame Kraft, die den Getauften aus dem Unheilskollektiv des vor-findlichen Israel herausreißt. Sie ist zwar noch nicht die eschatologische Heilsgabe, besitzt insofern aber doch eschatologische und soteriologische Qualität, als sie die Sünden als Grund göttlichen Gerichtsurteils beseitigt und damit die praeparatio soteriologica für den Empfang eschatologischen Heils darstellt.[24]

Im Sinne eines Vermittlers der Rettung aus dem eschatologischen Zorngericht wird man daher dem *Johannes selbst* eschatologische beziehungsweise soteriologische Qualität zusprechen müssen, wie immer er sich selbst verstanden haben mag. So erklärt sich auch, daß die Jünger des Johannes in ihm die eschatologische Heilsgestalt gesehen und weit über seinen Tod hinaus eine neben der christlichen Gemeinde bestehende und mit ihr sogar konkurrierende Gruppe gebildet haben.[25] Unter dieser wirkungsgeschichtlichen Rücksicht läßt sich auch die Frage, ob der Taufe und Tätigkeit des Johannes eine „ekklesiologische" Dimension beizumessen sei, nicht eindeutig verneinen. So sehr es richtig ist, daß die Taufe, für sich genommen (!), einen „Akt der Vereinzelung" darstellte[26] und Johannes selbst an eine „Gemeindegründung" sicherlich nicht dachte,[27] so bleibt doch zu beachten, daß Predigt und Sendung des Johannes auf ganz Israel abzielten, also eine korporative Intention hatten,[28] so daß eine

---

[22] Vgl. dazu *H. Thyen*, ΒΑΠΤΙΣΜΑ; *ders.*, Studien 131 f.

[23] Die Taufe „mit heiligem Geist" (Lk 3,16 par; vgl. Mk 1,8 par) dürfte christliches Interpretament sein (so die Mehrheit); anders: *Schürmann*, Lk I 175 f; *L. Goppelt*, Theologie I 90 f. Für die Ursprünglichkeit des „Geistes" (im Q-Text) im Sinne von „Sturmwind" plädieren *Kraeling*, John 61 f; *E. Schweizer*, ThWNT VI 396 f; *P. Wolf*, Gericht 44. Erwägenswert ist der Vorschlag von *F. Lang*, Erwägungen 466–472, der als „positive Entsprechung zur Wassertaufe... ein(en) eschatologische(n) Reinigungs- und Erneuerungsakt durch den ‚Geist der Heiligkeit'" annimmt (471).

[24] Vgl. *Lang*, Erwägungen 461 f.

[25] Vgl. *Vielhauer*, RGG III 807; *Kraeling*, John 158–187; *Wink*, John 107–115; *Sint*, Eschatologie 103–110.

[26] *Becker*, Johannes 40.

[27] Ebd. 39.

[28] Vgl. dazu auch *G. Lohfink*, Ursprung 42 f.

„ekklesiale" Gruppenbildung der (späteren) Johannesjünger (wohl mit dem Selbstverständnis, das wahre Israel zu sein) durchaus in der Konsequenz des Ursprungs lag.

Insgesamt ergibt sich: Johannes ist Umkehrprediger vor dem nahen Gericht Gottes. Die geforderte Umkehr beinhaltet die Anerkennung des Gerichts Gottes über Israel, das sich als Unheilskollektiv vor-findet und sein Recht der Berufung auf die Abrahamskindschaft verloren hat. Gerade in dieser Anerkennung, die konkret im Empfang der Wassertaufe geschieht, liegt eine letzte von Gott eingeräumte Möglichkeit, der eigenen Unheilsgeschichte und damit dem Zorn Gottes zu entrinnen. Eine positive Heils*zusage* verbindet Johannes damit nicht, wenngleich sein Tun und Verkündigen eine Heilsperspektive indirekt einschließen. Aber – überspitzt ausgedrückt – es geht Johannes weniger um die Frage, wie Israel *Heil* finden kann, sondern darum, wie es dem *Gericht* entgehen kann.

2. Die Übereinstimmung Jesu mit Johannes in der „anthropologischen" Prämisse seiner Verkündigung

Wenn es richtig ist, daß Jesus anfänglich zum Kreis des Johannes gehörte, muß er sich zu einem bestimmten Zeitpunkt vom Täufer abgesetzt haben. Welches Ereignis oder welche Erfahrung dieser Trennung von Johannes vorausgegangen ist, läßt sich historisch kaum mehr sicher ausmachen.[29] Wie diese Erfahrung ihrem theologischen Gehalt nach möglicherweise zu umschreiben ist, soll später noch erörtert werden. In jedem Fall muß die eigentliche Loslösung und wohl auch theologische Abnabelung vom Täufer mit der Rückkehr Jesu nach Galiläa zusammenhängen (vgl. Mk 1,14; Joh 4,3). „Schon der Wechsel der Landschaften" – von der existenzbedrohenden Wüste in das fruchtbare und dicht besiedelte Galiläa – „ist bezeichnend"[30] und dürfte ein Spiegelbild einer spezifisch veränderten „Theologie" Jesu sein.

Dennoch ist die geographische und theologische Trennung Jesu von Johannes nicht von einem totalen Bruch begleitet. Johannes bleibt für

---

[29] Möglicherweise hat Jesus zeitweilig selbst getauft (vgl. Joh 3,22; 4,1); so: *Jeremias*, Theologie 52f; *Becker*, aaO. 13f; *E. Linnemann*, Jesus. Anders: *Lohfink*, aaO. 35–37. Vgl. auch unten V/1.

[30] *P. Hoffmann*, Er weiß 156.

Jesus „mehr als ein Prophet" (Lk 7,26 par Mt 11,9) und „der größte unter den Menschenkindern" (Lk 7,28 par Mt 11,11). Dies hat einen durchaus sachlichen Grund. Denn bei aller Verschiedenheit stimmt Jesus in der „anthropologischen" Prämisse seiner Verkündigung mit Johannes überein: Ganz Israel ist so, wie es sich vor-findet, ein Unheilskollektiv und dem Gericht verfallen. Selbstverständlich soll damit nicht behauptet werden, daß Jesus ein Umkehrprediger im gleichen Sinne wie Johannes gewesen ist. Tatsächlich gehört die „Umkehr" nicht zu den zentralen Themen Jesu.[31] Doch schießt es weit über das Ziel hinaus, wollte man aus dem Heilscharakter der Verkündigung Jesu folgern, Umkehr und Gericht hätten in seiner Botschaft überhaupt keinen Platz. Hinsichtlich der Authentizität ist die Beurteilung der Umkehr- und Gerichtsworte im einzelnen allerdings problematisch.

Relativ zuversichtlich wird man bei *Lk 13,1–5* sein können.[32] Darin angesprochen ist die Ermordung einiger Galiläer beim Opfer durch Pilatus und der tödliche Unfall von 18 Personen, die durch den Turm von Schiloach erschlagen wurden. Die angeführten konkreten Vorfälle machen eine historische Szene wahrscheinlich. Offensichtlich hatten der Mord an heiliger Stätte und das Unglück am ehrwürdigen Schiloach die Gemüter erregt und bei vielen die Frage ausgelöst, ob die so Umgekommenen entsprechend der (pharisäischen) Vergeltungslehre Sünder gewesen sind. Die Antwort in Lk 13,3.5 ist so bezeichnend, daß man wenigstens „als Kern der Antwort ein Jesuswort" annehmen muß.[33] Jesus kehrt das Schicksal der Umgekommenen in eine Anklage gegen alle um: „Nein, ich sage euch, wenn ihr nicht umkehrt, werdet ihr alle genauso umkommen." Bezeichnend ist das Wörtchen *„alle"*. Jesus hält es für müßig, darüber zu streiten, wer in Israel Sünder ist und wer nicht. Das göttliche Strafurteil trifft vielmehr alle, weil alle ohne Ausnahme Sünder sind. Ganz Israel ist ein einziges Unheilskollektiv. Ihm bleibt nur noch eine letzte Chance: die Umkehr. In dieser Beurteilung der anthropologischen Situation trifft sich Jesus durchaus mit Johannes.

Aus diesem Grund wird man damit rechnen müssen, daß auch andere Umkehrworte und Gerichtstexte der synoptischen Tradition wenigstens ihrer Intention nach authentisch sein können. Das gilt zumal für bestimmte Gleichnisse und Bildworte, die das eschatologische Gericht vor Augen stellen (vgl. Lk 12,16–20.54–56) beziehungsweise in dieser

---

[31] Vgl. *H. Merklein*, EWNT II 1026.
[32] Vgl. *J. Blinzler*, Niedermetzelung; *Becker*, Johannes 87 f.
[33] *W. Grundmann*, Lk 276.

Situation zu entschlossenem Handeln auffordern (vgl. Lk 16,1–8a). Auch die Umkehrworte der Q-Tradition (Lk 10,13–15 par Mt 11,21–23; Lk 11,31f par Mt 12,42.41) wird man zumindest als wirkungsgeschichtlich korrekte Reflexe der Botschaft Jesu bezeichnen müssen. Selbst die Gerichtspredigt gegen „dieses Geschlecht", welche für die Redaktion der Logienquelle typisch zu sein scheint,[34] könnte einen traditionsgeschichtlichen Anhaltspunkt in der Rede Jesu haben, wenn man das sowohl von Markus (Mk 8,12) wie auch von Q (Lk 11,29 par Mt 12,39) überlieferte Wort von der Ablehnung der Zeichenforderung auf ein Jesuswort etwa folgenden Inhalts zurückführen darf: „Ein böses Geschlecht, was sucht es ein Zeichen? Amen, ich sage euch, es wird diesem Geschlecht (bzw. ihm) kein Zeichen gegeben."[35] Dieses Wort disqualifiziert zunächst diejenigen, die ein Zeichen fordern, übersteigt aber zugleich den Horizont der unmittelbar Angesprochenen, indem es diese als Exponenten Israels als eines „bösen Geschlechtes" charakterisiert. Schließlich lassen auch die Worte vom Menschensohn, von denen insbesonders Lk 12,8f par Mt 10,32f authentisch sein dürfte,[36] keinen Zweifel daran, daß das Kommen des Menschensohnes eine Scheidung herbeiführen wird (vgl. auch Lk 17,26f.30.34f par Mt 24,37–41), die im Falle einer Ablehnung Jesu den Gerichtsgedanken impliziert.

Sachliche Voraussetzung für alle diese Äußerungen ist die mit Johannes geteilte Überzeugung von der allgemeinen Unheilssituation des vorfindlichen Israel. Jesus stimmt auch darin mit Johannes überein, daß ein Rückgriff und eine Berufung auf ein früheres Erwählungshandeln Gottes ausgeschlossen ist. Bei Johannes wird dieser Rekurs ausdrücklich negiert, bei Jesus findet er de facto nirgends statt.[37] Das einzige, was diese anthropologische Unheilssituation noch an angemessener Reaktion zuläßt, ist Umkehr. Dieser Satz bedarf jedoch einer Präzisierung und – was Jesus betrifft – einer erheblichen Modifizierung.

Denn Jesus *unterscheidet* sich vom Täufer, nicht nur durch die relativ seltene Verwendung des Umkehrbegriffs, sondern auch im inhaltlichen Verständnis des damit Gemeinten.[38] Schon eine sprachliche Differenz ist bemerkenswert. Nach Lk 13,3.5 stehen Umkehr und Gericht im kondi-

---

[34] D. Lührmann, Redaktion 24–48.93–100.
[35] Vgl. H. Merklein, Gottesherrschaft 125f.
[36] Siehe unten VIII/2.
[37] Mt 8,11f par stellt sogar eine sachliche Parallele zu Mt 3,9 par dar; doch ist das Wort wohl nicht authentisch, vgl. D. Zeller, Logion. Zur Sache vgl. J. Becker, Gottesbild 108f.
[38] Vgl. dazu auch Merklein, Umkehrpredigt.

tionalen Verhältnis: „ . . . *wenn* ihr nicht umkehrt, werdet ihr alle . . . umkommen". Dieses konditionale Muster ist sachlich bei allen entsprechenden Jesusworten zu finden. Der Täufer hingegen hatte das Gericht *apodiktisch* angesagt (Mt 3,7b par). Dieser zunächst gering erscheinende Unterschied hat einen sachlichen Grund. Gegenwart und Zukunft Israels werden bei Johannes im Rahmen des Tun-Ergehen-Zusammenhanges gewürdigt. Dem vorfindlichen Unheilskollektiv kann demnach nur die apodiktische Zusage des Gerichts als des einzig Sicheren, was ihm zukommt, korrespondieren. Die mit Taufe und Umkehr dennoch eröffnete Heilsperspektive kann auf diesem Hintergrund nur indirekt artikuliert werden: als Möglichkeit, dem Unheils-Gerichts-Zusammenhang zu entrinnen. Bei Jesus wird der Tun-Ergehen-Zusammenhang zwar in keiner Weise in Frage gestellt. Auch für ihn ist Israel, wie es sich vor-findet, ein Unheilskollektiv und als solches dem Gericht verfallen. Aber Jesus eröffnet nicht nur *im* Unheils-Gerichts-Zusammenhang eine Möglichkeit, diesem zu entrinnen, sondern – und das ist angesichts der mit Johannes gemeinsamen „anthropologischen" Prämisse das eigentlich Aufsehenerregende seiner Botschaft – er wagt es, dem Unheils-Gerichts-Zusammenhang eine neue, von Gott gesetzte *Wirklichkeit* für das Unheilskollektiv gegenüberzustellen. Jesus wagt es, dem Unheilskollektiv das Heil der ‚basileia' Gottes anzusagen; an die Stelle der apodiktischen Gerichtsaussage tritt die apodiktische Heilszusage. In diesem Konzept muß „Umkehr" einen anderen Stellenwert bekommen. Umkehr ist primär nicht mehr ein Ausbrechen aus dem auch von Jesus anthropologisch nicht bezweifelten Unheils-Gerichts-Zusammenhang, sondern Annahme einer von Gott neugeschaffenen Wirklichkeit des Heils für Israel, durch welche die Schuldvergangenheit Israels vor Gott offensichtlich gegenstandslos geworden ist. Zwar bleibt auch in diesem Konzept die Gerichtsaussage bestehen, doch kann sie nicht mehr apodiktisch sein. Das Gericht ist vielmehr Folge des zurückgewiesenen Heils, Rückfall aus der von Gott gesetzten Wirklichkeit in die Israel anthropologisch allein verbleibende Möglichkeit des Gerichts.

IV. Die Verkündigung Jesu von der Heilszukunft der Gottesherrschaft

Daß die programmatische Zusammenfassung der Botschaft Jesu in Mk 1,15 und der Inhalt des Auftrags, mit dem die Jünger nach Lk 10,9 par Mt 10,7 zur Weiterführung der Sendung Jesu angewiesen werden, gerade in der Aussage „Nahegekommen ist die ‚basileia‘ Gottes" übereinstimmen, ist kaum Zufall, sondern wirkungsgeschichtliche Folge der Tatsache, daß die ‚basileia‘ das zentrale Thema der Botschaft Jesu bildete.[1] Insofern wird man Mk 1,15; Lk 10,9 par als sachgerechte Zusammenfassung der Verkündigung Jesu bezeichnen dürfen, selbst wenn die konkrete Formulierung nicht eo ipso als authentisches Jesuswort gewertet werden kann.

1. Zum grundsätzlichen Verständnis des Begriffs „‚basileia‘ Gottes"

1.1 Zur Übersetzung des Begriffs

Es ist anzunehmen, daß Jesus von der ‚basileia‘ (aramäisch: ‚mal‿e‿kūtā‘"; hebräisch: ‚mal‿e‿kūt‘)[2] „*Gottes*" gesprochen hat. Der rabbinische Ausdruck ‚mal‿e‿kūt schāmajim‘ („‚basileia‘ der *Himmel*"; so auch Mt)[3] entspringt einer Scheu vor dem Gebrauch der Gottesbezeichnung, wie sie für die Zeit Jesu wahrscheinlich noch nicht vorauszusetzen ist.[4] Eine Übersetzung des Begriffs ins Deutsche ist schwierig,[5] da alle lexikalisch ausgewiesenen Bedeutungen für ‚basileia‘ – „Königsein, Königtum, Königsmacht, Königsherrschaft; Königreich"[6] – in der heutigen Sprache semantische Konnotationen aufweisen, die negativ besetzt beziehungsweise dem Semitischen fremd sind. Vom frühjüdischen Sprachgebrauch her ist davon auszugehen, daß das Syntagma „‚mal‿e‿kūt‘/mal‿e‿kūtā‘" Gottes" eine jener gebräuchlichen „Abstraktbildungen" darstellt, durch die

---

[1] Siehe oben II/5.3

[2] Denkbar wäre auch ein anderes Derivat von der Wurzel ‚mlk‘ wie ‚m‿e‿lūkāh‘ (vgl. 1 QM 6,6), ‚mam‿e‿lākāh‘ (‚mam‿e‿lākūt‘), oder auch ‚mæm‿e‿schālāh‘ (vgl. 1 QH 13,11).

[3] Zum Material vgl. *G. Dalman*, Worte 75f; *K. G. Kuhn*, ThWNT I 570f.

[4] Erstmals bezeugt ist der Ausdruck um 80 n.Chr., vgl. *J. Jeremias*, Theologie 100f; gegen *Dalman*, aaO. 76f.

[5] Vgl. dazu auch die Vorschläge von *R. Schnackenburg*, Gottes Herrschaft 247f.

[6] Siehe oben II Anm. 1

alttestamentliche „verbale Ausagen über Gott" – hier konkret ‚mālak̄ JHWH' („Gott [ist] König") – ersetzt wurden.[7] Daraus ergibt sich, daß das Syntagma „niemals das ‚König*reich* Gottes' als das von ihm beherrschte Gebiet bezeichnen kann. Denn der Ausdruck beschreibt ja lediglich die Tatsache, *daß* Gott König ist, bezeichnet also stets *das Königsein, Königtum Gottes*."[8]

Von dieser Erkenntnis wird man grundsätzlich auch bei einer inhaltlichen Bestimmung des Begriffs im Munde Jesu auszugehen haben.[9] Dagegen lassen sich nicht die neutestamentlichen Wendungen ins Feld führen, welche eine räumliche Vorstellung nahelegen (zum Beispiel: „eingehen in die ‚basileia' Gottes"), da gerade sie nicht nur aus traditionsgeschichtlichen,[10] sondern nun auch aus begriffsgeschichtlichen Gründen im Verdacht stehen, sekundäre, das heißt christlich-eigensprachliche, Bildungen zu sein.[11] Die Tatsache, daß „mal^e kût' Gottes" „weder ein räumlicher noch ein statischer, vielmehr ein *dynamischer Begriff*" ist, der „die königliche Herrschaft Gottes in actu" bezeichnet,[12] dürfte im Gegenteil sogar ein wesentlicher Grund dafür gewesen sein, daß Jesus den Begriff zum Zentralbegriff seiner eschatologischen Botschaft gemacht hat.

Für die Übersetzung ist unter dieser Rücksicht „Königsherrschaft Gottes" oder „Herrschaft Gottes" oder auch „Gottesherrschaft"[13] gegenüber

---

[7] *Kuhn*, ThWNT I 570, 2–9.

[8] *Kuhn*, aaO. 570, 27–31; vgl. *Dalman*, Worte 77.

[9] So auch *Dalman*, ebd. Demgegenüber könnte man allerdings auf den Sprachgebrauch des Propheten-Targums verweisen, in dem nach *K. Koch*, Reich Gottes, ‚Malkuta ... viel stärker als ‚Reich' denn als ‚Königsherrschaft' verstanden (wird)" (165). Was dieser Befund für das Verständnis der Basileia-Predigt Jesu austrägt, verdient weitere Nachprüfung. Vorab sei jedoch auf einen beachtlichen syntagmatischen Unterschied aufmerksam gemacht: Die beliebte targumische Rede vom „Erscheinen" oder „Sich-offenbaren" der Malkuta fehlt mit einer einzigen (wohl redaktionellen) Ausnahme (Lk 19,11) in der synoptischen Tradition.

[10] Siehe oben II/5.1.

[11] Gegen *H. Conzelmann*, Grundriß 126, der die „Faustregel" aufstellt: „Im Judentum bedeutet der Ausdruck: den Akt des Herrschens Gottes; bei Jesus: Gottes Reich."

[12] *Jeremias*, Theologie 101.

[13] Da es bei der „‚mal^e kût'/‚basileia' Gottes" nicht um ein Analogon zu einer spezifischen (z. B. monarchischen) politischen Verfassungsform geht, dürfte das nomen simplex („Herrschaft" anstelle von „Königsherrschaft") zur Wahrung der semantischen Eigenart des Begriffs heute genügen. Auch traditionsgeschichtlich handelt es sich nicht um „eine Übertragung des profanen Begriffes ‚mal^e kût' auf das religiöse Gebiet", sondern um „eine rein theologische Begriffsbildung" des Frühjudentums (*Kuhn*, ThWNT I 570, 31 f).

dem ebenfalls gebräuchlichen „Reich Gottes" zu bevorzugen. Zumindest kommt dadurch der *dynamische* Charakter des Begriffs besser zum Ausdruck als durch das eher *statische* „Reich", das allzu leicht an ein Territorium denken läßt.

Damit soll nicht bestritten werden, daß auch die Übersetzung „Reich Gottes" ihr sachliches Recht hat; denn das endliche Herr- und Königsein Gottes wird nach frühjüdischer Auffassung ganz ohne Zweifel die ganze Welt umfassen und diese zu einem Bereich der Gerechtigkeit und des Friedens machen. Umgekehrt hat natürlich auch die Übersetzung „Gottesherrschaft" ihre Grenzen. Dem heutigen Menschen drängt sie allzu leicht ein falsches, repressives Gottesbild auf. Gottes Herrschaft zielt jedoch nicht auf die Unterdrückung des Menschen, noch geht sie auf Kosten von dessen Freiheit. Andererseits wird man gerade dem modernen Menschen nicht die Konfrontation mit der Dialektik der Bibel und der Botschaft Jesu ersparen dürfen, wonach der Mensch in seinem Menschsein erst dann zur Erfüllung gelangt, wenn er das absolute Herrsein Gottes anerkennt.

Insgesamt wird man sich immer bewußt bleiben müssen, daß jede Übersetzung einen Notbehelf darstellt. Vom heutigen Leser des Neuen Testaments ist daher eine ständige hermeneutische Abstraktion verlangt, die alle unangemessenen modernen Konnotationen und Assoziationen eliminiert.

1.2 Zum traditionellen Vor-Verständnis des Begriffs

Mit dem Begriff der Gottesherrschaft greift Jesus eine Vorstellung auf, die im alten Israel relativ selten begegnet. Erst im und nach dem Exil tritt der Gedanke an das Königsein Gottes stärker in den Mittelpunkt, wobei Deutero-Jesaja wegen seines Einflusses auf die weitere Tradition besonders hervorzuheben ist.[14]

---

[14] Zur Königsherrschaft Gottes im AT und Frühjudentum: *M. Buber*, Königtum; *G. v. Rad*, ThWNT I 563–569; *H.-J. Kraus*, Theologie 26–36; *W. H. Schmidt*, Königtum; *W. Dietrich*, Gott; *W. Bousset – H. Greßmann*, Religion 213–222; *Dalman*, Worte 75–83; *K. G. Kuhn*, ThWNT I 570–573; *P. Volz*, Eschatologie 165–173; *Schnackenburg*, Gottes Herrschaft 1–47; *G. E. Ladd*, Kingdom; *M. Lattke*, Vorgeschichte; vgl. jetzt auch *W. H. Schmidt – J. Becker*, Zukunft 85–91.110–115; *H. D. Preuß* (Hrsg.), Eschatologie.

Jes 52,7–10: Wie lieblich sind auf den Bergen die Füße des Freudenboten, der Frieden verkündet, gute Botschaft bringt, Heil verkündet, zu Zion spricht: *Dein Gott ist König!*
Horch, deine Wächter erheben die Stimme, jubeln zumal, denn Auge in Auge sehen sie, wie Jahwe heimkehrt zum Zion.
Brecht in Freude aus, jubelt zumal, Trümmer Jerusalems! Jahwe tröstet sein Volk, erlöst Jerusalem.
Jahwe entblößt seinen heiligen Arm vor den Augen aller Völker, und es sehen alle Enden der Erde das Heil unseres Gottes.

Bemerkenswert ist, daß der Ruf „Dein Gott ist König!", der an sich Jahwes ewiges Königtum proklamiert,[15] bei Deutero-Jesaja insofern einen neuen Aspekt erhält, als er auf ein real noch ausstehendes Geschehen bezogen wird. Die als unmittelbar bevorstehend erhoffte Erlösung Jerusalems einschließlich der Heimkehr der Exulanten wird in prophetischer Perspektivenverkürzung als schon zu proklamierendes Geschehen vorweggenommen. Dabei ist das Bekenntnis, daß Gott König ist, beziehungsweise die daraus abgeleitete Hoffnung, daß er sein Königsein erweisen und durchsetzen wird, der Motor und der theologische Grund der deutero-jesajanischen Vision.
Wenngleich die Hoffnung auf eine endgültige, alle Not Israels wendende Königsherrschaft Gottes (vom Zion aus) nicht in Erfüllung ging, blieb sie doch ein lebendiges Thema der nachexilischen Prophetie (vgl. Mi 2,12f; 4,6–8; Zef 3,14f; Sach 14,6–11.16f; Jes 24,23). Hatte diese bis ins 3. Jahrhundert v. Chr. die Durchsetzung von Gottes Königsherrschaft noch als *innergeschichtliche* Heilswende verstanden, so herrschte seit den traumatischen Erfahrungen der seleukidisch-hellenistischen Religionsverfolgung der *apokalyptische* Gedanke vor, daß Gottes Königsherrschaft zugleich den Abbruch der jetzt ablaufenden (Unheils-)Geschichte herbeiführen und eine völlig neue Epoche heraufführen wird (vgl. bes. Dan 2,34f.44f; 7,13f).[16]
Inhaltlich ist an die Vorstellung von Gottes Königsherrschaft vor allem der Gedanke an die *Einzigkeit des Namens Jahwes* geknüpft. Am deutlichsten ist dieser Zusammenhang bei Trito-Sacharja auf den begrifflichen Nenner gebracht.

Sach 14,9: Dann wird Jahwe König sein über die ganze Erde. An jenem Tag wird Jahwe der einzige sein und sein Name der einzige.

---

[15] *J. A. Soggin,* THAT I 916–918.
[16] Vgl. zur apokalyptischen Vorstellung im einzelnen bes. *K. Müller,* TRE III 202–251.

Daß dieser gedankliche Zusammenhang auch bei Jesus gegeben ist, zeigt das Vaterunser, das mit den Bitten um die Heiligung des Namens Gottes und um das Kommen seiner Herrschaft nur zwei Seiten ein und derselben Sache ausspricht.

Lk 11,2 par Mt 6,9b.10a: Vater, es werde geheiligt dein Name, es komme deine Königsherrschaft.

In erster Linie meint also der Begriff der Gottesherrschaft, daß Jahwe, den Israel als den einzigen Gott bekennt, alles beseitigen wird, was daran hindert, ihn als den einzigen Herrn (König) zu bekennen und seinen Namen als den einzig maßgeblichen anzurufen.

Im Rahmen der alttestamentlich-frühjüdischen Tradition ist es daher keineswegs eine nationalistische Idee, sondern nur eine theologische Konsequenz des Jahweglaubens, wenn der Gedanke der Gottesherrschaft die Vorstellung der (heidnischen) Fremdherrschaft über Israel ausschließt. Die Hoffnung auf die (eschatologische) Herrschaft Gottes fordert vielmehr geradezu die Erwartung, daß die Götter der Heiden entmachtet sein werden (vgl. Jes 42,8) und Israel selbst aus der Knechtschaft der Völker befreit sein wird (vgl. neben Dt- und Tr-Jes: Zef 3,14f; Sach 14,16f; Jes 24,21–23; Ps 22,28–30; Dan 2,34f.44f; 7,14.22.26f; u.ö.).[17] Wenn Gott seine Herrschaft aufrichtet, wird es *keinen Krieg* mehr geben; man wird die Schwerter zu Pflugscharen umschmieden (Mi 4,3; Jes 2,4). Israel wird einen *Frieden ohne Ende* genießen (vgl. Jes 9,6; 26,3), wobei nicht nur an einen Zustand der Abwesenheit des Krieges gedacht ist, sondern an einen Frieden im Sinne umfassenden Wohlergehens und Heiles („schālôm‘). Angesichts der Konkretheit biblischen Denkens ist es nahezu selbstverständlich, daß die Gottesherrschaft sich auf dieser Erde realisieren wird. Dieser Gedanke hält sich fast durchweg auch in apokalyptischen Vorstellungen durch,[18] wobei dann freilich vielfach eine eschatologische Neugestaltung oder Neuschöpfung dieser Welt vorausgesetzt wird.

Jesus müßte kein Jude gewesen sein, wenn er das Heil der kommenden

---

[17] Vgl. auch die unten zitierten Texte.
[18] Als Ausnahme könnte man bestenfalls AssMos 10,(1.)9 angeben (zum Text s.u.), doch dürfte es sich hier um bildliche Ausdrucksweise handeln. Der Auffassung *H. Flenders*, Botschaft, daß „Jesu Reichserwartung" in einem „diesseitig-zukünftigen Sinn" (32) und daher nicht „aus der spätjüdisch-apokalyptischen Erwartung des nahen Weltendes zu verstehen" sei (30), liegt ein Mißverständnis der Apokalyptik zugrunde, die das Eschaton zwar in Diskontinuität zur Geschichte, aber keineswegs in der Transzendenz erwartete.

Gottesherrschaft nicht primär als Heil für *Israel* verstanden hätte.[19] So richtet sich denn auch seine Botschaft nicht an die Heiden, sondern an Israel (vgl. Mt 10,5f), dessen endzeitliche Neu-Konstitution er mit der Berufung der Zwölf vorwegnimmt und vorausbildet (vgl. Mk 3,14 par).[20] Dies bedeutet nicht, daß Jesus die Heiden vom kommenden Heil ausschließen will; aber seine diesbezüglichen Vorstellungen bewegen sich wahrscheinlich ganz auf der Linie der prophetischen Erwartung von der endzeitlichen Wallfahrt der Völker zum Zion (vgl. Jes 2,2–5; Mi 4,1–4).[21]

Wenngleich Jesu Rede von der Gottesherrschaft auf dem Hintergrund der alttestamentlich-frühjüdischen Tradition fast notwendigerweise auch den Gedanken einer Befreiung Israels aus der Hand der heidnischen Römer assoziieren ließ, bleibt doch auffällig, daß Jesus nach Ausweis unserer Quellen nirgends die „Gottesherrschaft" als politische Befreiung Israels thematisiert hat.[22] Der eigentliche Oppressor Israels ist für Jesus der Satan.[23] Nun ist allerdings die Idee, daß Gottes Königsherrschaft die Herrschaft des Satans zunichte macht, im Frühjudentum keineswegs neu. Zwei Texte, von denen der zweite zudem etwa in die Zeit Jesu gehört, mögen dies unterstreichen:

TestDan 5,10b–13: Und er selbst (Gott) wird gegen Beliar Krieg führen und siegreiche Rache über seine <Feinde> geben.

---

[19] Jesus geht es um die Sammlung Israels. Auf die ekklesiologische Bedeutsamkeit dieser Thematik kann hier nicht näher eingegangen werden; vgl. dazu *A. Vögtle*, Jesus und die Kirche; *ders.*, Der Einzelne; *J. Blank*, Jesus 122–150; *W. Trilling*, Botschaft 57–72; *G. Lohfink*, Wie hat Jesus. – So sehr *E. Gräßer*, Jesus, zuzustimmen ist, daß Jesus die theologische Relevanz der Volksgeschichte in Frage stellte (174–178) und nicht auf den Bundesgedanken zurückgriff (178–182) – dies ist typisch für apokalyptisches Denken (vgl. *Müller*, TRE III passim) –, so ist die „individuierende Tendenz" der Botschaft Jesu (172–174) m.E. insofern überzeichnet, als das in ihr proklamierte (eschatologisch neue) Erwählungshandeln Gottes an *Israel* (s.u. 2) nicht zur Sprache kommt. Daß das Erwählungshandeln Gottes in der Entscheidung des *einzelnen* seine Antwort finden muß, steht dabei außer Frage.

[20] Vgl. dazu *M. Trautmann*, Handlungen 167–233. Zur Problematik von Mt 19,28 par Lk 22,30 (Q) vgl. *W. Trilling*, Entstehung.

[21] In dem (wohl nachösterlichen) Logion Mt 8,11f par (s. o. III Anm. 37) wird die Erwartung Jesu kritisch gegen Israel gewendet. Zur Vorstellung selbst vgl. *J. Jeremias*, Verheißung.

[22] Die These, daß Jesus ein politischer Aufrührer gewesen sei (so: *R. Eisler*, ΙΗΣΟΥΣ ΒΑΣΙΛΕΥΣ; *S. G. F. Brandon*, Jesus), ist historisch nicht zu halten; vgl. *O. Cullmann*, Jesus; *M. Hengel*, War Jesus.

[23] Vgl. dazu unten V/1.

Und die Gefangenen wird er Beliar abnehmen [. . .]. Und er wird die ungehorsamen Herzen zum Herrn hinwenden. Und er wird ewigen Frieden denen geben, die ihn anrufen.
Und die Heiligen werden in Eden ausruhen, und über das neue Jerusalem werden sich die Gerechten freuen [. . .].
Und Jerusalem wird nicht länger Verwüstung erdulden, noch Israel in Gefangenschaft bleiben, denn der Herr wird in ihrer Mitte sein [. . .], und der Heilige Israels wird über ihnen König sein [. . .].[24]

AssMos 10,1.7–10: Und dann wird seine Herrschaft über seine ganze Schöpfung erscheinen, und dann wird der Teufel nicht mehr sein, und die Traurigkeit wird mit ihm hinweggenommen sein . . .
Denn der höchste Gott, der allein ewig ist, wird sich erheben, und er wird offen hervortreten, um die Heiden zu strafen, und alle ihre Götzenbilder wird er vernichten.
Dann wirst du glücklich sein, Israel, und du wirst auf die Nacken und Flügel des Adlers hinaufsteigen, und so werden sie ihr Ende haben.
Und Gott wird dich erhöhen, und er wird dir festen Sitz am Sternenhimmel verschaffen, am Ort ihrer Wohnung.
Und du wirst von oben herabblicken und deine Feinde auf Erden sehen und sie erkennen und dich freuen, und du wirst Dank sagen und dich zu deinem Schöpfer bekennen.[25]

Gerade unter dem Gedanken der Opposition zur Herrschaft Satans steht Jesu Botschaft von der Gottesherrschaft zumindest von ihrem Ansatzpunkt her ganz eindeutig in der Tradition frühjüdisch-apokalyptischen Denkens. Was bei Jesus im Vergleich mit den angeführten Texten auffällt, ist der Umstand, daß die irdisch-politische Komponente der Herrschaft Satans (die Unterdrückung durch die Heiden) nicht reflektiert wird. Dies hängt wahrscheinlich damit zusammen, daß die althergebrachte und begriffsgeschichtlich fest in der Vorstellung von der Gottesherrschaft verankerte Opposition „Israel vs Völker"[26] von Jesus nur mehr bedingt geteilt werden kann. Die ältere Apokalyptik konnte diese Opposition noch in nahezu ungebrochener Parallelität zur himmlischen Opposition „Gott vs Satan" beziehungsweise „Michael (als Engel Israels) vs Völker-

---

[24] Zitiert nach *J. Becker,* Die Testamente der zwölf Patriarchen, in: JSHRZ III/1, Gütersloh 1974.

[25] Zitiert nach *E. Brandenburger,* Himmelfahrt Moses, in: JSHRZ V/2, Gütersloh 1976.

[26] Tatsächlich gibt es von Dt-Jes bis zur Apokalyptik keine Äußerung über die Gottesherrschaft, in der diese nicht zu (dem von den Völkern unterdrückten) Israel in Beziehung gesetzt wird. Dies schließt den Gedanken einer endlichen Bekehrung und Einbeziehung der Völker keineswegs aus (vgl. Dt- und Tr-Jes; Sach 14,16f; Jes 25,6–8; Ps 22,28–30).

engel" sehen.[27] Die Erfahrungen der Hasmonäerherrschaft nötigten dann aber zumindest bestimmte Gruppen des Judentums zu einer Verschiebung dieser Parallelität in der Weise, daß die Demarkationslinie zwischen den irdischen Opponenten mitten durch das (empirische) Israel hindurchging.[28] Bei Jesus hingegen kann von einer Parallelität im althergebrachten Sinn nicht mehr die Rede sein, da die irdische Opposition sich nicht nur verschoben, sondern sich im negativen Bereich aufgehoben hat. Israel ist nach der mit Johannes geteilten Prämisse ein einziges Unheilskollektiv und steht unter dieser Rücksicht selbst auf der Seite seiner (traditionsgeschichtlich vorgegebenen) Opponenten. Das eigentliche Problem Israels sind daher nicht seine politischen Feinde (Heiden), sondern ist Satan, der Israel und Heiden in einem einzigen Unheilskartell zusammenschließt. Die elementare Frage kann dann nicht lauten, wie Israel aus der Hand der Feinde befreit wird, sondern wie dieses aus der traditionsgeschichtlich elementaren Opposition (zu den Völkern) gekippte Israel überhaupt noch Heil finden und damit auch seine angestammte Heilsfunktion für die Völker[29] ausüben kann.

Daß Jesus diesem *Unheilskollektiv Israel*, das nach den Worten des Johannes kein Recht mehr hat, sich auf Abraham und das damit gegebene Erwählungshandeln Gottes zu berufen, das Heil der Gottesherrschaft ansagt, dürfte für die Botschaft Jesu in der Tat ein wichtiges Charakteristikum sein, das in frühjüdischen Texten zumindest in dieser radikalen Opposition von totaler Gerichtsverfallenheit ganz Israels und radikaler Heilszusage Gottes kaum seinesgleichen findet. Die Bitte um das Kommen der Gottesherrschaft (Lk 11,2 par) ist angesichts dieser mit Johannes geteilten „anthropologischen" Prämisse, die Israel selbst in Opposition zur Gottesherrschaft bringt, keineswegs selbstverständlich. Wenn Jesus unter dieser Voraussetzung seine Jünger lehrt, um das Kommen der Gottesherrschaft zu beten, liegt darin eher eine *Ermächtigung*, die mit Jesu spezifischer Auffassung von der Gottesherrschaft zusammenhängt.

---

[27] Vgl. die Tiervision äthHen 85–90 (dazu: *Müller*, TRE III 212–215), hier bes. äthHen 90. Auch Dan (bes. 7) ist zu nennen; doch deutet sich in Dan 12,1–3 bereits eine Verschiebung der Opposition an (vgl. *Müller*, aaO. 215–218. 237–240).

[28] Bes. ausgeprägt in Qumran (bes. 1 QM), vgl. *P. v. d. Osten-Sacken*, Gott; *H. W. Huppenbauer*, Mensch.

[29] Vgl. die Vorstellung von der Völkerwallfahrt oder auch Jes 42,6; 49,6.

2. Heilsverheißung für das Unheilskollektiv Israel – Die Seligpreisungen

Daß Jesus Israel das Heil der Gottesherrschaft angesagt hat, ließe sich anhand verschiedener Texte erörtern. Was diese Ansage für Israel bedeutet, kann in besonderer Weise an den Seligpreisungen abgelesen werden.

2.1 Der traditions- und formgeschichtliche Befund

Die Seligpreisungen werden bei Mt 5,3–12 und Lk 6,20b–23 nach Zahl und Wortlaut unterschiedlich überliefert. Über die Quellenlage im einzelnen konnte die Forschung noch keine Einigung erzielen. Mehrheitlich wird jedoch angenommen, daß wenigstens die vier von Matthäus und Lukas gemeinsam bezeugten Seligpreisungen aus der Logienquelle Q stammen. Ihre Rekonstruktion ergibt folgenden Text:[30]

Lk 6,20b–23 par Mt 5,3.6.4.11f
(I) Selig die Armen,
denn ihrer ist die Gottesherrschaft.
(II) Selig die Hungernden,
denn sie werden gesättigt werden.
(III) Selig die Weinenden,
denn sie werden lachen.
(IV) Selig seid ihr, wenn sie euch schmähen und (alles) Böse gegen euch sagen wegen des Menschensohnes.
Freut euch und tanzt, denn euer Lohn ist groß im Himmel. So nämlich haben sie (schon) den Propheten getan.

Während die letzte Seligpreisung (IV) erst in der nachösterlichen Gemeinde (Q) entstanden sein dürfte, besteht für die ersten drei kein vernünftiger Grund, sie Jesus abzusprechen.

Formal stehen die Seligpreisungen Jesu dem *apokalyptischen Makarismus* nahe, der eschatologisch ausgerichtet ist und meist eine ausdrückliche Begründung (mit „denn") aufweist. Seliggepriesen werden die Gerechten und Auserwählten (äthHen 58,2), diejenigen, die gerecht und sündelos wandeln (äthHen 82,4; vgl. 81,4), die den Herrn fürchten (PsSal 4,23; vgl. Tob 13,14f) und nach den Geboten Gottes leben (vgl. slavHen 42,6–14; 52,1–16; 4 Esr 7,45), oder auch allgemein diejenigen, welche am Heil der

---

[30] Vgl. *S. Schulz*, Q 76–78; *A. Polag*, Fragmenta 32f; *W. Schenk*, Synopse 24f; ferner: *G. Strecker*, Makarismen 255–260; *H. Frankemölle*, Makarismen 54–58; *J. Schlosser*, Règne II 423–430. Zur näheren Begründung des dargebotenen Textes und der folgenden Ausführungen s. *H. Merklein*, Gottesherrschaft 48–53.

Endzeit teilhaben (PsSal 17,44; 18,6; vgl. Dan 12,12). Der apokalyptische Makarismus dient daher der *eschatologischen Belehrung*. Er will zu einem Wandel ohne Sünde beziehungsweise zu einem Leben nach den Geboten Gottes in Gerechtigkeit ermuntern, indem er den so Lebenden das eschatologische Heil in Aussicht stellt.

Obwohl formal zur Gattung des apokalyptischen Makarismus gehörig, lassen die Seligpreisungen Jesu gerade auf diesem Hintergrund einige bezeichnende Charakteristika erkennen.[31] Jesus begnügt sich mit der schlichten Nennung der „Armen, Hungernden, Weinenden" und fügt nicht, wie es sonst oft der Fall ist, einen Relativ- oder Partizipialsatz bei, der die Angesprochenen im Sinne eines bestimmten religiösen Standards qualifiziert. Es fehlt jeder Hinweis darauf, daß die Armen mit den „Tätern des Gesetzes" identisch sind.[32] Der Begründungssatz spricht, ohne ein Leben in Gerechtigkeit oder ein Leben nach den Geboten als Bedingung zu nennen, den Seliggepriesenen das eschatologische Heil zu. Es fällt somit schwer, die Seligpreisungen Jesu als eschatologische Belehrung anzusehen, die auf die Einschärfung eines bestimmten Wandels als Voraussetzung für die Teilhabe am eschatologischen Heil abzielt. Kurz und apodiktisch werden vielmehr Arme, Hungernde, Weinende seliggepriesen; bedingungslos wird ihnen das eschatologische Heil zugesprochen. Jesu Seligpreisungen konstatieren und dekretieren. Ihre bedingungslose und paradoxe „Logik" überzeugt nur den, der den Anspruch des so Sprechenden selbst anerkennt. Die Seligpreisungen Jesu sind daher nicht als eschatologische Belehrung (die mit intersubjektiv Einsichtigem argumentieren muß), sondern als *eschatologische Proklamation* zu würdigen, die an Botschaft und Person Jesu gebunden ist.

2.2 Die alttestamentlich-frühjüdische „Armenfrömmigkeit"

In der Forschung wird nahezu einhellig betont, daß insbesondere die Seligpreisung der *Armen* in alttestamentlich-frühjüdischer Überlieferung wurzelt, die man meist als *„Armenfrömmigkeit"* bezeichnet und die neben bestimmten Psalmen ihre wichtigste Grundlage in der deutero- und trito-jesajanischen Tradition hat.[33] Als klassische Belegstelle kann *Jes 61,1f* gelten:

---

[31] Vgl. dazu *E. Schweizer*, Formgeschichtliches.
[32] Siehe unten 2.2 (Qumran).
[33] So: *J. Dupont*, Béatitudes II 139–142; *H. Schürmann*, Lk I 326–328; *P. Hoffmann* (*–V. Eid*), Jesus 31f; *W. Zimmerli*, Seligpreisungen 18f; *Schlosser*, Règne II

(1) Der Geist Jahwes, des Herrn, ruht auf mir, denn Jahwe hat mich gesalbt. Frohe Botschaft zu bringen den *Armen*, hat er mich gesandt, zu heilen, die gebrochenen Herzens sind, zu verkünden den Gefangenen Befreiung und den Gebundenen Lösung der Bande,
(2) zu verkünden ein Gnadenjahr Jahwes und einen Tag der Rache unseres Gottes, da alle Trauernden getröstet werden.

Bei Deutero-Jesaja (vgl. Jes 41,17; 49,13 [51,21; 54,11] und wahrscheinlich auch noch bei Trito-Jesaja (vgl. neben Jes 61,1f noch Jes 66,2) sind die „Armen" eine Kollektivbezeichnung für Israel. Darin spiegelt sich die Erfahrung des Exils. Israel als Ganzes ist tatsächlich „arm" im realen und sozialen Sinn des Wortes. Allerdings erschöpft sich der Begriff nicht in dieser Bedeutung. Denn gerade indem Israel seine Armut und Not als gerechtes Gericht Gottes anerkennt (vgl. Jes 57,16f; 59), also „arm" im Sinne demütiger Unterwerfung unter Gottes Gericht ist, kann es auf Gottes Hilfe und Erlösung rechnen. Denn Gott kümmert sich um die Zerschlagenen und Bedrückten (Jes 57,15), er blickt auf diejenigen, die „arm und zerschlagenen Geistes" sind (Jes 66,2). Die „Armen" sind also zugleich die „Demütig-Frommen".
Seit der Zeit der seleukidischen Religionsverfolgung dient der Begriff vielfach zur Bezeichnung der toratreuen Frommen (Chasidim), die wegen ihrer Ergebenheit unter Gottes Willen auch äußere Not zu ertragen haben, die *als* „Arme" aber auf Gottes endzeitliche Hilfe rechnen dürfen. „Arm" kann so nahezu identisch mit „heilig" und „gerecht" gebraucht werden (vgl. PsSal 10,6), ohne daß die soziale Notlage ausgeschlossen ist. In diesem Sinn wird der Begriff vor allem von oppositionellen Gruppen zur Bezeichnung des eigenen Selbstbewußtseins (der heilige Rest oder das wahre Israel zu sein) verwendet. So versteht sich die Qumran-Gruppe als die „Gemeinde der Armen" (4 QpPs 37 2,10; 3,10). Sie sind die „Täter des Gesetzes" (1 QpHab 12,4f), die eben deswegen auch äußere Not und Armut zu ertragen haben (1 QpHab 12,3.6.10). Sie dürfen aber mit dem endzeitlichen Eingreifen Gottes zu ihren Gunsten rechnen. Sie verstehen sich daher als „Arme deiner (= Gottes) Erlösung" (1 QM 11,9f), als „Arme der Gnade" (1 QH 5,22) und – wohl unter direkter Anspielung auf Jes 61,1f; 66,2 – als „Arme des Geistes" (1 QH 14,3; 1 QM 14,9; vgl. 1 QH 18,14f).[34]

433–435 (und die Mehrheit der Ausleger); anders: *Frankemölle*, Makarismen 60f; *Strecker*, Makarismen 261 Anm. 7. – Zum Armenverständnis im AT und Frühjudentum vgl. *Dupont*, aaO. 19–142; *E. Bammel*, ThWNT VI 888–902; *J. Maier*, Texte II 83–87; *ders.*, TRE IV 80–83.
[34] Vgl. *Maier*, Texte II 85.

Es gibt also eine im Gefälle von Deutero- und Trito-Jesaja stehende Auslegungstradition. Dabei schließt die elitäre Anwendung die ursprünglich kollektive Bedeutung des Armenbegriffs keineswegs aus. Denn die elitäre Adaption tritt ja gerade mit dem Anspruch auf, das wahre Erwählungskollektiv zu sein. „Arm" hat dabei sowohl soziale wie religiöse, ja sogar eschatologische Dimension.

Die Vermutung, daß auch Jesu Seligpreisung der Armen an die Auslegungstradition von Jes 61,1f anknüpft, deckt sich mit dem Befund, daß Jesu Botschaft von der Gottesherrschaft insgesamt im Gefälle dieser Tradition stehen dürfte.[35] Wirkungsgeschichtlich bestätigt wird diese Vermutung nicht zuletzt durch die matthäische Rezeption der Seligpreisungen, die diesen Zusammenhang deutlich hervorhebt.[36]

2.3 Die Bedeutung der Seligpreisungen Jesu

(1) Von vornherein ist *auszuschließen*, daß Jesus mit den seliggepriesenen „Armen" eine elitäre Gruppe von Frommen innerhalb Israels ansprechen wollte. Der elitäre Gedanke ist der Verkündigung Jesu gänzlich fremd. Jesus wendet sich an *ganz* Israel. Auszuschließen ist daher auch ein Verständnis der „Armen", das diese einfachhin mit den „Gerechten" oder den „Tätern des Gesetzes" identifiziert und ihnen gleichsam aufgrund ihrer Gerechtigkeit die Dignität des Erwählungskollektivs gibt, das mit Gottes eschatologischer Rettung rechnen darf. Dies widerspräche nicht nur der charakteristischen Bedingungslosigkeit der Seligpreisungen Jesu, sondern würde auch sonst nicht zu Jesus passen, der wie Johannes davon ausgeht, daß Israel, wie es sich vor-findet, eben nicht gerecht, sondern ein einziges Unheilskollektiv ist.

(2) Geht man von der Parallelität der „Armen" mit den „Hungernden" und „Weinenden" aus und versteht man diese Parallelität im Sinne einer

---

[35] Siehe oben II/3 und 4. Vgl. auch W. *Grimm*, Weil Ich 68–77, der in seinem Bestreben, Jesu Botschaft von Dt-Jes her zu erschließen, ansonsten zu viel des Guten tut.

[36] „Trauern" und „trösten" in Mt 5,4 ist Angleichung an Jes 61,2; die „Armen im Geiste" Mt 5,3 erklären sich aus der Kombination von Jes 61,1 und 66,2 (s.o. zu Qumran). Selbst bei Lk kommt der Einfluß der genannten Auslegungstradition noch insofern zum Zuge, als er trotz stärkerer sozialer Ausrichtung (vgl. die entgegengesetzten Weherufe Lk 6,24–26) einer exklusiv sozialen Denotation dadurch entgeht, daß er die Seligpreisungen durch die Transformation in die 2. Person auf das Erwählungskollektiv (Gemeinde) bezieht.

semantischen Substitution, so kann kein Zweifel sein, daß eine *wirkliche sozial-ökonomische Notlage* ins Auge gefaßt ist. Allerdings wäre es eine unzulässige Engführung, wenn man, wie es nicht selten geschieht, die Adressaten der Seligpreisungen auf die Notleidenden im Sinne einer sozialen Schicht *in* Israel (oder in der Welt überhaupt) eingrenzen wollte.[37] Damit verbaut man sich von vornherein den Zugang zur religiösen Tiefendimension der Seligpreisungen, wie sie durch die Nähe zur Auslegungstradition von Jes 61,1f angezeigt ist. Der kollektiven Semantik des Armenbegriffs, der eng mit Israel (und sei es auch nur mit einem elitären „wahren" Israel) als Objekt des Heilshandelns Gottes verbunden ist, wird man bei gleichzeitiger Ablehnung einer elitären Applikation nur durch den Schluß gerecht, daß Jesus mit der Seligpreisung der Armen, Hungernden und Weinenden sich *kollektiv an ganz Israel* gewandt hat. Dies schließt eine sozial-ökonomische Wertigkeit der Begriffe keineswegs aus. Man wird im Gegenteil davon ausgehen müssen, daß Jesus mit „arm, hungernd, weinend" Israel zunächst auf seine reale Notlage anspricht. Gerade die Römerherrschaft hatte auch die ökonomischen Verhältnisse entscheidend beeinflußt und für Israel insgesamt, besonders aber für die Landbevölkerung, zum Schlechteren gewendet, so daß auch die Nennung der „Hungernden" der realen Grundlage keineswegs entbehrt.[38]

(3) Aufgrund der mit Johannes geteilten „anthropologischen" Prämisse der Verkündigung Jesu wird man aber die angesprochene reale Notlage in einem komplexen Zusammenhang sehen müssen. Unter dieser Rücksicht ist die reale Not in Israel nur Ausdruck und Folge der Unheilsgeschichte und Sündenverstrickung Israels, das sich dadurch selbst um seine Kontinuität als Erwählungskollektiv gebracht hat. Die Begriffe „arm, hungernd, weinend", die vordergründig sozial-ökonomisch zu verstehen sind, sprechen hintergründig Israel auf seine Vor-findlichkeit als *Unheilskollektiv* an. Erst auf diesem Hintergrund kann die theologische Tragweite der Botschaft Jesu und speziell der Seligpreisungen ermessen werden. Denn in ihnen sagt Jesus diesem Unheilskollektiv, das sich arm, hungernd, weinend präsentiert, das Heil der Gottesherrschaft zu, das – nebenbei bemerkt – nach Ausweis der Parallelausdrücke in der zweiten und dritten Seligpreisung (satt werden, lachen) für Jesus einen durchaus konkreten Charakter hat.

---

[37] Diese einseitige sozial-ökonomische Interpretation habe ich selbst noch in: Gottesherrschaft 51.53f, vertreten.
[38] Vgl. dazu *H. G. Kippenberg*, Religion 125–155; *G. Theißen*, Wir haben, passim.

Das Entscheidende aber ist, daß Jesu Seligpreisungen proklamieren und nicht auf eine unabsehbare Zukunft vertrösten.[39] Jesus preist dieses Unheilskollektiv Israel vielmehr jetzt schon selig. Dies hat nur dann einen Sinn, wenn zwischen Unheilskollektiv und zugesagtem Heil ein sachlicher Zusammenhang besteht. Dieser Zusammenhang kann jedoch nicht in Israel selbst begründet sein, das sich für ein künftiges Heil nicht mehr auf einen früheren und durch Abstammung zu erwerbenden Erwählungsstatus berufen kann. Ein solcher Zusammenhang ergibt sich vielmehr nur, wenn Jesus voraussetzt und durch seine Seligpreisungen geradezu proklamiert, daß Gott jetzt ein neues, und zwar eschatologisch endgültiges Erwählungshandeln veranstaltet, wovon gleich noch zu sprechen ist.

Damit schließt sich auch der Kreis im Sinne der Auslegungstradition der Armenfrömmigkeit. Das heilsgeschichtlich abgewirtschaftete Unheilskollektiv Israel, das als solches genau das Gegenteil von dem ist, was etwa elitäre Gruppen mit dem Armenbegriff für sich als wahres Israel beanspruchen, wird durch Jesu Seligpreisungen zum Objekt endgültigen göttlichen Erwählungshandelns proklamiert, so daß auch bei Jesus, wenngleich in dialektischer Weise und allein durch seine Proklamation getragen, die traditionell positive Seite des Begriffs der „Armen" im Sinne des Erwählungskollektivs zum Zuge kommt.

(4) Ein *Vergleich mit Johannes* mag die Bedeutung der Seligpreisungen, in denen in nuce bereits das eigentlich Charakteristische der Botschaft Jesu von der Gottesherrschaft ausgesagt ist, weiter profilieren. Johannes hatte mit den Gedanken eines neuen und neuschaffenden Erwählungshandelns Gottes (vgl. Mt 3,9 par) das vor-findliche Israel bedroht und es zur Umkehr (Taufe) als einer letzten, von Gott gewährten Möglichkeit, dem Gericht zu entrinnen, zu motivieren versucht. Jesus hingegen wagt es, diesem Unheilskollektiv, für das er wie Johannes Israel hält, mit der Proklamation der Seligpreisungen *unmittelbar* ein neues und eschatologisch endgültiges Erwählungshandeln Gottes zuzusagen, noch bevor Israel in einem Akt der Umkehr aus seiner eigenen Unheilsgeschichte herausgerissen ist. Was von diesem Unheilskollektiv nach der Verkündigung Jesu allein verlangt ist, ist die Bereitschaft, daß es sich dieses Erwählungshandeln Gottes gefallen läßt, wie es ihm in den Seligpreisungen zugesprochen wird, oder noch präziser gesagt, daß es sich dieses Erwählungshandeln *als Unheilskollektiv* gefallen läßt. Weil Gott dieses Unheilskollektiv zum Gegenstand eschatologischen Erwählungshandelns

---

[39] Erneut herausgestellt von *Schlosser*, Règne II 437 f.

macht, muß und kann Israel seine akute und konkrete Notlage als Spiegelbild seiner wahren Unheilsexistenz anerkennen und sich so in der mit letzter Konsequenz gedachten Haltung des „Armen", das heißt des „Demütig-Frommen", für das Heilshandeln Gottes öffnen. Auch an dieser Stelle zeigt sich wieder, daß ein rein sozial-ökonomisches Verständnis der Seligpreisungen unzulänglich ist.

3. Die „Nähe" der Gottesherrschaft

Bislang gingen wir davon aus, daß das eschatologische Heil der Gottesherrschaft, das Jesus dem Unheilskollektiv Israel zusagt, eine Größe der *Zukunft* ist. Grundsätzlich wird man an diesem eschatologisch-futurischen Verständnis als dem Ausgangspunkt des Sprechens Jesu von der Gottesherrschaft auch festhalten müssen.[40] Sonst ergäbe die Vaterunser-Bitte um das Kommen der Königsherrschaft Gottes (Lk 11,2 par) keinen Sinn. Zu fragen bleibt aber, wie diese Zukunft der Gottesherrschaft näher zu qualifizieren ist. Meint Jesus eine zeitlich unbestimmte Zukunft: „Irgendwann einmal kommt die Gottesherrschaft!"? Oder meint er eine zeitlich *nahe* Zukunft: „Die Gottesherrschaft steht unmittelbar bevor!"? Oder ist eine rein zeitliche Qualifizierung der Zukunft im Rahmen der Verkündigung Jesu unangemessen?
Nun ist eine große Mehrheit der Exegeten sich darin einig, daß Jesus nicht auf eine unbestimmte Zukunft verweisen wollte, sondern von der Gottesherrschaft als einer zeitlich *nahen* Größe gesprochen hat.[41] In diesem Zusammenhang wird nicht zuletzt auch auf die Seligpreisungen verwiesen.[42] Selbst wenn man diesem, durchaus gut begründeten Urteil zustimmt, bleibt die Frage, ob mit einer solchen Feststellung der sachliche Gehalt der Naherwartung Jesu schon erfaßt und – im Falle der Seligpreisungen – deren proklamatorischem Charakter voll Rechnung getragen ist.

---

[40] Ganz dezidiert von *E. Gräßer*, Problem 7, herausgestellt: „. . . was Jesus von der Gegenwart redet, redet er nur im Blick auf die Zukunft. Die Gegenwart ist nur die Ouvertüre zu jener und ohne diese Zukunft ist sie nicht, was sie ist: die Zeit des Anbruchs des Endes.".

[41] Vgl. *W. G. Kümmel*, Verheißung 13–76; *ders.*, Naherwartung; *Gräßer*, aaO. 3 f (jetzt bes. auch: IX–XXVII); *ders.*, Naherwartung 123 f. passim; *Schnackenburg*, Gottes Herrschaft 135–148; *K. Müller*, Naherwartung; *G. Lohfink*, in: *G. Greshake – ders.*, Naherwartung 41–50; u. v. a.

[42] Vgl. bes. *Lohfink*, aaO. 43 f.

3.1 Der sachlich-theologische Grund für die Heilszusage der Gottesherrschaft

Tatsache ist, daß zumindest die zweite und dritte Seligpreisung im Nachsatz eine Verheißung aussprechen, die sich auf die *Zukunft* bezieht. Dagegen läßt sich nicht die erste, (im Griechischen) präsentisch formulierte Seligpreisung ins Feld führen, da eine Rückübersetzung ins Hebräische oder Aramäische einen Nominalsatz (ohne Verb) ergibt, dessen Bedeutung im Kontext der zweiten und dritten Seligpreisung eindeutig futurisch zu bestimmen ist. Die Nachsätze der Seligpreisungen, die eine Verheißung beinhalten, beziehen sich also auf die Heils*zukunft*.

Zu beachten ist aber, daß die Vordersätze, die eigentlichen Seligpreisungen, das *gegenwärtige* Israel ansprechen, das als Unheilskollektiv überhaupt keinen Anspruch auf Heilszukunft mehr haben kann. Heilszukunft kann diesem nur zugesprochen werden, wenn *Gott* ihm in einem souveränen Akt von neuem solche Zukunft setzt und schafft beziehungsweise – da Jesu Seligpreisung bereits für die Gegenwart gilt – diesen Akt *bereits gesetzt hat.* Die *Heils*-Zukunft Israels muß bei Gott bereits beschlossene Sache sein. Dies beinhaltet eo ipso einen radikalen Umschwung der theologischen Position Israels. Denn wenn Jesus Israel zum Gegenstand künftigen eschatologischen Heilshandelns erklärt, dann setzt dies voraus, daß für Gott der Status Israels als Unheilskollektiv nicht mehr maßgeblich ist; und dies wiederum ist theologisch nur denkbar, wenn Gott in der freien Souveränität eines bereits jetzt wirksamen neuen Erwählungshandelns das Unheilskollektiv nun wieder, und zwar eschatologisch neu und endgültig, zum Heilskollektiv macht. Nur unter dieser Voraussetzung wird man dem proklamatorischen Charakter der Seligpreisungen gerecht. Die unverwechselbare Dynamik, die der Begriff der Gottesherrschaft im Munde Jesu besitzt, deutet sich an. Das künftige eschatologische Heil der Gottesherrschaft, das Jesus Israel zuspricht, berührt bereits wirksam die Gegenwart. Das Unheilskollektiv Israel wird in einem schöpferischen Akt Gottes theologisch als Heilskollektiv qualifiziert. Daß damit die anthropologische Freiheit Israels nicht ausgesetzt und seine Entscheidung nicht aufgehoben, sondern geradezu eingefordert ist, bleibt davon unberührt. Die Frage nach der Nähe der Gottesherrschaft kann jedoch nicht mehr allein, ja nicht einmal mehr in erster Linie mit zeitlichen Kategorien beantwortet werden. Dies schließt keineswegs aus, sondern macht es im Gegenteil sogar noch wahrscheinlicher, daß Jesus aufgrund des eschatologischen Heilsentscheides Gottes, der nach seiner Überzeugung bereits gefallen ist, im Rahmen apokalyptischer Denkkategorien ganz selbstverständlich damit gerechnet haben wird, daß das Heil der Gottesherrschaft, das er Israel verheißt, nun auch zeitlich nicht mehr ferne sein kann. Als der sachliche Grund dieser zeitlichen Naherwartung und als die entscheidende Aussage der Seligpreisungen bleibt jedoch die theo-logische Neuqualifizierung Israels und damit die von Gott gewährte sachliche Nähe von Israel und Heil festzuhalten.

3.2 Die Unberechenbarkeit des Kommens der Gottesherrschaft und die sogenannten Terminworte

(1) Zu dem Ergebnis des vorigen Abschnitts paßt, daß Jesus, obwohl er aller Wahrscheinlichkeit nach in akuter zeitlicher Naherwartung gelebt hat, den *Termin* für das Kommen der Gottesherrschaft nie zum ausdrücklichen Thema seiner Verkündigung gemacht hat.[43]

Daß das Kommen der Gottesherrschaft allein Sache Gottes ist, geht am deutlichsten aus dem jetzigen Text des *Gleichnisses Mk 4,26–29* hervor. Allerdings dürften gerade die Elemente in VV. 27.28, welche die Untätigkeit des Menschen betonen und das „von selbst" (‚automatē') des Fruchtbringens hervorheben, traditionsgeschichtlich sekundär sein.[44] Doch bleibt auch dann noch der Gedanke für das Gleichnis konstitutiv, daß allein Gottes Initiative maßgeblich ist, sofern betont wird, daß die Ernte (Gottesherrschaft) kommt, „wenn die Frucht es zuläßt" (V. 29), deren Wachsen und Reifen der Aktivität des Menschen entzogen ist. Das Gleichnis mahnt zur Geduld, wohl auf dem Hintergrund einer ungestüm auf das Ende ausgerichteten Erwartung. Dabei mag es dahingestellt bleiben, ob Jesus sich dem Ungestüm der Zeloten, die das Ende mit politisch-revolutionären Mitteln herbeidrängen wollten, oder dem Ungestüm aus den Reihen der eigenen Jünger entgegenstellte. Der Zeitpunkt der Ernte ist in keinem Fall Sache des Menschen.

Nach *Lk 17,20b* „kommt die Gottesherrschaft nicht mit Beobachtung (‚paratērēsis')".[45] Wenngleich das aus seiner redaktionellen Umgebung isolierte Wort kaum mehr sicher entscheiden läßt, ob Jesus sich damit

---

[43] Zu exegetischen Einzelheiten der nachfolgend zu besprechenden Stellen s. *Merklein,* Gottesherrschaft 121–124.

[44] So nach der überzeugenden Analyse von *H.-W. Kuhn,* Sammlungen 104–108.

[45] Lk 17,20f ist in der Forschung äußerst umstritten: *R. Geiger,* Endzeitreden 47–50, *H. Schürmann,* Zeugnis 124, u. a. halten die Verse gänzlich für redaktionell; *J. Zmijewski,* Eschatologiereden 378–381, schreibt VV. 20b.21 dem lk Sondergut zu; nach *Schlosser,* Règne I 179–215, sind VV. 20b.21b authentisch.

gegen eine Berechnung des Zeitpunktes oder gegen ein Ausschauhalten nach Zeichen für das Kommen der Gottesherrschaft wendet, so macht es doch wenigstens deutlich, daß jedwede menschliche Anstrengung, das Kommen der Gottesherrschaft zu enträtseln, verfehlt ist.

Ein anderes Wort – *Mk 13,32*[*][46] – bestätigt dies und gibt zugleich den Grund dafür an: „Über jenen Tag weiß niemand, auch nicht die Engel im Himmel, sondern nur der Vater." Das Kommen der Gottesherrschaft bleibt also ganz der Initiative Gottes vorbehalten, der Mensch kann darum nur beten (vgl. Lk 11,2 par).

(2) Nun gibt es in der synoptischen Tradition allerdings auch einige Logien, die sogenannten *Terminworte*, die ausdrücklich mit einem begrenzten Zeitraum bis zum Kommen der Gottesherrschaft rechnen.[47] Die geringsten Schwierigkeiten bereitet dabei noch *Mk 13,30*; das Wort ist offenkundig redaktionell gebildet,[48] nicht zuletzt im Anschluß an *Mk 9,1*:

> Amen, ich sage euch: Es sind einige (,tines') von den hier Stehenden, die den Tod nicht kosten werden, bis sie die Gottesherrschaft in Macht gekommen sehen.

Für die Echtheit dieses Logions scheint zu sprechen, daß „das Nichteintreffen dieser Voraussage so starke Schwierigkeiten bereiten mußte", daß die Gemeinde „sie schwerlich erst selber geschaffen hätte."[49] Wirklich beweiskräftig ist dieses Argument allerdings nur, wenn man eine Gemeinde voraussetzt, welche die Naherwartung bereits als Problem erkannt hatte. Dies dürfte aber kaum für die älteste Gemeinde zutreffen. Im übrigen rechnet das Wort selbst schon mit einer gewissen Parusieverzögerung.[50] Es will einer durch Todesfälle beunruhigten Gemeinde[51] das Festhalten an einer (relativierten) Naherwartung ermöglichen, indem es das eschatologische Publikum, das man im ersten nachösterlichen Eifer noch mit der Gesamtgemeinde identifiziert hatte, auf „einige" der jetzt Lebenden reduziert.[52]

---

[46] Vgl. dazu *R. Pesch*, Naherwartungen 191–194.

[47] Vgl. dazu bes. *Gräßer*, Problem 128–141; *L. Oberlinner*, Stellung; *Merklein*, Gottesherrschaft 151–153.

[48] Vgl. *Pesch*, aaO. 182–186.

[49] *Kümmel*, Verheißung 21.

[50] *Schlosser*, Règne I 343–349, möchte deshalb „einige" eliminieren, was aber schwerlich überzeugen kann.

[51] Vgl. eine ähnliche Problematik in 1 Thess 4,13–18.

[52] Abwegig ist die These von *B. D. Chilton*, God 251–274 (hier 269), der das Wort

Schließlich kann auch *Mt 10,23* einer kritischen Prüfung nicht stand-halten:

(a) Wenn sie euch verfolgen in dieser Stadt, flieht in die andere.
(b) Amen, ich sage euch: Ihr werdet mit den Städten Israels nicht zu Ende kommen, bis der Menschensohn kommt.

V. 23b läßt sich kaum von V. 23a isolieren,[53] der eine Verfolgungssitua-tion voraussetzt, wie sie für die vorösterliche Zeit nicht gegeben war. Mt 10,23 stellt wahrscheinlich eine nachösterliche Reflexion zu Lk 12,11f par[54] oder Mt 10,14 par[55] dar und paßt vorzüglich zur Situation der Q-Gruppe, die aufgrund der Ostererfahrung Israel ein letztes Mal mit der Botschaft Jesu konfrontiert, dabei aber zunehmend auf Widerstand (Ver-folgung) stößt und sich in diesen Drangsalen der Endzeit mit dem baldigen Kommen des Menschensohnes tröstet.

(3) *Zusammenfassend* läßt sich sagen: Die zeitliche Thematisierung der Naherwartung, wie sie in Mt 10,23 und Mk 9,1 vorliegt, ist wahrschein-lich erst durch Ostern ausgelöst worden. Die apokalyptische Vorstellung von der allgemeinen Totenerweckung, die man zur Deutung der Osterer-fahrung auf Jesus übertragen hatte, mußte es geradezu nahelegen, Jesu Auferstehung als Auftakt des nun unmittelbar bevorstehenden Endes zu verstehen. Die Folge davon war, daß man noch zu Lebzeiten mit dem Kommen der Gottesherrschaft beziehungsweise des Menschensohnes rechnete (Mt 10,23). Mk 9,1 reflektiert bereits die ersten Schwierigkeiten dieser Art von Naherwartung. Dies alles schließt nicht aus, daß auch Jesus selbst ganz selbstverständlich mit einem baldigen Kommen der Gottes-herrschaft gerechnet hat.[56] Eine solche Haltung Jesu würde im Gegenteil sogar einen verständlichen Katalysator für das Aufkommen der nach-österlichen, nun auch zeitlich genauer fixierten Naherwartung darstellen. Dennoch bleibt festzuhalten, daß Jesus selbst einen Termin für das Kommen der Gottesherrschaft nicht zum Thema seiner Verkündigung

---

bezieht „to those who, like the angels, Moses, Elijah, Jeremiah, Ezra and Enoch, do not taste death".
[53] Gegen *Kümmel*, Verheißung 55; *Gräßer*, Problem 137.
[54] So *H. Schürmann*, Traditions- und Redaktionsgeschichte; *ders.*, Beobachtungen 137f.
[55] So *A. Vögtle*, Erwägungen 330f.
[56] Naherwartung dürfte auch in dem Logion Mk 14,25 vorausgesetzt sein, in dem aber ebenfalls kein Termin genannt wird; zur Sachaussage s.u. VII/2.

gemacht hat.[57] Ihn zu bestimmen, überläßt er ganz Gott allein. Das Entscheidende für Jesus ist nicht der Termin, sondern daß *jetzt* dem Unheilskollektiv Israel das Heil der Gottesherrschaft anzusagen ist.

3.3 „Nahegekommen ist die Gottesherrschaft"

Wie aber ist dann das Wort „Nahegekommen ist die Gottesherrschaft" zu beurteilen, das nach Mk 1,15 wie auch nach Lk 10,9 par Mt 10,7 den wesentlichen Inhalt der Botschaft Jesu zusammenfaßt? Ist darin nicht gerade die *zeitliche Nähe* der Gottesherrschaft thematisiert?[58] Kann es dann aber noch – auf dem Hintergrund der bisherigen Ausführungen – als authentisch angesehen werden oder stellt es diese in Frage?[59] Oder spricht das Wort nicht von zeitlicher, sondern von *sachlicher Nähe?*[60]
Eine Entscheidung aufgrund des isolierten Wortes ist kaum möglich, da es als solches mehrdeutig ist. Daher ist auch eine Überprüfung der Authentizität mit Hilfe des strengen Kriteriums der Unähnlichkeit[61] nicht durchführbar. Ein einigermaßen sicheres oder wenigstens wahrscheinliches Urteil läßt sich nur mit Hilfe des Kriteriums des Gesamtrahmens der Verkündigung Jesu[62] erzielen. Es ist also zu fragen, *ob* und *in welchem Sinn* das Logion zur sonstigen Verkündigung Jesu passen könnte.

---

[57] Auf die These *Kümmels*, Verheißung 58–80, Jesus habe „mit einer Zwischenzeit zwischen seiner Auferstehung und der Parusie gerechnet" (68), kann hier nicht näher eingegangen werden; zur Kritik vgl. *Gräßer*, Problem 33–59; *ders.*, Naherwartung 102–124.

[58] Gegen die vor allem in der angelsächsischen Exegese vertretene präsentische Deutung hat insbesondere *Kümmel*, aaO. 16–18; *ders.*, Naherwartung 459–462, mit Nachdruck die zeitliche Qualität von „nahekommen" herausgestellt. Mk 1,15* kann in der Tat nicht mit „The Kingdom of God has come" übersetzt werden; gegen *C. H. Dodd*, Parables 44f.

[59] Weil sie Jesus eine zeitliche Naherwartung absprechen, sind z. B. *E. Fuchs*, Zeitverständnis 325; *N. Perrin*, Kingdom 200f; *E. Linnemann*, Gleichnisse 138 Anm. 26; *dies.*, Hat Jesus 106f, bezüglich der Echtheit von Mk 1,15* skeptisch.

[60] Vgl. *E. Jüngel*, Paulus 180: „Wenn Jesus ... die *Nähe* der Gottesherrschaft verkündigte, dann brachte er das *Wesen* der Gottesherrschaft zum Zuge." Weitere Autoren, die das Problem der Naherwartung mit Hilfe einer Interpretation des ntl Zeitbegriffs entschärfen wollen, sind bei *Gräßer*, Naherwartung 49–84, übersichtlich zusammengestellt und besprochen; vgl. auch *Merklein*, Gottesherrschaft 169–171.

[61] Es besagt, daß eine Tradition mit einiger Sicherheit dann als authentisch angesehen werden kann, wenn sie „weder aus dem Judentum abgeleitet noch der Urchristenheit zugeschrieben werden kann" (*E. Käsemann*, Problem 205).

[62] Vgl. dazu *F. Hahn*, Überlegungen 37–40.

Geht man davon aus, daß das Wort eine Mitteilung machen will und daß jede Mitteilung eine (bekannte) *Referenz* besitzt, über die eine (neue) *Information* gegeben wird, läßt sich das Logion als solches in dreifacher Weise interpretieren:[63]

(1) Nimmt man als Referenz die allgemeine Heilserwartung der Gottesherrschaft an, so läge der Informationsgehalt des Logions im Verbum. Der Sprecher wollte dann sagen: Die Gottesherrschaft, die als Zukunft für Israel vorausgesetzt werden kann, ist nahe. Die Nähe kann dann nur zeitlich verstanden werden. In diesem Sinne kann das Wort aber kaum von Jesus stammen, nicht nur, weil eine Thematisierung der zeitlichen Nähe für ihn eher unwahrscheinlich ist, sondern mehr noch, weil die vorausgesetzte Referenz für Jesus nicht akzeptabel ist. Jesus geht wie Johannes von der gegenteiligen Prämisse aus: Israel, wie es sich vorfindet, ist ein einziges Unheilskollektiv und kann als solches nicht von einer *Heils*zukunft ausgehen.

(2) Im Blick auf Johannes könnte man als Referenz auch die Nähe, also eine zeitliche Naherwartung, erwägen. Die eigentliche Information würde dann das Subjekt des Satzes enthalten. Das Wort würde zum Ausdruck bringen: Das Eschaton, dessen Nähe vorausgesetzt werden kann, bringt nicht das Gericht, wie es Johannes meinte, sondern das Heil der Gottesherrschaft. Doch ist dieses Verständnis schon aus sprachlichen Gründen unwahrscheinlich. Zudem würde das Wort dann eine Polemik gegen die Gerichtspredigt des Täufers enthalten, wovon in der sonstigen Verkündigung Jesu nichts zu spüren ist.

(3) Wenn eine satzinterne Referenz, über die der übrige Satz eine Information mitteilt, eher unwahrscheinlich ist, verbleibt nur noch die Möglichkeit, den ganzen Satz als Information auf eine außerhalb des Satzes liegende Referenz zu beziehen. Nimmt man als solche Referenz die auch sonst für die Verkündigung Jesu vorauszusetzende „anthropologische" Prämisse, würde sich das Logion an das Unheilskollektiv Israel wenden, dem als solchem nur noch das Gericht zu-kommt. Diesem Israel, dem das Heil nicht nur zeitlich, sondern, da zwischen Unheilskollektiv und Gottesherrschaft kein von diesem zu beanspruchender Konnex bestehen kann, viel mehr noch sachlich ent-fernt ist (Referenz), wird gesagt, daß das Heil der Gottesherrschaft nahegekommen ist (Information). Die Nähe kann dann aber nicht nur zeitlich, sondern muß in erster Linie sogar

---

[63] Vgl. dazu *Merklein*, Gottesherrschaft 155–157.

sachlich gemeint sein. Das Logion verkündet einen von Gott her erfolgten radikalen Umschwung der Situation Israels, impliziert geradezu eine aktive Tat Gottes, nämlich ein neues, genauer gesagt, das eschatologische Erwählungshandeln, das Gott dem Unheilskollektiv angedeihen lassen und dieses damit zum Heilskollektiv machen will. Bei dieser Interpretation ist das Logion mit der Bitte um das Kommen der Gottesherrschaft in der Zukunft (vgl. Lk 11,2 par) durchaus vereinbar. Auch ist der Gedanke an eine zeitliche Nähe ihres Kommens keineswegs ausgeschlossen. Doch erschöpft es sich nicht darin, so daß es sich nicht als Thematisierung einer zeitlichen Naherwartung würdigen läßt. Denn das Logion enthält nicht nur eine Aussage über das *kommende* Eschaton, sondern qualifiziert bereits die *Gegenwart* eschatologisch. Daher ist die zeitliche Naherwartung eher eine im apokalyptischen Kontext selbstverständliche Implikation jener in dem Logion zum Zuge kommenden Proklamation, die sich inhaltlich mit der Proklamation der Seligpreisungen deckt. „Nahegekommen ist die Gottesherrschaft" verkündet die eschatologische Heilsentscheidung Gottes, sagt dem Unheilskollektiv Israel das jetzt anhebende eschatologische Erwählungshandeln Gottes zu, so daß ihm das Heil der Gottesherrschaft nahe ist. Dabei dürfte mit der angesprochenen „Nähe" zugleich die Aufforderung angedeutet sein, daß Israel sich von dem nunmehr nahen Heil auch ergreifen lassen soll.

Wenngleich damit noch nicht positiv erwiesen ist, daß das Logion eine authentische Aussage Jesu wiedergibt, so läßt sich – die Richtigkeit der hier vertretenen Interpretation vorausgesetzt – ein Zweifel an seiner Echtheit erst recht nicht begründen.[64] Es fügt sich kongenial in die sonstige Verkündigung Jesu ein. Es ist deshalb wohl auch kein Zufall, daß es in Mk 1,15 und Lk 10,9 par zur Zusammenfassung der Botschaft Jesu herangezogen wird. Man könnte sich zu diesem Zweck in der Tat keinen treffenderen Satz vorstellen. Dies gilt um so mehr, als die darin angesprochene Proklamation des göttlichen Erwählungshandels auch die sachlich-theologische Grundlage für die für Jesus so typischen Gegenwartsaussagen abgibt.

---

[64] *Hoffmann*, Studien 300, möchte in „Nahegekommen ist die Gottesherrschaft" gegenüber dem authentischen Lk 11,20 par „eine Verschiebung der eschatologischen Perspektive von der betonten Gegenwartsaussage Jesu zur naheschatologischen Zukunftsaussage" erblicken; ähnlich: A. *Polag*, Christologie 29.69.175 Anm. 532; G. *Dautzenberg*, Wandel 20 f; *Schürmann*, Zeugnis 146–150. Dieses Urteil setzt jedoch eine einseitige, rein zeitliche Interpretation des Verbums voraus. Für die Echtheit des Wortes sprechen sich jetzt auch aus: *Chilton*, God 65–95; *Schlosser*, Règne I 91–109. Unentschieden ist *F. Mußner*, Ansage 44–47.

V. Die Gottesherrschaft als bereits in Gang gekommenes Geschehen

Daß Jesus *unmittelbar* dem Unheilskollektiv, als welches er Israel vorfindet, das Heil der Gottesherrschaft zusagen kann, setzt voraus, daß Gott das Unheilskollektiv jetzt erneut und endgültig zum Gegenstand eschatologischen Erwählungshandelns gemacht hat. Dies ist der sachlich-theologische Grund dafür, daß Jesus das Unheilskollektiv in den Seligpreisungen (Lk 6,20b.21 par) als eschatologisches Erwählungs- und Heilskollektiv proklamieren und ihm die Nähe des eschatologischen Heils zusprechen kann (Mk 1,15; Lk 10,9 par). Was aber ist der *Anlaß* und der subjektive *Ermöglichungsgrund*, daß Jesus so verkündigen kann?

1. Der subjektive Ermöglichungsgrund für die Heilszusage in der Gegenwart

Selbst wenn man aufgrund der bisher festgestellten deutero- und tritojesajanischen Bezüge der Botschaft Jesu davon ausgehen könnte, daß Jesus unter radikaler Ernstnahme des biblisch-frühjüdisch unantastbaren Grundsatzes von der bleibenden Treue Gottes die deutero- und tritojesajanische Heilszusage als jetzt in Erfüllung gehend ausgelegt hätte, bliebe immer noch ungeklärt, *warum* Jesus dies tun konnte oder mußte. Diese Frage stellt sich um so mehr, als der Gedanke der Treue Gottes auch in apodiktischer Gerichtspredigt aufrechterhalten werden konnte,[1] also keineswegs eine Heilspredigt nach der Art Jesu zur unabdingbaren Folge haben mußte. Im übrigen konnte Jesus aufgrund der mit Johannes geteilten „anthropologischen" Prämisse eben nicht – wie noch Jes 55,3 – das künftige Heil als Konsequenz des Väterbundes deuten. Das Heil, das Jesus ansagt, setzt ein eschatologisch neues Erwählungshandeln Gottes voraus, das nicht in geschichtlicher Kontinuität zu früherem Erwählungshandeln steht. Dies aber setzt wiederum voraus, daß Jesus ein spezifisches eschatologisches Wissen gehabt haben muß, wie es auch sonst – phänomenologisch (nicht inhaltlich!) durchaus vergleichbar – im Einflußbereich apokalyptischen Denkens als charakteristisch nachzuweisen ist.[2]

---

[1] Vgl. den Gedanken der Neuschöpfung Israels bei Johannes dem Täufer (Mt 3,9b par).

[2] Vgl. z.B. die Zehnwochenapokalypse (bes.äthHen 93,10) und den Lehrer der Gerechtigkeit in Qumran (bes. 1 QpHab 2,8f; 7,4f); dazu: *O. Betz*, Offenbarung 55–58.61–68.88–92.110–119; *G. Jeremias*, Lehrer passim; *M. Hengel*, Judentum 401–407.415–417.

Wie und wann Jesus dieses eschatologische Wissen zugekommen ist, läßt sich historisch kaum mehr endgültig aufklären. Doch muß dieser Vorgang im Zusammenhang mit seiner Loslösung vom Täufer gestanden haben. Nach den synoptischen Evangelien hat Jesu Berufung und Sendung bei seiner Taufe stattgefunden (Mk 1,9–11 par). Allerdings dürfte es sich bei dieser Szene und insbesondere bei der deutenden Himmelsstimme (Mk 1,11 par) um eine nachträgliche christologische Reflexion handeln, wenngleich die Bezugnahme auf Jes 42,1 nicht zufällig sein dürfte und ein weiteres Mal bestätigt, daß Jesu Botschaft und Auftreten im rezeptionsgeschichtlichen Konnex mit Deutero-Jesaja steht.[3] Im übrigen bleibt zu betonen, daß selbst bei Zurückstellung aller historischen Skepsis in Mk 1,9–11 über den *Inhalt* der Botschaft, zu der Jesus gerufen und gesandt wird, direkt noch nichts gesagt ist. Hierfür Lk 10,22 par Mt 11,27 zu bemühen, so daß bei der Taufe Jesus eine Offenbarung Gottes zuteil geworden wäre, die ihm inhaltlich Gott als „Vater" (Abba) erschloß, ist exegetisch äußerst problematisch.[4]

Um so mehr muß ein anderes Logion im Zusammenhang unserer Fragestellung unser Interesse finden.

Lk 10,18: Ich sah („etheōroun') den Satan wie einen Blitz vom Himmel fallen.[5]

Ursprünglich dürfte es sich hierbei um ein Einzellogion handeln,[6] das erst von Lukas in den jetzigen Kontext der Jüngeraussendung (Lk 10,1–16) gestellt wurde. An seiner Authentizität läßt sich nur schwerlich zweifeln.[7] Das Wort konstatiert ein bereits geschehenes Ereignis, das den Satanssturz aus dem Himmel zum Inhalt hat.[8] Zum Verständnis dieser Aussage ist zunächst auf die Anklägerfunktion Satans zu verweisen, wie sie diesem

---

[3] Eine historische Auswertung verbietet m.E. jedoch schon der Charakter des Textes (gegen: *J. Jeremias,* Theologie 56–62; zu unkritisch ist auch *S. Ruager,* Reich Gottes 48–62); vgl. *A. Vögtle,* Taufperikope 111–125.

[4] Gegen *J. Jeremias,* aaO. 63–73. Wahrscheinlich stellt Lk 10,22 par ein Interpretament der Q-Gemeinde dar; vgl. *P. Hoffmann,* Studien 109.118–142; s. auch *H. Merklein,* Entstehung 57f.

[5] *J. Jeremias,* aaO. 99, übersetzt unter Berücksichtigung der semitisierenden Sprachgestalt: „Ich sah, wie Satan, jählings aus dem Himmel ausgestoßen, wie ein Blitz auf die Erde herabfiel". Daß Satan *auf die Erde* herabfällt, ist in Lk 10,18 allerdings nicht gesagt; so zu Recht *M. Limbeck,* Satan 287 Anm. 50.

[6] Vgl. *W. G. Kümmel,* Verheißung 106.

[7] *Limbeck,* a.a.O. 282f; *U. B. Müller,* Vision 419.

[8] Es ist daher unzureichend, wenn *R. Bultmann,* Geschichte 174 Anm. 1, davon spricht, „daß das Wort das Ende der Satansherrschaft *weissagt*" (Hervorhebung von mir).

nach alttestamentlicher und frühjüdischer Anschauung zukommt. Lk 10,18 bringt demnach zum Ausdruck: „Satan (hat) seine übermenschliche Macht als Verführer und Ankläger verloren . . . Satan wird zukünftig nicht mehr nur von Fall zu Fall an seiner Anklage gehindert (vgl. Jub 48,15.18), er hat seinen Platz vor Gott für immer verloren."[9] Darüber hinausgehend muß der Sturz Satans aus dem Himmel jedoch auch im apokalyptischen Kontext des endzeitlichen Entscheidungskampfes zwischen Gott und dem Satan beziehungsweise zwischen Michael, dem Fürsten des Lichtes (der zugleich der Völkerengel Israels ist), und Belial, dem Fürsten der Finsternis, gesehen werden.[10] Hinter dieser frühjüdisch geläufigen Sicht steht die Vorstellung von der Parallelität zwischen himmlischem und irdischem Geschehensablauf. Wenn Satan und die himmlischen Mächte des Bösen entmachtet sind, dann kann sich auch auf Erden Gottes Herrschaft durchsetzen.

Das Charakteristische an Lk 10,18 besteht nun darin, daß das, was das apokalyptische Denken für die Zukunft der Endzeit erwartet, für Jesus bereits geschehen ist. Der himmlische Entscheidungskampf ist entschieden, Satan ist entmachtet. Damit entfällt seine Anklägerfunktion gegen Israel, wie auch die Voraussetzung und der eigentliche Grund für die irdische Unterdrückung und Not Israels. Denn das konkrete Leid Israels ist ja nur die Außenseite seiner Gerichtsverfallenheit,[11] die von Satan vor Gott repräsentiert wird und mit der himmlischen Machtposition Satans in einem wechselseitigen Bedingungsverhältnis steht. Die in Lk 10,18 angesprochene Entmachtung Satans beinhaltet daher, daß Israel aus seinem Status als Unheils- und Gerichtsträger entlassen ist, und daß die himmlischen Weichen für den irdischen Durchbruch der Gottesherrschaft gestellt sind. Es ist deshalb nur konsequent, daß Jesus bereits jetzt Israel als eschatologisches Erwählungskollektiv seligpreist[12] und ihm die Nähe der Gottesherrschaft zusagt[13], ja sogar – wie noch näher zu erläutern ist – die Gottesherrschaft als bereits gegenwärtiges Geschehen verkündigen kann, das mit aller Macht (vgl. Mt 11,12 par) auf seine volle Verwirklichung (vgl. Lk 11,2 par) hindrängt.

---

[9] *Limbeck,* aaO. 286f; vgl. *M. Hengel,* Nachfolge 73.

[10] Vgl. Dan 10,13.20f; 12,1; 1 QM 1; 15,12 – 16,1; 17,5b–8 (zum Dualismus in 1 QM und 1 QS 3;4 vgl. *J. Becker,* Heil 74–103; *P. v.d. Osten-Sacken,* Gott); Offb 12,7–9. Zum Ende der Satansherrschaft als Zeichen der Heilszeit vgl. Jub 23,29 (40,8f; 46,2) 50,2; AssMos 10,1. Zur Sache vgl. *U. B. Müller,* Vision 420f.

[11] Siehe oben IV/1.2.

[12] Siehe oben IV/2.

[13] Siehe oben IV/3.

Wenngleich ein sicherer Nachweis an der Quellenlage scheitern muß, so spricht doch einiges dafür, daß sich in Lk 10,18 jene Erfahrung widerspiegelt, die den Anlaß und den subjektiven Ermöglichungsgrund für Jesu eigenständige Wirksamkeit und seine spezifische Verkündigung von der Gottesherrschaft bildete.[14] Wie diese Erfahrung psychologisch zu charakterisieren ist, läßt sich nicht sicher sagen; manches scheint für eine Vision zu sprechen.[15] Theologisch handelt es sich jedenfalls um eine Offenbarung, die Jesus eschatologisches Wissen vermittelte. Über Zeit und Ort dieser Offenbarung gibt Lk 10,18 selbst keinen Aufschluß. Doch wenn sie im weiteren Kontext der Taufe Jesu beziehungsweise im Zusammenhang mit seiner Loslösung vom Täufer anzusiedeln ist, dürfte sie ihm in der Wüste teilgeworden sein. Dazu würde auch passen, daß die synoptische Tradition im Anschluß an die Taufe von einem Wüstenaufenthalt Jesu zu berichten weiß, bei dem die Versuchung durch den Satan eine Rolle spielt (Lk 4,1–13 par Mt 4,1–11; Mk 1,12f). Nach der Q-Überlieferung endet diese Szene damit, daß der Teufel von Jesus abläßt (Lk 4,13 par Mt 4,11a); nach der markinischen Überlieferung kehrt am Ende paradiesischer Friede ein (Mk 1,13b). Beides paßt inhaltlich gut zusammen mit dem Motiv von der Entmachtung Satans, wie es sich in Lk 10,18 findet.

2. Jesu Taten als Geschehensereignis der Gottesherrschaft

Besonders charakteristisch für die Jesustradition sind die Aussagen, die das eschatologische Heil als bereits gegenwärtige Größe artikulieren. Anzuführen sind hier besonders Logien wie Lk 11,20 par Mt 12,28; Lk 10,23f par Mt 13,16f; Lk 7,22f par Mt 11,5f; Lk 11,31f par Mt 12,42.41; Mk 2,19a; Mk 3,27 par. Die Echtheit dieser Worte, die im einzelnen hier nicht in extenso behandelt werden können, ist nicht unumstritten, da selbstverständlich damit zu rechnen ist, daß die nachösterliche Christologie Person und Auftreten Jesu im Sinne eschatologischer Erfüllung zu deuten bemüht war. Dennoch dürfte die generelle Stoßrichtung der einzelnen Aussagen nicht aus der nachösterlichen Reflexion allein zu erklären sein.

---

[14] Vgl. *U. B. Müller,* Vision 426–429.
[15] *Müller,* aaO. 417–429, spricht sich mit Entschiedenheit und mit beachtlichen Gründen für eine Vision aus; so auch: *J. Weiss,* Predigt 93; *Kümmel,* Verheißung 106f; *J. Jeremias,* Theologie 99. Andere möchten Lk 10,18 lediglich als bildliche Rede verstehen (vgl. die bei *Kümmel,* aaO. Anm. 29, verzeichneten Autoren).

2.1 Jesu Taten in der Logientradition

(1) Das prominenteste Wort, das es hier anzuführen gibt, ist

> *Lk 11,20 par Mt 12,28:*[16]
> Wenn ich mit dem Finger Gottes die Dämonen austreibe,
> dann ist die Gottesherrschaft schon zu euch gelangt („ara ephthasen eph'
> hymas').

Im Kontext von Q gehört das Logion zu einer größeren Kompositions-
einheit (Lk 11,14–20.23 par), zu der auch Parallelen in der markinischen
Überlieferung vorhanden sind (Mk 3,22–27). Es dürfte ursprünglich aber
ein selbständiges Logion gewesen sein.[17] Fast einhellig wird es als authentisch angesehen.[18] Die Art und Weise, wie die eschatologische Rede von
der Gottesherrschaft auf die Gegenwart bezogen wird, ist im zeitgenössischen Judentum ohne jede Parallele. Zwar konnte *H.-W. Kuhn* in seiner
Untersuchung zu den qumranischen Gemeindeliedern nachweisen, daß
die Vorstellung „von der in der Gegenwart schon wirksamen zukünftigen
Vollendung" nun auch für den „palästinischen Raum deutlich bezeugt"
wird.[19] Dort läuft die Verbindung von Eschaton und Gegenwart jedoch
über die Tempelsymbolik der Qumrangemeinde, die sich als der eschatologische Tempel und als solche in Gemeinschaft mit den Engeln stehend
weiß.[20] Bei Jesus hingegen tritt die Gegenwart des Eschatons in seinen
Dämonenbannungen zutage. Diese Verbindung von Eschatologie und
Wunder ist religionsgeschichtlich überhaupt singulär.[21]
Für das inhaltliche Verständnis von Lk 11,20 par ist zunächst zu beachten,
daß Dämonen nach jüdischer Auffassung Schadensgeister sind und nicht
unbedingt als Gefolge *Satans* verstanden werden dürfen.[22] Die religionsgeschichtliche Sachlage ist allerdings umstritten.[23] Tatsache ist, daß die
urchristliche Tradition zwischen Satan und Dämonen einen Zusammen-

---

[16] Zur Rekonstruktion s. *S. Schulz*, Q 205; *A. Polag*, Fragmenta 50 f; *W. Schenk*, Synopse 66 f.

[17] Vgl. *Bultmann*, Geschichte 12; *Kümmel*, Verheißung 98 f; *H. Merklein*, Gottes-herrschaft 158 f.

[18] *Bultmann*, aaO. 174; ihm schließt sich fast die gesamte Forschung an. Anders: *Th. Lorenzmeier*, Logion (dagegen: *E. Gräßer*, Verständnis 7–11).

[19] *H.-W. Kuhn*, Enderwartung 203.

[20] *Kuhn*, aaO. 204.

[21] Vgl. *G. Theißen*, Wundergeschichten 274–277; *Kuhn*, aaO. 201–204.

[22] So mit Nachdruck *Limbeck*, Satan 283 f.

[23] Vgl. zum Material *W. Foerster*, ThWNT II 10–16. Gegen *Limbeck* wendet sich *H. Kruse*, Reich, bes. 29–37.

hang herstellt (vgl. Mk 3,22–27; Lk 11,14–22 par).[24] Ob Jesus selbst dies so gesehen hat, ist von der Sache her eher unwahrscheinlich. Nach Lk 10,18 ist für ihn der Kampf gegen den Satan schon entschieden. Und Lk 10,18 und Lk 11,20 par in der Weise zu verkoppeln, daß Jesus seine Dämonenbannungen als irdische Nachhutgefechte gegen das „Bodenpersonal" des gestürzten himmlischen Anführers verstanden hätte, ist nicht unbedingt überzeugend.[25] Zwischen Lk 10,18 und Lk 11,20 par besteht meines Erachtens nur ein indirekter Interpretationszusammenhang: Weil Satan entmachtet ist, kann Gottes Herrschaft sich auf Erden durchsetzen; gerade deshalb kann Jesus sein Austreiben von Dämonen, die nach geläufiger antiker Auffassung insbesondere für auffällige Krankheiten verantwortlich sind und daher dem Wohlbefinden (dem ‚schālôm') des Menschen im Wege stehen, als „Angelangen" der Gottesherrschaft interpretieren. In diesem Sinn dürfte das in Lk 11,20 par angesprochene Tun Jesu nicht einmal ausschließlich auf die Exorzismen im strikten Sinn zu beziehen sein, sondern alles heilende, Krankheit beseitigende Wirken einschließen. Bestätigt wird diese Ansicht durch das mit Lk 11,20 par verwandte Wort Lk 10,9 par Mt 10,7, in dem die Ansage der Nähe der Gottesherrschaft nicht speziell mit Dämonenbannungen, sondern generell mit der Aufforderung zu Krankenheilungen verbunden ist.

Für das spezifische Verständnis Jesu ist es höchst bedeutsam, daß er die Gottesherrschaft als „schon zu euch gelangt" qualifizieren kann. Das im Griechischen stehende ‚ephtasen' (aram.: ‚mᵉtā'') ist keineswegs als übersetzungsbedingtes Synonym für ‚ēggiken' („nahekommen"; aram.: ‚qārᵉba'' bzw. ‚qᵉrabat') zu werten,[26] so daß eine abschwächende Auslegung im Sinne eines bloßen „Naheseins" der Gottesherrschaft kaum in Frage kommt.[27] Jesus behauptet vielmehr mit Lk 11,20 par einen bereits realen Einstand der Gottesherrschaft. Seine Dämonenbannungen sind daher mehr als nur „die gegenwärtigen *Zeichen* des kommenden Reiches".[28]

---

[24] Vgl. dazu *Limbeck*, aaO. 294–303 (mit einer originellen Erklärung des Beelzebul-Namens).

[25] In der Forschung ist diese Auffassung jedoch sehr beliebt, vgl. u.a. *Becker*, Heil 210; *U. B. Müller*, Vision 421 (der dort hergestellte Zusammenhang paßt allerdings schlecht zur Aussage auf S. 418).

[26] Vgl. *G. Dalman*, Worte 87f; *Kuhn*, Enderwartung 191f.

[27] Gegen *Weiss*, Predigt 220f; *K. W. Clark*, Eschatology; *Becker*, Heil 201.

[28] So: *H. Conzelmann*, Grundriß 131 (Hervorhegung von mir); vgl. *Weiss*, aaO. 90 („Aeußerungen pneumatischer Ekstase"). 95.101.223. In der angelsächsischen Forschung (die eher zur präsentischen Deutung neigt) wird die rein futurische Deutung der Gottesherrschaft vor allem von *R. H. Hiers* vertreten (zu Lk 11,20 vgl. *Hiers*, Jesus 63; *ders.*, Satan 44–46).

Andererseits darf man sich durch Lk 11,20 par nicht dazu verleiten lassen, die Aussagen vom (zukünftigen) Kommen der Gottesherrschaft (vgl. Lk 11,2 par) im Sinne einer „Realized Eschatology" einzuebnen.[29] Lk 11,20 par schließt die futurische Dimension der Gottesherrschaft keineswegs aus, sondern bekommt unter dieser Voraussetzung erst seine ihm eigene Brisanz.[30] Hier wird vielmehr deutlich, daß die „Gottesherrschaft" für Jesus ein dynamischer Begriff ist, der ein *Geschehen* anzeigt, in dem die eschatologische Zukunft bereits die Gegenwart erfaßt.[31] Der sachliche Grund und Ursprung dieses Geschehens ist, daß Gottes eschatologischer Heilsentscheid bereits gefallen (vgl. Mk 1,15; Lk 10,9 par) und der Satan entmachtet ist (Lk 10,18). Deshalb kann Jesus Israel ein neues, und zwar das jetzt stattfindende eschatologische Erwählungshandeln Gottes verkünden (vgl. Lk 6,20f par). Als durch Gottes eschatologische Initiative ausgelöstes Geschehen bricht sich die Gottesherrschaft bereits Bahn, wie die ungewöhnliche Wendung in dem ansonsten wahrscheinlich nicht authentischen Logion Mt 11,12f par sagt, und drängt mit Macht auf die Durchsetzung des alleinigen Herrseins Gottes und der Alleingeltung seines Namens (Lk 11,2 par).

Obwohl die Gottesherrschaft sowohl als Initial- wie auch als Zielgeschehen *göttliche* Tat ist, kann sie nicht von der *Person Jesu* getrennt werden. Denn er ist als der Proklamator der Gottesherrschaft der irdische Repräsentant des im Himmel bereits vollzogenen Geschehens (Satanssturz!), das nun durch seine Proklamation auch die irdische Wirklichkeit erfaßt. Deshalb kann er seine Taten (Dämonenbannungen) auch als Teil dieses Geschehens verstehen. Sie sind zwar nicht identisch mit der Gottesherrschaft, oder besser gesagt, mit dem Geschehensziel der Gottesherrschaft. Doch ereignet sich in ihnen bereits das Geschehen der Gottesherrschaft, so daß ich sie als *„Geschehensereignis"* der Gottesherrschaft bezeichnen möchte.[32]

---

[29] So vor allem *C. H. Dodd*, Preaching; *ders.*, Parables; *J. A. T. Robinson*, Jesus, u.a.

[30] Treffend bemerkt *W. Trilling*, Botschaft 53: Die Gottesherrschaft ist „ihrem Wesen nach futurisch-eschatologisch . . . Aber sie ist eben auch präsentisch, da sie sich bereits jetzt ereignet, aber *als* die eschatologisch-zukünftige ereignet."

[31] Vgl. *G. E. Ladd*, Presence 138–144; sowie *Becker*, Heil 206f, und *Kuhn*, Enderwartung 200f, die beide mit dem Begriff der „Heilssphäre" arbeiten (s. nächste Anm.).

[32] Sachlich dürfte sich dies mit dem Begriff der „Heilssphäre" treffen, die von *Becker* und *Kuhn* ebenfalls dynamisch charakterisiert wird; vgl. *Becker*, Heil aaO. 207: *„Die Gottesherrschaft ist eine Heilssphäre, die sich im Geschehen ereignet."*

Unter dem Aspekt der Gottesherrschaft als Geschehen wird man auch die heilenden Taten der Jünger (vgl. Lk 10,9 par; analog gilt dies auch für die Verkündigung der Jünger) als Geschehensereignis der Gottesherrschaft bezeichnen können. Das bedeutet nicht, daß die Gottesherrschaft zum Gegenstand menschlicher Aktivität wird, da die Taten der Jünger nicht aus sich selbst und gleichsam mit immanenter Automatik (im Sinne der beliebten, aber falschen Rede vom „Bauen am Reich Gottes"), sondern nur insofern diese Qualität besitzen, als sich in ihnen das *göttliche* Geschehen ereignet.[33] Zudem bleiben die Taten der Jünger als Geschehensereignis der Gottesherrschaft an die Person Jesu gebunden, da sie als solches nur in Beziehung zum Proklamator dieses Geschehens und im Vollzug seines ermächtigenden Auftrags (vgl. Lk 10,9 par mit Lk 10,3 par!) qualifiziert werden können.

(2) Weil die Gottesherrschaft ein Geschehen ist, das in Jesu Wort und Tat bereits angehoben hat, kann die Q-Gemeinde die Gegenwart als Heilszeit beziehungsweise „als eschatologische Erfüllungszeit"[34] werten und die Augen- und Ohrenzeugen seligpreisen.

> *Lk 10,23 f par Mt 13,16 f:*[35] Selig die Augen, die sehen, was ihr seht, und die Ohren, die hören, was ihr hört.
> Denn ich sage euch: Viele Propheten und Könige begehrten zu sehen, was ihr seht, und haben es nicht gesehen, und zu hören, was ihr hört, und haben es nicht gehört.

Ob der Spruch authentisch ist, kann wegen seines zusammenfassenden Charakters nicht sicher gesagt werden.[36] In jedem Fall ist er eine sachgerechte Wiedergabe der mit Jesus gegebenen eschatologischen Sachlage.

---

[33] Daß es nicht „um eine Kooperation von Gott und Mensch bei der Heraufführung des Reiches" gehen kann, hat *G. Klein*, Reich 657, völlig zu Recht betont (die Konsequenz, daß sich Jesus deshalb „primär an den einzelnen" wende [ebd.], ist allerdings zu undifferenziert; vgl. oben IV/1.2 mit Anm. 19). Weil es sich um *göttliches* Geschehen handelt, das sich im Tun des Menschen ereignet, kann kein Mensch sein konkretes Handeln qua *menschliches* Handeln mit Gewißheit als Geschehensereignis der Gottesherrschaft qualifizieren (hier gilt der eschatologische Vorbehalt!); aber ohne das Vertrauen, *daß* sich im menschlichen Handeln göttliches Geschehen ereignet, wäre die Aufforderung Jesu in Lk 10,9 par ihrer Kraft beraubt.

[34] *Kümmel*, Verheißung 105.

[35] Zur Rekonstruktion s. *Schulz*, Q 419 f; *Kuhn*, Enderwartung 193 f; etwas anders: *Polag*, Fragmenta 48 f; *Schenk*, Synopse 59.

[36] Vgl. *Merklein*, Gottesherrschaft 161 f; die Echtheit wird jedoch weithin befürwortet.

Das gleiche gilt für *Lk 11,31f par Mt 12,42.41*, das wegen seiner Gerichtsdrohung gegen Israel wohl doch „Gemeindebildung" (Q) sein dürfte.[37] Durch das zweimalige „siehe, hier ist mehr als Salomo/Jona" hält das Logion aber sehr deutlich und zutreffend die oben herausgestellte Bindung des eschatologischen Heilsgeschehens an die Person Jesu fest.

(3) Nicht mehr sicher zu entscheiden ist auch die Frage der Echtheit von *Mt 11,5f par Lk 7,22f*, selbst wenn man davon ausgeht, daß es sich um ein ursprünglich isoliertes Logion handelt.[38]

> (V. 5) Blinde sehen, und Lahme gehen; Aussätzige werden rein, und Taube hören; Tote werden auferweckt, und Armen wird die Frohbotschaft verkündet.
> (V. 6) Und selig ist, wer an mir keinen Anstoß nimmt.

Wenn das Wort nicht von Jesus selbst ist, steht es zumindest in einem unmittelbaren wirkungsgeschichtlichen Zusammenhang mit ihm, insbesondere mit Lk 6,20b par, und unterstreicht die rezeptionsgeschichtliche Nähe seiner Verkündigung zur Auslegungstradition von Jes 61,1. Für das Verständnis des Wortes ist zu beachten, daß die in V. 5 genannten Geschehnisse mit Ausnahme der Aussätzigenreinigung in Anspielung auf Jesaja-Stellen formuliert sind (Jes 35,5f; 29,18f; 26,19; 61,1).[39] Es handelt sich also nicht um einen summarischen Katalog konkreter Taten Jesu,[40] weswegen auch das Fehlen der für Jesus nach Lk 11,20 par typischen Dämonenbannungen nicht zu verwundern braucht.[41] V. 5 will daher auch nicht die Wunder Jesu als Legitimationszeichen für Jesus als den eschatologischen Propheten ausweisen.[42] Dagegen spricht schon die betont am Ende stehende Reflexion der Verkündigung Jesu, die offensichtlich den Verstehensrahmen für seine Taten darstellen soll. Bestätigt wird diese Vermutung durch V. 6, der die in V. 5 vorgenommene Interpretation des

[37] Vgl. *D. Lührmann*, Redaktion 37f.64.98f.
[38] *Kümmel*, Verheißung 102–104, möchte an der Historizität des ganzen Apophthegmas Mt 11,2–6 festhalten (vgl. *ders.*, Antwort); vgl. dagegen: *Hoffmann*, Studien 200f; *Kuhn*, Enderwartung 195 Anm. 5. Zum Problem der Echtheit von Mt 11,5f par als Einzellogion s. *Merklein*, aaO. 163f. Zur Rekonstruktion s. *Schulz*, Q 190–192; *Polag*, Fragmenta 40f.
[39] Vgl. dazu *Kuhn*, aaO. 196; *R. Pesch*, Taten 41–43.
[40] Gut herausgestellt von *K. Kertelge*, Überlieferung 187f.
[41] Möglicherweise sind die Dämonenbannungen in den übrigen Heilungsgeschehennissen mitgemeint, vgl. Mk 9,25; Lk 11,14 par; Mt 9,32–34.
[42] Gegen *P. Stuhlmacher*, Evangelium 218–225; zur Kritik vgl. *J. Becker*, Johannes 83f.

Wirkens Jesu als eschatologisches Erfüllungsgeschehen hermeneutisch von der Stellungnahme zur Person Jesu abhängig macht.

Sofern Mt 11,5f par zumindest als sehr früher Kommentar zu Jesu Wirken gewürdigt werden darf, der auf die Taten Jesu in wirkungsgeschichtlich adäquater Weise reagiert, läßt das Logion wichtige Rückschlüsse auf den Stellenwert der Wunder Jesu im Kontext seines gesamten Wirkens zu. Die Wunder Jesu sind keine (objektivierbaren und für sich sprechenden) Legitimationszeichen für das von ihm proklamierte Geschehen der Gottesherrschaft. Zumindest die Bereitschaft zur Anerkennung Jesu als des irdischen Repräsentanten und Proklamators der Gottesherrschaft ist vielmehr die Voraussetzung, seine Wunder so zu verstehen, wie er sie selbst verstanden hat, nämlich als Geschehensereignis der Gottesherrschaft (vgl. zu Lk 11,20 par). Als Teil eines von Jesus proklamierten und repräsentierten Geschehens können sie dann in Verbindung mit der Verkündigung Jesu in der kumulativen Reflexion von V. 5 als Heilsgeschehen im Sinne eschatologischen Erfüllungsgeschehens gewürdigt werden.

2.2 Zum Verständnis der Wunder Jesu (Exkurs)

In der Überlieferung der Evangelien nehmen die Wundererzählungen einen breiten Raum ein.[43] Terminologisch ist bemerkenswert, daß Begriffe wie ‚terata‘ („ungeheuerliche Erscheinungen“)[44] und ‚thaumasia‘ („Erstaunliches“)[45], die stärker die Wirkung der Wunder auf die Zuschauer und Zeugen hervorheben, in den Hintergrund treten. In der vom Johannesevangelium verarbeiteten sogenannten Semeia-Quelle werden die Wunder als „Zeichen“ (‚semeia‘) präsentiert, in denen sich die göttliche Macht des Wundertäters offenbart.[46] Der dieser Qualifikation zumindest innewohnende Trend zum Legitimationswunder wird in der Rezeption des Evangelisten allerdings abgebogen, indem er die Wunder in ihrer Bedeutung für den Glauben dem offenbarenden Wort Jesu neben- und unterordnet.[47] In den synoptischen Evangelien werden die Wunder

---

[43] Aus der reichen Lit. können nur einige Titel angeführt werden: *R. H. Fuller*, Wunder; *F. Mußner*, Wunder; *R. Pesch*, Taten; *K. Kertelge*, Wunder (Lit.); *J. Roloff*, Kerygma 110–207; *G. Theißen*, Wundergeschichten; *L. Schenke*, Wundererzählungen; *A. Weiser*, Was die Bibel; *A. Suhl*, Wunderbegriff, bes. 1–38 (Lit.).

[44] In den Evangelien nur Mk 13,33 par Mt 24,24; Joh 4,48.

[45] Nur Mt 21,15.

[46] Vgl. *J. Becker*, Joh I 112–120, bes. 116–119.

[47] *Becker*, aaO. 119f.

Jesu vorwiegend als ,dynameis' („Kraft- oder Machttaten") bezeichnet; damit wird „das außergewöhnliche Vermögen" des Wundertäters in den Vordergrund gestellt.[48] Nicht zuletzt von daher ist auch zu verstehen, daß manche Exegeten lieber von „Taten" oder „Machttaten" als von „Wundern" sprechen.[49]

Das sachliche Ziel einer solchen Sprachregelung dürfte sein, die Diskussion um Jesu Wunder aus der Engführung durch den neuzeitlichen Wunderbegriff herauszuführen. Denn während dieser das „Wunder" vorwiegend im Gegensatz zu naturwissenschaftlich verifizierbarem Geschehen und als Durchbrechung von Naturgesetzen zu bestimmen versucht, versteht die biblische Überlieferung „Wunder" im Kontext einer insgesamt von göttlichem (oder auch widergöttlichem) Wirken bestimmten Welt-Wirklichkeit. Allerdings ist durch die „neue" Sprachregelung die eigentliche Problematik insofern nur verschoben,[50] als in der biblischen Gattung der Wundererzählung tatsächlich nur Phänomene festgehalten werden, die über die gewöhnliche Erfahrung göttlichen Wirkens hinausgehen. „Wunder" haben – auch im biblischen Verständnis – in jedem Fall mit einem *Eingreifen* Gottes in die Welt-Wirklichkeit zu tun. Das gilt auch für die „Machttaten" Jesu, gerade wenn man sie als Geschehensereignis der Gottesherrschaft zu werten hat. Zu betonen bleibt jedoch, daß ein Verfahren, das ein „Eingreifen" Gottes allein für den Fall anzuerkennen bereit ist, wo Naturgesetze offensichtlich durchbrochen sind, theologisch nicht akzeptabel ist. Dahinter steht im Grunde ein deistisches Gottesbild. Zudem sind Naturgesetze als Kriterium schon deswegen höchst fragwürdig, da sie als menschliche Definitionen immer nur vorläufig sein können, das heißt prinzipiell immer offen sein müssen für eine differenzierende und präzisierende, wenn nicht sogar revidierende Neudefinition. Das bedeutet aber, daß selbst ein Geschehen, das nach heutiger Erkenntnis mit „Naturgesetzen" nicht zu fassen ist, vielleicht doch einmal immanent zu erklären ist und damit Gott wieder entrissen werden müßte. Das Eingreifen Gottes, wie es in den neutestamentlichen Wundergeschichten zum Ausdruck kommt, erschließt sich nach biblischem Selbstverständnis nicht in Konfrontation mit sogenannten Naturgesetzen, sondern nur im Kontext des biblischen Weltverständnisses. Ein Eingreifen Gottes im Wunder zu konstatieren, setzt daher zumindest die Bereitschaft zum Glauben voraus, daß die Welt-Wirklich-

---

[48] *R. Pesch*, Bedeutung 203 f.
[49] Vgl. z. B. *Pesch*, Taten 16. passim.
[50] Vgl. dazu *M. Seckler*, Plädoyer, bes. 335.343 f.

keit insgesamt auf einen sie übergreifenden (transzendenten) Sinnzusammenhang verweist. Diese Bereitschaft vorausgesetzt, können tatsächlich außerordentliche Phänomene – übrigens unabhängig von der Frage naturwissenschaftlicher Erklärbarkeit – zu „Wundern" werden, zur Erfahrung des „Eingreifens" Gottes im Sinne einer Erschließungserfahrung, welche die wahre Wirklichkeit der Welt als eine von Gott be-wirkte Wirklichkeit erschließt. Dies trifft im besonderen Maße auf die im eschatologischen Sinnzusammenhang stehenden Wunder Jesu zu.

Hier ist zunächst ein Wort zum *exegetischen Befund* nötig. Auf den ersten Blick scheint er eher dürftig zu sein. Denn so wenig es zu bestreiten ist, *daß* Jesus Taten vollbracht hat, die in dem genannten Sinn als „Wunder" zu bezeichnen sind, so schwer ist es, die vorliegenden *Wundererzählungen* der Evangelien im Sinne historisch verifizierbarer Fakten auszuwerten. Denn schon bei den Wundergeschichten aus der Gattung[51] der Exorzismen und Therapien ist es unbeschadet der auch von den Gegnern nicht in Zweifel gezogenen (vgl. Mk 3,22 par) Tatsache, *daß* Jesus Dämonen ausgetrieben und Kranke geheilt hat,[52] wegen der dabei gebrauchten Erzählschemata nur schwer möglich, historische Details zu rekonstruieren. Nur bei einzelnen Erzählungen, wie etwa in Mk 1,29–31; 10,46–52,[53] vielleicht auch in Mk 8,22–26; 9,14–19,[54] scheint noch das historische Einzelfaktum greifbar zu sein. In den meisten Fällen ist zudem die christologische Interpretation so grundlegend für die erzählte Geschichte, daß eine Rekonstruktion eines historischen Faktums aussichtslos erscheinen muß. Dies gilt insbesondere für die Gattung der Geschenkwunder (Mk 6,32–44 par; 8,1–10; Joh 6,1–15; 2,1–11) und der Epiphanien (Mk 6,45–52 par; Joh 6,16–21; Mk 9,2–10). Ipsissima facta Jesu im Sinne von historisch verifizierbaren konkreten Einzelwundern ausfindig machen zu wollen, ist also kaum mehr möglich. Ebensowenig lassen sich ipsissima facta im Sinne von unverwechselbaren, nur auf Jesus zutreffenden Wunder*phänomenen* behaupten, da die Religionsgeschichte gezeigt hat, daß nahezu alle wunderbaren Phänomene, die im Neuen Testament auf Jesus bezogen sind, auch anderen Wundertätern oder Charismatikern zugesprochen werden. Dennoch hat die Rede von *ipsissima facta* Jesu ihr sachliches Recht, insofern die Wunder Jesu ihr unverwechselbares und unaustauschbares Spezifikum haben. Jedoch liegt

---

[51] Zur Gattungseinteilung vgl. *Theißen*, Wundergeschichten 53–128.
[52] Speziell zu den Dämonenbannungen vgl. *F. Annen*, Dämonenaustreibungen.
[53] Vgl. *Pesch*, Taten 26 f.
[54] Vgl. *Roloff*, Kerygma 128.145.

dieses nicht im Phänomen der Wunder als solchem, sondern – etwas vereinfacht ausgedrückt – darin, daß *Jesus* Wunder vollbracht hat. Ihre spezifische Bedeutung lassen die Wunder Jesu also erst dann erkennen, wenn sie im Rahmen der Sendung Jesu gewürdigt werden, und dies nicht erst aufgrund einer späteren christologischen Interpretation, sondern aufgrund des Anspruchs, den Jesus selbst nach Lk 11,20 par mit seinen Wundern verbunden hat. Andererseits ist unter dieser Rücksicht die neutestamentliche Wundertradition, so sehr sie sich gegen historische Einzelnachweise sperrt, auch historisch höchst aufschlußreich, als sie durch die Art und Weise der Wunderrezeption wertvolle wirkungsge-schichtliche Rückschlüsse auf Jesus zuläßt.

Für das *Verständnis der Wunder Jesu* sind demnach folgende Punkte herauszustellen:

(1) Jesus hat seine wunderbaren Taten, zu denen man historisch sicher zumindest Dämonenbannungen beziehungsweise Krankenheilungen zu rechnen hat, *eschatologisch qualifiziert.* Nach Lk 11,20 par ereignet sich in ihnen das Geschehen der Gottesherrschaft. Die Wunder Jesu sind also nach Jesu eigenem Anspruch nicht nur Zeichen, die auf ein künftiges oder bereits gegenwärtiges Eschaton nur hinweisen oder neben ihm bestehen, sie sind vielmehr selbst eschatologisches Geschehen.

(2) Aus diesem Grund können die Wunder Jesu auch nicht vom eschato-logischen Geschehen getrennt und zum Beweis für dieses als *eschatologi-sche Legitimationswunder* gewertet werden. Die Ablehnung der Zeichen-forderung unterstreicht dies auf das nachdrücklichste (Mk 8,11 f par Mt 16,1–4; Lk 11,29 par Mt 12,38 f). Selbst wenn hier kein authentisches Wort zugrundeliegen sollte,[55] hätte die Gemeinde die ipsissima intentio der ipsissima facta Jesu erfaßt und sich ein authentisches Kriterium der Überlieferung von Wundern als Wunder Jesu geschaffen. Dasselbe gilt für die Ablehnung von Demonstrationswundern (vgl. Lk 4,1–13 par Mt 4,1–11; Lk 23,8–12).

(3) Mit der Abweisung der Wunder Jesu als Legitimations- oder Demon-strationswunder hängt aufs engste zusammen, daß sie als objektivierbare Fakten nichts „beweisen" können, da sie als solche auch gegen den von Jesus gegebenen Sinnzusammenhang interpretiert werden können (vgl. Mk 3,22 par). Als Wunder *Jesu* konfrontieren sie nicht mit dem wunder-

---

[55] Was m.E. doch wahrscheinlich ist; vgl. oben III/2.

baren Faktum als solchem, sondern mit dem Geschehen der Gottesherrschaft, das sich in ihnen ereignet. Daher fordern sie eine *Stellungnahme zur Botschaft Jesu* und letztlich eine *Stellungnahme zu Jesus selbst*, dem Proklamator und Repräsentanten der Gottesherrschaft. In dieser Unablösbarkeit der Wunder Jesu von Botschaft und Person Jesu – und in diesem Sinn sind sie tatsächlich ipsissima facta *Jesu* – hat auch die spätere christologische Interpretation der Wundergeschichten ihr Recht; das gilt auch für die Darstellung Jesu als Wundertäter, wobei es dann weniger auf die Faktizität des dargestellten Wunders als auf die darin zum Ausdruck kommende eschatologische Repräsentanz Gottes durch Jesus ankommt.

(4) Wegen ihrer Untrennbarkeit von der Botschaft und Person Jesu setzen die Wunder Jesu wenigstens in dem Sinn „*Glauben*" voraus, daß sie die Bereitschaft verlangen, sich auf das in ihnen sich ereignende Geschehen als ein von Gott getragenes Geschehen einzulassen. Deshalb spielt auch das Glaubensmotiv in der urchristlichen Wundertradition eine nicht geringe Rolle (vgl. Mk 2,5 par; Mk 5,34.36 par; Mk 7,29 par Mt 15,28; Lk 7,9 par Mt 8,10 [13]; Mt 9,29; Lk 7,50; 17,19).[56] Wo diese Glaubensbereitschaft nicht besteht, wirkt Jesus auch keine Wunder (vgl. Mk 6,1–6; Lk 4,16–30, besonders VV. 23–27).

(5) Die genannte grundsätzliche „Glaubens"-Bereitschaft vorausgesetzt, können Jesu Wunder auch *zum vollen Glauben hinführen*. Tatsächlich werden sie auch manchen Zeitgenossen veranlaßt haben, sich auf das von Jesus proklamierte Geschehen einzulassen.[57] Dies entspricht ihrer internen Dynamik als Geschehensereignis der Gottesherrschaft. Insbesondere im Johannesevangelium ist diese Funktion der „Zeichen" deutlich herausgearbeitet (Joh 2,11; 20,30f), ohne daß deswegen einem Wunderglauben im Sinne einer Abhängigkeit des Glaubens von objektivierbaren Demonstrationen Raum gegeben wird (vgl. Joh 4,48).

---

[56] Siehe dazu *Roloff*, Kerygma, bes. 152–173; *E. Lohse*, Glaube; *G. Dautzenberg*, Glaube, bes. 45–50.52–57.
[57] Seinen Niederschlag hat dies nicht zuletzt in den Akklamationen der Wundererzählungen gefunden; vgl. auch Mk 1,27; 2,12; 5,18; 7,37.

3. Jesu Verkündigung (Gleichnisse) als Geschehensereignis der Gottesherrschaft

Aufgrund Lk 11,20 par konnten Jesu wunderbare Taten als Geschehensereignis der Gottesherrschaft gewürdigt werden. Diese Wertung darf jedoch nicht nur auf die Taten Jesu eingeschränkt werden. Gerade weil diese qua Geschehensereignis auf das interpretierende Wort Jesu angewiesen und als solches nur im Rahmen der Botschaft und Sendung Jesu insgesamt zu erkennen sind, muß auch die Verkündigung Jesu in diese Charakterisierung miteinbezogen werden. Tatsächlich ist die Gottesherrschaft, die Jesus proklamiert, – so könnte man im Anschluß an ein Pauluswort sagen (1 Kor 4,20) – nicht nur „Wort", sondern „Kraft" (‚dynamis'). Wenn Jesus Israel die Nähe der Gottesherrschaft ansagt (Mk 1,15; Lk 10,9 par), dann ereignet sich etwas: Das Unheilskollektiv wird zum eschatologischen Erwählungskollektiv, als welches Jesus Israel seligpreist (Lk 6,20f par). Die ganze Verkündigung Jesu ist Geschehensereignis der Gottesherrschaft; sie zielt auf nichts anderes ab, als daß sich Israel auf das von Gott initiierte, von Jesus proklamierte und in seinem Auftreten sich bereits ereignende Geschehen der Gottesherrschaft einläßt. Es ist daher auch kein Zufall, daß Jesus mit Vorliebe in Gleichnissen verkündet.[58] Denn die Gleichnisse vermögen mehr als jede lehrsatzhafte[59] Aussage *über* die Gottesherrschaft den Hörer in das Geschehen der Gottesherrschaft zu verwickeln.[60]

(1) Hier ist besonders auf die Gleichnisse zu verweisen, die unmittelbar die Gottesherrschaft thematisieren, wobei wiederum das von Markus und Q gemeinsam überlieferte *Gleichnis vom Senfkorn* (Mk 4,30–32 par; Lk 13,18f par = Q) als Exempel herausgegriffen sein soll.[61]
Die beiden Versionen des Gleichnisses weichen in einigen Punkten voneinander ab, die durch je spezifische Überlieferungsintentionen zu erklären sind. Dazu gehören die komparativische Gegenüberstellung im Mit-

---

[58] Zum Verhältnis der Gleichnisse Jesu zu rabbinischen Gleichnissen: *P. Fiebig*, Gleichnisse; *ders.*, Gleichnisreden.

[59] Daß Jesus durch seine Gleichnisse „eine allgemeine moralische Lehre" vermitteln wolle, wird neuerdings wieder von *D. Flusser*, Gleichnisse 14, behauptet. Vgl. die Rez. von *H.-J. Klauck:* ThRev 78 (1982) 23f.

[60] Zur grundsätzlichen Authentizität der Gleichnisse vgl. *H. Conzelmann*, Selbstbewußtsein 36.

[61] Sachlich vergleichbar sind Mk 4,26–29 (s.o. IV/3.2), Lk 13,20f par (Q), aber auch Mk 4,3–9 par, obwohl dort der ausdrückliche Bezug auf die Gottesherrschaft fehlt. Zur Sache vgl. auch *E. Lohse*, Gottesherrschaft.

telteil der markinischen Fassung (Mk 4,31b) und die parabelhafte Anlage (Präteritum!) der Q-Fassung, wozu auch die unrealistische Heraushebung des „Baumes" am Ende paßt.[62] Wenn man davon einmal absieht, könnte das authentische Gleichnis Jesu in etwa folgendermaßen ausgesehen haben:[63]

> (a) Womit läßt sich die Gottesherrschaft vergleichen?
> Es verhält sich mit ihr
> (b) wie mit einem Senfkorn, das, wenn es auf die Erde gesät wird, aufgeht und größer wird als alle Kräuter und große Zweige treibt,
> (c) so daß unter seinem Schatten die Vögel des Himmels wohnen können (?).

Umstritten ist, ob die in (c) vorhandenen Schriftanspielungen (Ez 31,5–7; Dan 4,7–9.17f; Ez 17,23f; Ps 104,12) auf die endzeitliche „Sammlung Israels"[64] oder „die Einverleibung der Heiden in das Gottesvolk"[65] zu beziehen sind. Beides ist im Rahmen der Verkündigung Jesu denkbar. Eine klare Entscheidung scheitert schon daran, daß ein authentischer Wortlaut gerade bei (c) kaum mehr sicher zu gewinnen ist.[66]
Bei dem Gleichnis kommt es primär auf den *Kontrast* an.[67] Die von Jesus behauptete Gegenwart der Gottesherrschaft, von der aber kaum etwas zu sehen ist, soll mit Hilfe des bekannten Endergebnisses eines bei der Saat ebenfalls unscheinbaren Senfkorns ins Recht gesetzt werden. Zu beachten bleibt aber auch, daß der Kontrast an der gleichen Sache (Senfkorn) verdeutlicht wird. Anfang und Ende stehen also nicht nur in Opposition (Kontrast), sondern auch in Beziehung zueinander. Die Gottesherrschaft, deren endgültig unübersehbare Realität mit dem Bild von der Senfstaude mit ihren Schutz gewährenden Zweigen ins Blickfeld rückt, steht in einem unauflöslichen Zusammenhang mit dem, was jetzt durch Jesus geschieht. Hier wird wieder deutlich, daß die Gottesherrschaft ein *Geschehen* ist, dessen Anfänge, wenngleich sie noch so unscheinbar sind, einmal so sicher die evidente Wirklichkeit der Gottesherrschaft zur Folge haben

---

[62] Zur Analyse vgl. *H.–W. Kuhn*, Sammlungen 99–104; *R. Laufen*, Doppelüberlieferungen 174–186.

[63] Zur Einleitungsformel vgl. *J. Jeremias*, Gleichnisse 99–102. Nach *H. Schürmann*, Zeugnis, „ist die Basileia im Gleichnisanfang keineswegs alte Tradition" (161 Anm. 190); doch gesteht er wenigstens zu, daß es sich um eine „sachlich richtige Deutung" handelt (162).

[64] *R. Pesch*, Mk I 263.

[65] *Jeremias*, aaO. 146.

[66] Vgl. die Divergenz bei Lk 13,19b par (Q). Nach *Kuhn*, Sammlungen 100; *H. Weder*, Gleichnisse 128f, sind die Schriftanspielungen sekundär.

[67] Vgl. dazu *Jeremias*, aaO. 147f.

werden, wie aus dem unscheinbaren Senfkorn eine große Staude wird,[68] selbst wenn man dies dem winzigen Senfkorn nicht zutrauen möchte. Dieses Geschehen der Gottesherrschaft ist allerdings nicht im Sinne einer der menschlichen Erfahrung und Kontrolle zugänglichen Evolution zu verstehen. Der Entwicklungsprozeß des Senfkorns wird im Gleichnis bezeichnenderweise nicht geschildert. Das Geschehen der Gottesherrschaft ist *göttliches* Geschehen und menschlicher Kontrolle gerade nicht zugänglich.[69]

Die Gottesherrschaft, wie sie Jesus proklamiert, ist in der Tat noch eine unscheinbare Größe wie ein Senfkorn. Denn selbst wenn man die Dämonenbannungen und Heilungen Jesu als Ereignis ihres bereits gegenwärtigen Geschehens nimmt, sind sie, gemessen am verbleibenden Leid in der Gegenwart und gemessen am umfassenden künftigen Heil der Gottesherrschaft, nur unscheinbare Ereignisse. Und dies um so mehr, als die Verbindung von wunderbaren Taten und eschatologischer Gottesherrschaft beziehungsweise die Qualifikation der Wunder als eschatologisches Geschehen allein durch das Wort Jesu gesichert ist (vgl. Lk 11,20 par). Die Gottesherrschaft als bereits gegenwärtiges Geschehen ist somit letztlich allein von Jesus als ihrem Proklamator und Repräsentanten getragen. Aber – und das will unser Gleichnis zum Ausdruck bringen – Jesu Proklamation der Gottesherrschaft ist nicht nur Hinweis auf eine uneinsehbare Zukunft, sondern *selbst* schon Teil des Geschehens der Gottesherrschaft, das auf deren volle Evidenz hinausläuft und diese in der Zukunft evidente Wirklichkeit bereits in sich schließt, wie das Senfkorn bereits die Senfstaude in sich birgt. Jesu Proklamation der Gottesherrschaft ist daher selbst schon Geschehensereignis der Gottesherrschaft. Deshalb wäre das Gleichnis vom Senfkorn auch nur unzulänglich gewürdigt, wenn man es bloß als Aussage und Lehre *über* die Gottesherrschaft würdigen wollte, die man mit Hilfe eines tertium comparationis als Sachhälfte objektivieren könnte.[70] Wenn Jesus die Gottesherrschaft im

---

[68] In Palästina zwei bis drei Meter hoch!

[69] Vgl. Mk 4,26–29 und oben IV/3.2.

[70] Die seit *A. Jülicher*, Gleichnisreden, üblich gewordene Unterscheidung von Bild- und Sachhälfte ist m.E. auch weiterhin von heuristischem Wert (vgl. *E. Linnemann*, Gleichnisse 33: „... auf die Blickrichtung des Auslegers zugeschnitten und nur in dieser sinnvoll.") und unter dieser Rücksicht auch beizubehalten (vgl. *G. Sellin*, Allegorie 284 f). Allerdings darf der Interpret sich durch diese Kategorien nicht dazu verleiten lassen, das Gleichnis in einen abstrakten Lehrsatz zu überführen. Vielmehr ist zu beachten, daß die Aussageform des Gleichnisses gerade durch die gemeinte Sache (z. B. Gottesherrschaft) bedingt ist, die im Gleichnis zur Sprache kommt (vgl. *E. Jüngel*, Paulus 135 f). Unter

Gleichnis zur Sprache bringt, ereignet sich vielmehr bereits das Geschehen der Gottesherrschaft. Und Jesus will nichts anderes, als daß der Hörer das Sprachereignis des Gleichnisses als Geschehensereignis der Gottesherrschaft begreift und sich davon erfassen und packen läßt. Die vor allem von *J. Jeremias* postulierte apologetische Note des Gleichnisses[71] trifft daher bestenfalls seine sekundäre Intention. Gerade die Metapher von dem winzigen Senfkorn, das, wenn es erst einmal auf die Erde gesät ist, mit innerer Konsequenz eine unübersehbare Staude aus sich entläßt, hat eine enorme Suggestionskraft, die den Hörer in das im Gleichnis zur Sprache kommende Geschehen zu verwickeln vermag, welches, da es nun proklamiert ist, unweigerlich auf die Gottesherrschaft in ihrer vollen Evidenz hindrängt.

(2) Vielleicht noch deutlicher kommt dieser Charakter der Verkündigung Jesu in den beiden *Gleichnissen vom Schatz im Acker und von der Perle* zum Zuge, die jetzt bei Matthäus (redaktionell) miteinander verbunden sind (Mt 13,44.45f; vgl. EvThom 109.76). Der Bezug auf die Gottes-(Mt: Himmels-)herrschaft ist, sofern er erst redaktionell sein sollte,[72] in jedem Fall sachgemäß. Auf die Traditionsgeschichte kann hier nicht näher eingegangen werden.[73]

Inhaltlich sprechen beide Gleichnisse von einer einmaligen Gelegenheit, die sich durch einen überraschenden Fund eröffnet. Daß beide Finder, um des Fundes habhaft zu werden, ihren gesamten Besitz verkaufen, darf nicht als „Opfer" ausgelegt werden.[74] Denn solches Tun wird angesichts des Fundes „zur blanken Selbstverständlichkeit".[75] Zu Recht betont *E.*

---

dieser Rücksicht ist das Verständnis der Gleichnisse als Metaphern (zur Kritik an der *Jülicher*schen Unterscheidung von Vergleich/Gleichnis und Metapher/Allegorie s. *H.-J. Klauck*, Allegorie 6–12. passim), wie es vor allem in der amerikanischen (ein guter Überblick über die Arbeiten von *A. N. Wilder, R. W. Funk* und *J. D. Crossan* findet sich bei *W. Harnisch*, Metapher 56–71; vgl. auch *N. Perrin*, Jesus 127–181), aber auch in der neueren deutschen Forschung (bes. *H. Weder*, Gleichnisse) befürwortet wird, hilfreich und weiterführend (vgl. auch *P. Ricoeur – E. Jüngel*, Hermeneutik). Überblicke über die Geschichte der Gleichnisforschung und -theorie finden sich bei *Jüngel* (aaO. 87–139), *Klauck* (aaO. 5–31), *Weder* (aaO. 11–57); vgl. auch *W. Harnisch*, Gleichnisse; *ders.*, Gleichnisforschung.

[71] Gleichnisse 148.

[72] So: *R. Bultmann*, Geschichte 187; anders: *Weder*, Gleichnisse 138f.

[73] Vgl. dazu *Merklein*, Gottesherrschaft 65f.

[74] Gegen *R. Bultmann*, Theologie 9; *Dodd*, Parables 112; *A. Schlatter*, Mt 446; u.a.

[75] *Jeremias*, Gleichnisse 199.

Jüngel, daß „das Verhalten der glücklichen Finder so sehr von dem Mehr des Gefundenen her dirigiert (ist), daß das scheinbar *passive* Element (das Gefundene) zum activum wird, demgegenüber das sich mit Selbstverständlichkeit und Notwendigkeit ergebende Verhalten der Finder, also das scheinbar aktive Element, nur als das jenem activum entsprechende passivum bestimmt werden kann".[76]

Dabei ist wiederum zu beachten, daß keine Lehre *über* die Gottesherrschaft mitgeteilt wird, sondern die Gottesherrschaft im Gleichnis zur Sprache gebracht wird. Die einmalige Gelegenheit, von der die Gleichnisse sprechen, trifft als „Gelegenheit" der Gottesherrschaft in der Person Jesu auf den Hörer. Er, der sich mit Wonne in die Rolle der Finder versetzen läßt, müßte sich von dieser Rolle sofort wieder distanzieren, wenn er den in Jesus begegnenden „Fund" der Gottesherrschaft verweigern wollte. Durch das Sprachereignis der Gottesherrschaft im Gleichnis wird der Hörer hineingezogen in das Geschehen der Gottesherrschaft, das sich darin ereignet.

Trotz des überwältigenden Charakters der im Gleichnis zur Sprache kommenden Gottesherrschaft sollte man nicht den vom Hörer verlangten „ganzen Einsatz"[77] in Frage stellen.[78] Denn der in der erzählten Welt des Gleichnisses vorkommende Fund begegnet in der realen Welt des Hörers „nur" in der Realität der Person Jesu und seiner Verkündigung. Und daß Jesus den „Mehr-Wert" des Schatzes und der Perle (sachlich: der sich ereignenden Gottesherrschaft) „nicht in barer Münze auszahlt, sondern in einem Gleichnis austeilt, das bleibt" eben nicht nur „*sein* Wagnis",[79] sondern ist auch das Wagnis des Hörers. Ihm bleibt die Entscheidung, die den Einsatz seiner ganzen bisherigen Existenz kostet, so sehr diese Entscheidung durch das Sprachereignis des Gleichnisses erleichtert, ja sogar erst möglich gemacht wird.

4. Die Tilgung der Schuldvergangenheit Israels – Jesu Botschaft von der eschatologischen Güte Gottes

Ein beachtlicher Teil der Gleichnisse Jesu spricht nicht direkt von der Gottesherrschaft, obwohl gerade in ihnen das Geschehen der Gottesherrschaft kräftig zum Zuge kommt. Exemplarisch sei dies am *Gleichnis vom*

---

[76] Paulus 145.
[77] *E. Linnemann,* Gleichnisse 106.
[78] Gegen *Jüngel,* Paulus aaO. 145.
[79] *Jüngel,* aaO. 144 (Hervorhebung von mir).

verirrten Schaf (Lk 15,4–7 par Mt 18,12–14) verdeutlicht. Es stammt aus der Q-Überlieferung und dürfte dort folgendermaßen gelautet haben:[80]

> Wer von euch, der hundert Schafe hat, wird nicht, wenn sich eines davon verirrt, die neunundneunzig auf den Bergen (= in der Wüste) zurücklassen und dem verirrten nachgehen und es suchen?
> Und wenn er es findet, Amen, ich sage euch: Er freut sich über es mehr als über die neunundneunzig, die sich nicht verirrt haben.

Das Gleichnis, dessen Q–Version wenigstens die Intention Jesu noch unmittelbar widerspiegelt,[81] darf nicht vorschnell allegorisiert werden. Es spricht von ganz selbstverständlichen Vorgängen. Daß ein Hirte ein verirrtes Schaf nicht seinem Schicksal überläßt, sondern es sucht, kann vom Erzähler als normale Reaktion gewertet werden, die auch jedem Zuhörer (in der Rolle des Hirten) unterstellt werden kann.[82] Ebenso normal ist die Freude, von der das Gleichnis am Ende spricht. Sie rührt nicht daher, daß das eine Schaf mehr wert ist als die übrigen neunundneunzig.[83] Sie kommt allein daher, daß das verirrte Schaf *wiedergefunden* ist. Auf diese Freude zielt das Gleichnis ab.[84] In diese Freude über das Wiedergefundene will Jesus seine Hörer verwickeln.

4.1 Jesus und die Sünder

Nach Auskunft des Lukasevangeliums erzählt Jesus das Gleichnis, als fromme Leute (Pharisäer und Schriftgelehrte) wegen seiner Tischgemeinschaft mit Sündern und Zöllnern laut ihren Unmut äußern (Lk 15,1f). Diese Situationsangabe ist historisch durchaus glaubwürdig.[85] Zur Zeit Jesu galten als Sünder Menschen, „die einen unmoralischen Lebenswandel führten" oder „einen unehrenhaften Beruf ausübten".[86] Auf die Zöllner traf zumeist beides zu. Zöllner und Sünder wurden von den Frommen gemieden, weil sie sich selbst aus dem heiligen Bereich des heiligen Volkes

---

[80] Zur Rekonstruktion vgl. *Schulz*, Q 387–389; *Merklein*, Gottesherrschaft 186–188; *Weder*, Gleichnisse 168–172.

[81] Vgl. *Weder*, aaO. 173 Anm. 31.

[82] Das zeigt schon die Einleitung: „Wer von euch . . ."; vgl. *Weder*, aaO. 174.

[83] Vgl. dagegen EvThom 107.

[84] So auch *Jeremias*, Gleichnisse 134f; *Linnemann*, Gleichnisse 76.153 Anm. 17; *Weder*, ebd; u.a.

[85] Vgl. *Linnemann*, aaO. 74–76.

[86] *Jeremias*, aaO. 132.

Gottes (vgl. Lev 19,2) entfernt hatten. Man sollte sich hüten, das Ärgerliche am Verhalten Jesu dadurch abzuschwächen, daß man unterstellt, die Tischgenossen Jesu hätten vorher Buße und Umkehr vollzogen. Man muß wissen, daß das Judentum zur Zeit Jesu durchaus bereit war, einen bußfertigen Sünder zu akzeptieren und ihm sogar Hochachtung entgegenzubringen.[87] Daß man an Jesu Verhalten Anstoß nahm, ist daher ein sicheres Indiz dafür, daß Jesus mit notorischen und keineswegs mit bußfertigen Sündern zusammensaß.[88] Eben deswegen erwacht der heilige Zorn der Frommen. Sie sehen in Jesu Verhalten einen Verstoß gegen die Ordnung Gottes, der vom Sünder Umkehr (auf den Weg der Tora) verlangt, bevor er vergibt. Dabei ist diese Vorgängigkeit der Umkehr nicht als menschliche *Leistung* zu verdächtigen; das Frühjudentum weiß sehr wohl, daß auch die Umkehr gnädige Gabe Gottes ist.[89] Aber Umkehr im Sinne einer Rückkehr auf den Weg der Tora und damit in den Bereich des heiligen Gottesvolkes, das durch das Tun der Tora auf Gottes erwählendes Handeln reagiert, ist nötig, weil den Sünder nur im Binnenraum des Erwählungskollektivs Gottes vergebendes und heilschaffendes Handeln treffen kann.

Jesus dagegen beurteilt die Sachlage anders. Sein Gleichnis bringt zum Ausdruck, daß *er* seine Tischgenossen, die seine Kritiker für Verirrte, außerhalb des heiligen Bereiches des Gottesvolkes Stehende, halten, als Wiedergefundene ansieht.[90] Natürlich versteht jeder Zuhörer, was mit diesem Wiederfinden gemeint ist. Denn wenn Jesus im Blick auf seine sündigen Tischgenossen vom Wiederfinden spricht, so kann dies nur Gott selbst und die Wiederherstellung der durch die Sünde verlorengegangenen Gemeinschaft mit Gott im Erwählungskollektiv betreffen.[91] Dann aber behauptet Jesus in der Tat etwas Ungeheuerliches. Denn dem Wiederfinden von seiten Gottes war offensichtlich auf seiten der Zöllner und Sünder, die bei Jesus sitzen, noch nichts vorausgegangen, was auf Umkehr und Rückkehr in die Ordnung des Gottesvolkes schließen ließe. Jesus behauptet, daß jetzt, wo er auf die Sünder zugeht und sie in seine Gemeinschaft zieht, Gott *von sich aus* die Initiative ergriffen hat und *von*

---

[87] Vgl. Bill. II 210–212.

[88] Dies hat zu Recht bes. *Linnemann,* aaO. 76, betont.

[89] Vgl. dazu *A. Nissen,* Gott 130–149; *P. Fiedler,* Jesus 73–75.93 f. Zur Vorstellung von Sünde, Umkehr und Vergebung im Frühjudentum allgemein: *G. F. Moore,* Judaism I 445–552; *E. K. Dietrich,* Umkehr 229–427; *E. Sjöberg,* Gott; *H. Braun,* Erbarmen; ders., „Umkehr"; *H. Thyen,* Studien 50–130; *H.-J. Fabry,* Wurzel.

[90] Vgl. *Linnemann,* aaO. 76.

[91] Vgl. ebd. 78 Anm. i.

sich aus zum Sünder durchgestoßen ist. Die Schuldvergangenheit des Sünders ist für den Gott, den Jesus in seinem Verhalten und in seinem Gleichnis zum Zuge bringt, offenkundig irrelevant.

Diese voraussetzungslose Vergebung wird im übrigen auch durch das *Gleichnis vom verlorenen Sohn* (Lk 15,11–32) nicht in Frage gestellt, wenn man nicht in den (allerdings oft begangenen) Fehler verfällt, die Rückkehr des Sohnes unmittelbar religiös als Umkehr zu interpretieren. Zumindest aus der Sicht des Vaters stellt sich dies nicht so dar, da dieser das Sündenbekenntnis, das sich der Sohn in der Fremde zurechtgelegt hat (VV. 18f) und das die Rückkehr als (allerdings durch die Umstände erzwungene) Umkehr erscheinen läßt, vorerst gar nicht kennt. Bezeichnend für die Geschichte ist, daß der Vater das Bekenntnis des Sohnes nicht zu Ende sprechen läßt und damit die Folgen seiner (nicht bestrittenen) Unheilsgeschichte abschneidet (V. 21), noch mehr, daß er ihn, *noch bevor* er auch nur den Mund auftun kann, in die Arme schließt und ihm mit seinem Kuß das Zeichen der Vergebung schenkt (V. 20).[92]

Daß Jesus sich den Sündern zuwendet und seine Gemeinschaft mit ihnen als Akt des Wiederfindens interpretiert, fügt sich mit innerer Konsequenz in den *Rahmen seiner eschatologischen Botschaft*. Denn wenn es richtig ist, daß Jesus mit seiner Proklamation der Gottesherrschaft dem Unheilskollektiv, als welches sich Israel nach seiner Auffassung vor-findet, das eschatologische Heil verheißt und als bereits gegenwärtiges Geschehen zusagt, dann kann dies nur bedeuten, daß die Schuldvergangenheit Israels vor Gott und von Gott her gegenstandslos geworden ist. Das proklamierte neue, eschatologische Erwählungshandeln Gottes tilgt die Schuldvergangenheit Israels. Die Güte Gottes, wie sie in unserem Gleichnis zur Sprache kommt, ist die *Güte des eschatologisch handelnden Gottes*, der um seines eschatologischen Heilshandelns willen von den (Gerichts-) Folgen der Unheilsgeschichte Israels absieht und ihm vergibt.

Daß Jesus sich mit Vorliebe Zöllnern und Sündern zuwendet (vgl. auch Mk 2,15–17; Lk 7,36–50; 19,1–10; Mk 2,1–12), so daß man ihn als „Freund der Zöllner und Sünder" beschimpft (Lk 7,34b par Mt 11,19b),[93] hat daher mit Sozialkritik, die wir gerne einlesen, zumindest direkt nichts zu tun, sondern ist eschatologische Zeichenhandlung im Rahmen der eschatologischen Sendung Jesu.[94] Oder anders ausgedrückt: Jesus wendet

---

[92] *Jeremias*, Gleichnisse 130: „der Kuß ist . . . Zeichen der Vergebung."
[93] Zur Analyse der genannten Texte vgl. *M. Trautmann*, Handlungen 132–166.234–257.
[94] Vgl. dazu jetzt bes. *Trautmann*, aaO. 160–164.

sich den Sündern nicht deswegen zu, weil sie vernachlässigte „Rand"-Gruppen einer ansonsten mehr oder weniger intakten Gesellschaft sind, sondern weil er in ihnen die *wahren Exponenten Israels* sieht, das sich als Unheilskollektiv vor-findet.[95] Jesus muß die Nähe der Sünder suchen, weil er gerade dadurch in aller Deutlichkeit vor Augen führen kann, was die Nähe der Gottesherrschaft beziehungsweise die Gottesherrschaft als gegenwärtiges Geschehen bedeutet. In der Gemeinschaft Jesu mit den Sündern vollzieht sich zeichenhaft das eschatologische Erwählungshandeln Gottes an Israel, geschieht bereits die Neukonstitution des eschatologischen Israel. Das Gleichnis vom verirrten Schaf (oder vom verlorenen Sohn) ist daher ebensowenig wie die im letzten Abschnitt besprochenen Gleichnisse nur Lehre *über* die Gottesherrschaft oder die eschatologische Güte Gottes. Das Gleichnis, das ohne die Tischgemeinschaft Jesu mit den Sündern ohnehin totes Wort wäre, bringt vielmehr das Geschehen der Gottesherrschaft zur Sprache, das sich eben im Verhalten Jesu ereignet.[96] Der von Jesus damit vorausgesetzten Schuldtilgung und Vergebung widerspricht der Umstand, daß er im Vaterunser um die Vergebung der Schuld beten lehrt (Lk 11,4 par Mt 6,12), ebensowenig, wie die Bitte um das Kommen der Gottesherrschaft (Lk 11,2 par) ihr bereits gegenwärtiges Geschehen ausschließt. Die von Jesus verkündete und zu-gehandelte Vergebung ist vielmehr analog dazu selbst ein Geschehen, auf das sich Israel einlassen muß. Die Bitte um die Vergebung unterstreicht zudem den Geschenkcharakter der *theo-logisch* gegebenen Schuldtilgung Israels, die deshalb *anthropologisch* nicht be-ansprucht werden darf, sondern nur erbeten werden kann.

4.2 Jesus und seine (pharisäischen) Gegner

Der Anstoß, den die wahrscheinlich pharisäisch orientierten Kritiker nehmen, ist letztlich ein Anstoß an der Person Jesu und seiner eschatologischen Botschaft (vgl. Mt 11,6 par). Was Jesus und seine Kontrahenten

---

[95] Vgl. auch *L. Goppelt*, Theologie 178: Jesus „will nicht einen Kreis von Sündern abgrenzen, sondern an eindeutigen Beispielen sichtbar machen, was er den ‚Sündern' bietet. In der Begegnung Jesu mit den Zöllnern wird für alle exemplarisch sichtbar, wie Jesus zu den Sündern und damit auch zu den Gerechten Stellung nimmt."

[96] *G. Bornkamm*, Jesus 74, betont zu Recht, daß der Sinn der Gleichnisse (Lk 15) nicht „in der zeitlosen Idee des liebenden Vaters im Himmel" zu finden sei; sie reden vielmehr „von dem *Ereigniswerden* dieser Liebe in Jesu Tat und Wort." (Hervorhebung von mir).

trennt, ist nicht zuletzt eine Folge der unterschiedlichen theologischen Ortsbestimmung Israels. Jesu Gegner bauen immer noch darauf, daß das vor-findliche Israel trotz aller religiösen Misere, die ja auch die Pharisäer nicht leugnen und durch ihre „Absonderung" innerhalb des heiligen Volkes und auf dieses hin überwinden wollen,[97] sich noch als Kontinuum zwischen bisherigem und künftig-eschatologischem Erwählungshandeln Gottes begreifen darf. Sie wollen nicht akzeptieren, daß das eschatologische Heilshandeln Gottes die Frage nach der Kontinuität des *vor-findlichen* Israel zum bisherigen Erwählungshandeln Gottes überflüssig macht (und nach der Überzeugung Jesu sogar überflüssig machen *muß*, da Israel als Unheilskollektiv solche Kontinuität nicht beanspruchen kann).

Diese Divergenz zwischen Jesus und seinen Gegnern, die zunächst nur die „anthropologische" Seite der Erwählungskontinuität beziehungsweise -diskontinuität Israels betrifft und die Kontinuität des erwählenden Handelns *Gottes* nicht in Frage stellt (vgl. auch Mt 3,9 par), hat aber eine noch tiefere *theo-logische* Dimension. Die Gegner, die mit ihrem Anstoß an Jesus letztlich in Abrede stellen, daß in seinem Wirken eschatologisches Handeln Gottes geschieht, stehen nämlich in Gefahr zu übersehen, daß das bisherige Erwählungshandeln Gottes, auf das Israel sich nach ihrer Meinung noch stützen kann, genauso freie Gabe Gottes ist wie das eschatologische Erwählungshandeln, das jetzt in Jesus auf die Sünder trifft. Auch das bisherige Erwählungshandeln Gottes kann ja nicht als „Lohn" (im Sinne menschlichen Anspruchs) vor Gott und damit auch nicht gegen die Sünder in Anspruch genommen werden. Weil Jesus und seine Gegner im Prinzip von der gleichen theologischen Prämisse „hinsichtlich der Gnadenhaftigkeit des von Gott geschenkten ‚Lohnes'" ausgehen, kann Jesus im Gleichnis von den Arbeitern im Weinberg (Mt 20,1–15) „mit der Rechtfertigung des Weinbergbesitzers grundsätzlich Zustimmung von seinen Hörern *erwarten*".[98] Wenn die Gegner dann aber trotz dieser gemeinsamen Prämisse auf Jesu Verhalten zu den Sündern ablehnend reagieren und damit von vornherein die Möglichkeit bestreiten, daß das eschatologische Heilshandeln Gottes auch die Sünder erwählen könne, diskreditieren sie sich selbst. Sie lassen offenbar werden, daß sie auch das bisherige Erwählungshandeln Gottes, auf das sie sich berufen, in falscher Weise für sich vereinnahmen. Indem sie es als göttliche Ordnung gegen die Sünder für sich reklamieren, kommen sie einer Haltung gefährlich nahe, welche die Geschenkhaftigkeit und sou-

---

[97] Vgl. *C. Thoma*, Pharisäismus, bes. 264f.
[98] *Fiedler*, Jesus 173–184, Zitat: 179.

veräne Freiheit göttlicher Erwählung zugunsten eines – de facto nun doch verrechenbaren – Lohnes zu vergessen droht. In der Konfrontation mit dem Verhalten Jesu gegenüber Sündern wird aufgedeckt, daß ihre Haltung ein verzerrtes oder gar falsches (im Prinzip von ihnen selbst zu bestreitendes) Gottesbild widerspiegelt. Deshalb kann sie auch das eschatologische Erwählungshandeln Gottes, das Jesus in seinem Verhalten beansprucht, nicht treffen. Das eschatologische Heil der Gottesherrschaft kann – wie alles Heilshandeln Gottes – nur in der Haltung des Kindes angenommen werden, wie es in dem Logion Mk 10,15 festgehalten ist.[99] Im Gleichnis vom Pharisäer und Zöllner (Lk 18,10–14a) geht daher dieser im Gegensatz zu jenem gerechtfertigt nach Hause.[100]

Der Fehler der pharisäischen Kritiker Jesu liegt nicht in ihrer Scheinheiligkeit, die wir ihnen gerne unterstellen, sondern darin, daß sie nicht wahrhaben wollen, daß auch sie aus der Güte desselben Gottes leben, dessen eschatologische Güte Jesus den Sündern zuhandelt. Was in der Konfrontation Jesu mit seinen Gegnern auf dem Spiele steht, ist daher letztlich Gott selbst beziehungsweise die rechte Interpretation Gottes.[101]

5. Gott – Vater – „Abba"

Daß Jesu Verkündigung von der Gottesherrschaft ein ganz bestimmtes „Gottesbild" impliziert, ging bereits aus den Ausführungen des letzten Abschnitts hervor. Ihm soll jetzt noch ein wenig näher nachgegangen werden. Dabei kann es keine Frage sein, daß der Gott Jesu kein anderer ist als der Gott, den Israel durch seine Geschichte hindurch als seinen Gott, als den Gott Abrahams, Isaaks und Jakobs, und als den „Ich bin da" (JHWH) erfahren und bekannt hat (vgl. bes. Ex 3,6.13–15). Und doch hat Jesus diesen Gott in spezifischer Weise zum Zuge gebracht.[102]

---

[99] Auf das Problem der Authentizität von Mk 10,15 muß hier nicht eingegangen werden. Nach *Kümmel*, Verheißung 118 Anm. 77, legt sich „Formulierung der Gemeindesprache" nahe. Dies kann durch die sprachlichen Beobachtungen von II/2; 5.1 noch gestützt werden. Sachlich entspricht es jedoch korrekt der Intention Jesu, vgl. *Merklein*, Gottesherrschaft 128 f.

[100] Vgl. dazu: H. *Merklein*, Dieser ging.

[101] Zum positiven Sachverhalt (Gleichnisse „als Verkündigung Gottes durch Jesus" und „als Gottes Wort") vgl. K.-P. *Jörns*, Gleichnisverkündigung (Zitat: 159).

[102] Zur Frage „der Gott der Väter und der Gott Jesu" vgl. G. *Lohfink*, Gott, bes. 50 f.63–65.

5.1 Die Gottesanrede „Abba"

Terminologisch am auffälligsten für Jesus ist die Bezeichnung und Anrede
Gottes als „Vater". Dies ist zwar kein Novum, doch fällt die relative
Spärlichkeit dieser Gottesbezeichnung in zeitgenössischen palästinischen
Texten auf.[103] Demgegenüber begegnet „nicht weniger als 170mal . . . in
den Evangelien das Wort Vater für Gott im Munde Jesu".[104] Wenngleich
ein Großteil dieser Belege nicht als authentische Rede Jesu gewertet
werden kann, läßt die darin sichtbare Wirkungsgeschichte mit Sicherheit
darauf schließen, daß „Vater" die für Jesus typische Gottesbezeichnung
war.

Noch auffälliger aber ist die konkrete *Form der Vateranrede* Jesu, die der
urchristlichen Überlieferung so bezeichnend erschien, daß selbst in den
griechischen Texten des Neuen Testaments noch gelegentlich das aramäische Wort ,'abbā" beibehalten wurde (Mk 14,36; Röm 8,15; Gal 4,6).
Zwar ist dieses Wort als Bezeichnung Gottes vereinzelt auch in frühjüdischen Texten belegt,[105] als Gebets*anrede* ist es jedoch analogielos und als
solche ipsissima vox Jesu.[106] „Abba" entstammt der familiären Umgangs-
sprache. So haben Kinder (auch die erwachsenen Kinder) ihren Vater in
der bergenden Atmosphäre der Familie angesprochen (zu deutsch etwa:
„Papa", „Väterchen"). So spricht Jesus mit Gott, „wie das Kind mit
seinem Vater, so schlicht, so innig, so geborgen."[107] Und so lehrt er seine
Jünger, Gott anzureden: „Abba, geheiligt werde dein Name, es komme
deine Königsherrschaft . . ." (Lk 11,2 par).

5.2 Das neue Gottesverhältnis

Verfehlt wäre es, diese Gottesanrede im Sinne einer Verniedlichung
Gottes auszuwerten, als ob aus dem Herrn und Gebieter nun ein „liebes
Väterchen" geworden wäre, mit dem die Kinder umspringen können, wie
sie wollen. Daß Gott, den Jesus mit „Abba" anredet, der Herr und
Gebieter bleibt, zeigt schon das Vaterunser, das von dem „Abba" erbittet,
sein Herr- und Königsein durchzusetzen. Zu Recht betont *J. Jeremias,*

---

[103] Vgl. *J. Jeremias,* Abba 19–22.
[104] AaO. 33.
[105] Vgl. b. Taan 23b; Targ.Ps 89,27; Targ.Mal 2,10; WaR 32a zu Lev 34,10.
[106] Vgl. *Jeremias,* Abba; *ders.,* Theologie 67–73; *Fiedler,* Jesus 98–100; *Schürmann,*
Zeugnis 152.
[107] *Jeremias,* Abba 63.

daß „Ehrfurcht und Scheu . . . auch im Bereich des Evangeliums die Grundlage des Gottesverhältnisses (bilden)."[108]
Jesus verkündet also keinen anderen Gott. Gott bleibt ein und derselbe. Aber Jesus wagt es, diesen selben Gott mit „Abba" *anzureden* und dazu auch seine Jünger zu ermutigen. Wer so beten darf, muß in einem neuen, bislang nicht gekannten *Gottesverhältnis* stehen. Jesu Gottesanrede zeigt daher nicht eine Veränderung *Gottes* an, sondern eine Veränderung des *Menschen*, der so beten darf. Nicht ein neues *Wesen* Gottes oder auch nur ein neuer, bisher verborgener Zug am *Wesen* Gottes wird geoffenbart. Jesu Gottesanrede setzt vielmehr ein neues, veränderndes *Handeln* Gottes am *Menschen* voraus. Wer sich von diesem Handeln Gottes erfassen läßt, steht in einem neuen, intimen Verhältnis zu Gott. Jesu Gebetsanweisung an seine Jünger ist nichts anderes als eine Ermächtigung, Gott auf diese neue, von ihm geschenkte Beziehung hin anzusprechen.

Das neue Gottesverhältnis, dem man sich mit dem Ruf „Abba" betend anvertrauen soll, muß mit Jesu *eschatologischer Botschaft* zu tun haben.[109] Wie wir gesehen haben, setzt die Proklamation der Gottesherrschaft ein neues Erwählungshandeln Gottes voraus, welches das Unheilskollektiv aus seiner Unheilsgeschichte und Schuldvergangenheit herausreißt und ihm das eschatologische Heil zuspricht. Weil dieses neue Erwählungshandeln das *eschatologische* Heilshandeln Gottes ist, beinhaltet es nicht nur eine restitutio, eine Wiedereinsetzung in den verlorenen Stand der Unschuld, sondern wirkliche Neuschöpfung, die Israel zum Empfang des eschatologischen Heils der Gottesherrschaft befähigt. Und weil dieses erwählende und neuschaffende Handeln Gottes im Wirken Jesu schon geschieht, steht derjenige, der sich diesem Geschehen anvertraut, bereits jetzt in einem neuen Gottesverhältnis und darf diesen eschatologisch handelnden Gott – wie das Kind seinen Vater – „Abba" nennen.

Daß dieser eschatologische Bezug der Abba-Anrede nicht nur eine Vermutung ist, bestätigt nicht zuletzt das *Vaterunser*,[110] in dem die Anrede Gottes als „Abba" sogleich mit der Bitte um die Heiligung des Namens und das Kommen der Herrschaft des Vaters verbunden ist (Lk 11,2 par).[111] Wer in das neuschaffende Geschehen des Heils hineingezogen ist,

---

[108] *Jeremias*, Theologie 175.
[109] Vgl. dazu auch *W. G. Kümmel*, Gottesverkündigung, bes. 116–125.
[110] Zum Vaterunser vgl. neben den Arbeiten von *Jeremias* (Abba; Theologie 188–196) *W. Marchel*, Abba; *H. Schürmann, Gebet; M. Brocke* (Hrsg.), Vaterunser (darin bes. den Beitrag von *A. Vögtle*, Vaterunser). Eine Vaterunser-Bibliographie hat jetzt *M. Dorneich* vorgelegt.
[111] Siehe dazu auch oben IV/1.2.

das ihn „Abba" rufen läßt, kann in der Tat keinen dringlicheren Wunsch haben als den, daß dieses Geschehen der Neuschöpfung sich durchsetzt und zum Ziele kommt, so daß alle den Namen des Vaters bekennen und somit sein Herr- und Königsein anerkennen. Die sogenannten Wir-Bitten des Vaterunsers fallen aus diesem eschatologischen Bezug nicht heraus, sondern applizieren nur das in den beiden ersten Bitten angesprochene Handeln *Gottes* auf die Existenz der davon Betroffenen, so daß auch von daher noch einmal die eschatologische „Atmosphäre", aus der allein das „Abba" ertönen kann, bestätigt wird. Die Bitte um die Vergebung der Schuld (Lk 11,4a par; vgl. auch Mk 11,25; Mt 6,14) unterstreicht das menschliche Angewiesensein auf das jetzt geschehende, die Schuld tilgende Erwählungshandeln Gottes und versichert sich dessen in der Bereitschaft, selbst Schuld zu vergeben.[112] Die Schlußbitte (Lk 11,4b par) bringt zum Ausdruck, daß der Beter das neue Gottesverhältnis nicht in eigener Kraft durchhalten kann, sondern nur, wenn Gott ihn durch alle Versuchung hält und ihn „vor dem Erliegen in der eschatologischen Anfechtung" bewahrt.[113] Und schließlich ist auch die Brot-Bitte (Lk 11,3 par) kein Rückfall in alltägliche uneschatologische Besorgtheit. Sie ist vielmehr zutiefst eschatologisch geprägt, selbst wenn man das umstrittene ‚epiousios' nicht unmittelbar als eschatologische Qualifizierung des Brotes als Brot „für morgen" (im Sinne des Brotes der Heilszeit) zu werten vermag,[114] sondern schlicht mit „täglich" oder „notwendig" übersetzt.[115] Schon, daß der Beter nur um das notwendige Brot für *heute* bittet, zeigt, daß er eine andere Zukunft hat als diejenige, welche sich durch irdische Vor-sorge planen läßt. Es ist die eschatologische Zukunft, die in der vorangehenden Bitte angesprochen war. Was in dieser Situation allein nötig ist, ist das, was man unmittelbar jetzt zum Leben braucht. Die Sorge für morgen ist unnötig. Und zwar nicht nur, weil die eventuell morgen kommende Gottesherrschaft die Vor-sorge von heute als voreilig ausweisen könnte, sondern weil das Geschehen der Gottesherrschaft, das sich jetzt schon ereignet und zum Abba-Ruf ermächtigt, die Gewißheit gibt, daß der Vater das jeweils heute Nötige geben wird, bis er dieses Geschehen zum Ziel gebracht hat. Das Vaterunser ist also ein durch und durch eschatologisches Gebet. Und sofern es das sachgerechte Gebet derer ist, die „Abba" rufen dürfen, muß die Abba-Anrede selbst und das

---

[112] Vgl. dazu *Jeremias*, Theologie 195.
[113] *Jeremias*, aaO. 196.
[114] So: *Jeremias*, aaO. 193; vgl. *J. Carmignac*, Recherches 118–221.
[115] So: *Schürmann*, Gebet 81–83; vgl. *Vögtle*, Vaterunser 172–175.179–182.

von ihr vorausgesetzte neue Gottesverhältnis eschatologisch bedingt und geprägt sein.

Deshalb ist es auch durchaus sachgemäß, wenn die *Spruchgruppe vom Nicht-sorgen* in Q (Lk 12,22b–31 par Mt 6,25–33) auf den Hinweis hinausläuft, daß „euer *Vater* weiß, daß ihr dies (alles) braucht" (Lk 12,30b par), und dann mit der Mahnung schließt: „Vielmehr sucht *seine* (= des Vaters!) *Königsherrschaft*, und dies (alles) wird euch dazugegeben" (Lk 12,31 par). Selbst wenn dieses Wort nicht authentisch und die Spruchgruppe als ganze erst eine spätere Komposition sein sollte,[116] sind hier jesuanische Verkündigungsstrukturen wirkungsgeschichtlich korrekt eingefangen. Die Eschatologie Jesu ist der sachgemäße Ort seiner Rede vom Vater. Daß Jesus zur Veranschaulichung der Sorge des Vaters besonders gerne auf weisheitliche Motive aus dem Bereich der Schöpfungswirklichkeit – auf „die Vögel des Himmels" und „die Lilien (des Feldes)" (Lk 12,24.27 f par Mt 6,26.28–30) – zurückgreift (vgl. auch Lk 12,6 f par Mt 10,29–31), kann nicht bedeuten, daß er *neben* eschatologischen Aussagen auch weisheitliche gemacht hat.[117] Dies wäre eine kurzschlüssige Auswertung des formkritischen Befundes. Im übrigen will gerade bei den beiden angezogenen Beispielen beachtet sein, daß es sich um ein Schlußverfahren a minore ad maius handelt. Sachlich wird man dieses Schlußverfahren im Rahmen der sonstigen Predigt Jesu so zu paraphrasieren haben: Wenn schon das schöpfungsgemäße Handeln Gottes an der vergänglichen Kreatur (Lk 12,28a par) seine Geschöpfe in augenscheinlicher Evidenz umsorgt, um wieviel mehr (Lk 12,24b.28b) könnt ihr, denen jetzt Gottes erwählendes Handeln gilt und die ihr euch gerade dadurch von der sonstigen Kreatur unterscheidet (vgl. Lk 12,24b par), euch auf die Sorge Gottes verlassen. Und wenn man bei dem Ausdruck „euer Vater" in Lk 12,29 f par das oben zu „Abba" Gesagte mithören darf, geht es eben um mehr als, „daß Jesus . . . das vertrauensvolle Verhältnis der Israeliten zu ihrem ‚Vater' *erneuern* wollte."[118] Sich von der Sorge um das Lebensnotwendige bestimmen zu lassen, ist Sache der Heiden (Lk 12,30a par), denen eine natürliche göttliche Fürsorge – nicht zuletzt wegen ihrer weisheitlichen Evidenz – gewiß nicht unbekannt war! Israel hat das nicht nötig; das erwählende Handeln Gottes, das Jesus

---

[116] So: *D. Zeller*, Mahnsprüche 82–93; vgl. auch *Merklein*, Gottesherrschaft 174–180. In der Bestreitung der Authentizität von Lk 12,31 par würde ich inzwischen (aus sprachlichen Gründen, s.o. II/1;5.1) *Zeller*, aaO. 87.92 f, recht geben (gegen *Schürmann*, Zeugnis 158 f).

[117] Vgl. dazu bes. *W. Schrage*, Theologie 147–149.

[118] *Zeller*, aaO. 92 (Hervorhebung von mir).

ihm zusagt und das es zum Abba-Ruf ermächtigt, gibt ihm die Gewißheit, daß sein Vater weiß und ihm gibt, was es an Lebensnotwendigem braucht (Lk 12,30b par; vgl. auch Mt 6,8). Wer „Abba" rufen darf, den bewegt nur noch die „Sorge", die sich in der zweiten Vaterunser-Bitte ausspricht, beziehungsweise die „Sorge", daß er dem erwählenden Handeln des Vaters, durch das Gottes Herrschaft ihn jetzt schon ergreift, treu bleibt. Das ist wohl gemeint mit der (ad verbum wohl nicht authentischen)[119] Schlußmahnung, des Vaters Königsherrschaft zu suchen (Lk 12,31 par).[120]

Jesus verkündet keinen neuen Gott, wohl aber erschließt sich der Gott Israels in dem von Jesus proklamierten eschatologischen Geschehen der Gottesherrschaft in ganz neuer Weise als „Vater". Indem er Israel zum Gegenstand seines eschatologischen Erwählungshandelns macht, gewährt er ihm ein neues, intimeres Gottesverhältnis, das es ermächtigt, „Abba" zu rufen. Dieses eschatologische Erwählungshandeln gibt die Gewißheit, daß der Vater erhört, wenn man ihn bittet, wie es umgekehrt die Bitte um das eschatologische Heil zur einzig notwendigen Bitte macht: „Bittet, und es wird euch gegeben werden..." (Lk 11,9f par Mt 7,7f); denn wenn schon ein irdischer Vater seinen Kindern nur Gutes gibt, „um wieviel mehr wird der Vater im Himmel denen *das Gute* (= „die Gaben der Heilszeit")[121] geben, die ihn darum bitten" (Lk 11,11–13 par Mt 7,9–11). Zu beachten ist, daß es sich hier nicht um einen Vergleich, sondern wiederum um einen Schluß a minore ad maius handelt. Das Handeln des himmlischen Vaters geschieht nicht nach dem Muster und Vorbild eines irdischen väterlichen Handelns, sondern es übersteigt es („um wieviel mehr") und ist als Erwählungshandeln, welches das eschatologische Heil zum Ziele hat, sogar analogielos.[122] In der Konsequenz dieses analogielosen eschatologischen Handelns Gottes, das Gott als „Vater" erschließt, liegt es dann auch, wenn in Mt 23,9 sogar gefordert sein kann: „Nennt

---

[119] Siehe Anm. 116.

[120] Der eschatologische Bezug der Vatervorstellung in unserer Spruchgruppe wird im übrigen auch wirkungsgeschichtlich durch die Rezeption des Mt und Lk unterstrichen. Wenn Mt die Spruchgruppe mit der Mahnung Mt 6,34 beschließt, dann stellt er zwischen V. 33 und V. 34 eine Verbindung her, die sachlich der Verklammerung der Brot-Bitte mit der Bitte um die Gottesherrschaft im Vaterunser entspricht. Und Lk bringt den genannten Bezug sogar auf den terminologischen Nenner, wenn er Lk 12,32 (s. dazu *Schürmann*, Zeugnis 159f) anschließt.

[121] *Jeremias*, Abba 41.

[122] Diese Analogielosigkeit ist m.E. in den ansonsten sehr treffenden Ausführungen *P. Hoffmanns*, Er weiß 174–176, zu wenig beachtet.

niemand auf Erden euren Vater, denn *einer* ist euer Vater, der im Himmel."

5.3 Der Grund für Jesu Rede vom Vater

Daß Jesus es wagte, Gott mit „Abba" anzureden, wird gelegentlich mit einer besonderen Gottesoffenbarung beziehungsweise mit einem Sohnesbewußtsein Jesu begründet. *J. Jeremias* meint: „Sein Vater hat ihm diese Offenbarung seiner selbst geschenkt, so völlig, wie nur ein Vater sich seinem Sohn gegenüber erschließt. Darum kann nur er, Jesus, anderen die wirkliche Erkenntnis Gottes erschließen."[123] Und nach *H. Schürmann* „legt sich in der Gottes-Offenbarung Jesu ... das eigene Sohnesbewußtsein Jesu aus".[124]

So sehr man diesen Urteilen unter sachlicher Rücksicht beipflichten mag, muß der exegetische und historische Sachverhalt doch differenzierter dargestellt werden. Ein direktes *„Sohnes"-Bewußtsein Jesu* ist exegetisch kaum nachzuweisen. Gerade die Stellen, an denen Jesus sich als „der Sohn" (absolut) bezeichnet (Lk 10,22 par Mt 11,27; Mk 13,32), beziehungsweise nach denen er von Gott als (geliebter) Sohn erwählt wird (Mk 1,11; 9,7 par), sind historisch kaum auswertbar.[125] Damit soll weder ein spezifisches Gottesverhältnis Jesu geleugnet, noch soll bestritten werden, daß die genannten Stellen als sachgerechter wirkungsgeschichtlicher Reflex dieses besonderen Gottesverhältnisses anzusehen sind. Jesus selbst dürfte aber seine spezifische Stellung zu Gott nicht unter dem Terminus „Sohn" artikuliert haben, so daß von hier aus kaum die Gottesanrede „Abba" erklärt werden kann. Ein spezifisches Sohnesbewußtsein Jesu dürfte sich auch nicht mit dem Hinweis stützen lassen, Jesus habe in seiner Rede zwischen „meinem Vater" und „eurem Vater" differenziert.[126] Die Rede von „eurem Vater" erklärt sich aus dem Anredecharakter der entsprechenden Logien (Lk 12,30 par; 6,36 par; 12,32; Mk 11,25 par; Mt 6,8; 18,35; 23,9), und die Worte, die etwa *Jeremias* für authentische „mein Vater-Worte" hält (Mk 13,32; Lk 10,22 par; Mt 16,17; Lk 22,29),[127] können diese Beweislast kaum tragen.[128] Im

---

[123] Theologie 67.
[124] Hauptproblem 30
[125] Vgl. dazu V/1; VIII/1; IV/3.2.
[126] Vgl. *Jeremias*, Abba 38–56.
[127] Abba 46–56.
[128] Vgl. *Merklein*, Gottesherrschaft 207–209.

übrigen hat Jesus die Gottesanrede „Abba" (= mein Vater, unser Vater, der Vater)[129] nicht für sich reserviert, sondern auch seine Jünger gelehrt (Vaterunser!), so daß über „Abba" kaum ein spezifisches Sohnesbewußtsein Jesu zu erschließen ist.

Nun wird man kaum daran zweifeln können, daß Jesu Rede vom „Vater" und besonders seine Gottesanrede „Abba" die Folge einer Erfahrung gewesen sein muß, die man theologisch als *Gottesoffenbarung* zu werten hat. Nur muß man sofort hinzufügen, daß es sich hierbei nicht um eine Offenbarung über das an sich bestehende *Wesen* Gottes als des Vaters gehandelt haben kann. Wenn es richtig ist, daß die Gottesanrede „Abba" ein neues Gottesverhältnis und damit ein neues Erwählungshandeln Gottes voraussetzt, muß Jesu Gottesoffenbarung ihm den „Vater" als den eschatologisch handelnden Gott enthüllt haben. Bestätigt wird dies auch durch den auffälligen Befund, daß gerade die von *Jeremias* als authentisch besprochenen „Vater"-Worte fast ohne Ausnahme in einem terminologisch direkten oder wenigstens sachlichen eschatologischen Bezug stehen.[130] Dann aber stoßen wir bei der Frage, wann und wie Jesus diese Gottesoffenbarung zuteil wurde, wieder auf jene Erfahrung, die es ihm ermöglichte, die Gottesherrschaft als bereits gegenwärtiges Geschehen zu proklamieren und die sich wahrscheinlich in Lk 10,18 niedergeschlagen hat.[131] Nun ist in Lk 10,18 allerdings vom „Vater" nicht die Rede. Doch muß dies angesichts des splitterhaften Überlieferungscharakters von Lk 10,18 nichts besagen. Sachlich hindert nichts, im Zusammenhang mit Lk 10,18 zugleich eine, die Gottesanrede „Abba" begründende Erfahrung oder Offenbarung anzunehmen, zumal die Gottesanrede sachlich mit dem Wissen Jesu um das gegenwärtige eschatologische Erwählungshandeln Gottes zusammenhängt.

Wenn Gottesoffenbarung und eschatologische Offenbarung aber einen sachlich einheitlichen Akt darstellen, ist der Streit, ob Jesus die Theozentrik mehr bewegt hat als die Eschatologie[132] oder umgekehrt, eigentlich müßig. Natürlich läßt sich vorstellen, daß Jesus unmittelbar nur eine „Vater"-Offenbarung zuteil wurde; aber sie muß dann von einer Art gewesen sein, daß er daraus das eschatologische Handeln Gottes erschlie-

---

[129] Vgl. *Jeremias*, aaO. 59–61.

[130] *Merklein*, aaO. 209 f.

[131] Siehe oben V/1.

[132] Vgl. *Schürmann*, Hauptproblem 28. M.E. sachgerechter spricht *Schürmann* jetzt von einem „gegenseitigen Durch-wirken und Be-wirken von Auf-blick zum Vater und Aus-blick auf die kommende Basileia" (Zeugnis 188).

ßen konnte. Ebensogut läßt sich auch der umgekehrte Vorgang vorstellen. Aber Vorstellungen helfen hier nicht weiter. Von der tatsächlich verifizierbaren Verkündigung Jesu her ist festzuhalten: Jesus verkündet *Gott*, den man als „Abba" anrufen darf, aber gerade damit verkündet er Gott als den *eschatologisch handelnden Gott*, dessen Herrschaft er als bereits gegenwärtiges Geschehen proklamiert.[133]

---

[133] Vgl. auch *Schrage*, Theologie 135 f.

VI. Eschatologische Weisung

Da die meisten Weisungen Jesu nicht direkt eschatologisch begründet sind, stellt sich die Frage, ob und wie sie in die bisher beschriebene *eschatologische* Verkündigung Jesu einzuordnen sind. In der Forschung ist dieses Problem des Verhältnisses von Eschatologie und Ethik Jesu vielfach diskutiert worden. Je nach Gewichtung erschien Jesus dann als eschatologischer Prophet und/oder Weisheits- beziehungsweise Toralehrer (Rabbi). Auf eine Auseinandersetzung mit den verschiedenen Positionen muß hier verzichtet werden.[1] Als Sachproblem ist jedoch insbesondere die Frage, wie Jesus zur Tora gestanden hat, in unsere Überlegungen einzubeziehen.

1. Allgemeine Überlegungen zur Stellung Jesu zur Tora

(1) „Tora" bedeutet zunächst ganz allgemein die „Weisung" (im Sinne von Unterweisung, Lehre, Anweisung). Als Sammelbezeichnung der schriftlich fixierten, normativen (= geoffenbarten) Überlieferung meint „Tora" vor allem den Pentateuch, dann aber auch die gesamte Heilige Schrift.[2] Im Deutschen hat sich unter dieser Rücksicht die Übersetzung „Gesetz" eingebürgert, die sich formal zwar auf den Vorgang der LXX berufen kann (‚nomos'), doch sachlich zu Mißverständnissen Anlaß gibt. Jedenfalls hat Israel und das Frühjudentum seinen Gehorsam gegen die Tora nie als drückende Erfüllung eines von außen herangetragenen (Fremd-)Gesetzes, sondern als eine Reaktion auf die vorgängige Tat Gottes verstanden.[3] Die Tora ist zuallererst Gnade und Geschenk Gottes.[4] Angewandt auf unsere Fragestellung bedeutet dies, daß unter der (nicht unbeliebten) Opposition „Gesetz vs Evangelium" kaum eine zutreffende Antwort auf das Problem der Stellung Jesu zur Tora zu erhoffen ist.
Diese Problematik ist vielmehr im Rahmen des geschichtlichen Befundes zu behandeln, daß das Frühjudentum zwar in der formalen Anerkennung einer kodifizierten normativen Überlieferung, das heißt einer schriftlich

---

[1] Vgl. die Übersichten bei *E. Gräßer*, Problem 68–74; *H. Merklein*, Gottesherrschaft 36–42.
[2] Vgl. Bill. IV/1 415–418.
[3] Vgl. dazu *M. Limbeck*, Ordnung; *R. Banks*, Jesus 15–38; *P. Fiedler*, Jesus 51–95; *A. Nissen*, Gott 42–45.47–52.
[4] Vgl. *R. Smend*, in: *ders. – U. Luz*, Gesetz 46 f.

fixierten „Tora", übereinstimmt, jedoch in der Beurteilung, *was* in diesem Sinn Tora sei,[5] und noch mehr in der Frage, *wie* diese Tora zu verstehen und auszulegen sei, erhebliche gruppenspezifische Divergenzen aufweist. Für eine Würdigung der Frage nach der Stellung Jesu zur Tora darf daher weder ein bestimmtes Toraverständnis (etwa das rabbinische) als *das* frühjüdische schlechthin vorausgesetzt werden, noch können eventuelle Divergenzen sofort im Sinne eines Widerspruchs oder gar eines Kampfes gegen die Tora als solche gewertet werden.

(2) Das Bild, das die *synoptischen Evangelien* von Jesu Stellung zur Tora zeichnen, ist keineswegs harmonisch und einheitlich. Nach Mt 5,17 bringt Jesus die vollgültige *Auslegung* der Tora:

> Meint nicht, daß ich gekommen sei, die Tora oder die Propheten aufzulösen. Ich bin nicht gekommen, aufzulösen, sondern zu erfüllen.

Dagegen scheint Lk 16,17 par Mt 5,18 (Q) stärker die Geltung des *Wortlautes* der Tora zu betonen:[6]

> Bis Himmel und Erde vergehen, wird nicht ein einziges Strichlein von der Tora vergehen.

Und aus Lk 16,16 par Mt 11,12f (Q) könnte man sogar folgern, daß die Gottesherrschaft die Tora ablöst:

> Die Tora und die Propheten bis zu Johannes. Von da an bricht sich die Gottesherrschaft mit Gewalt Bahn und Gewalttätige (= entschlossene Menschen) reißen sie an sich.

Daß diese Logien keinen prinzipiellen Widerspruch beinhalten müssen, zeigt schon die Tatsache, daß zwei davon der gleichen Quelle Q entstammen und daß das Matthäusevangelium sie alle drei enthält. Ihre unterschiedlichen Akzente sind wahrscheinlich traditionsgeschichtlich zu

---

[5] Die Sadduzäer anerkannten nur den Pentateuch. Die übrigen religiösen Gruppierungen rechneten weiteres (bes. das prophetische) Überlieferungsgut dazu, wobei es in der genaueren Abgrenzung unterschiedliche Auffassungen gegeben haben dürfte, so daß z. B. die rabbinische Beschränkung auf das Buch Daniel als einziger „kanonischer" apokalyptischer Schrift kaum repräsentativ für das Frühjudentum insgesamt sein dürfte; vgl. im NT z. B. Jud 14f (äthHen 1,9); 1 Kor 2,8 (ApkEl ?); u. ö.

[6] Zur näheren Begründung der Rekonstruktion dieses und des folgenden Logions s. *Merklein*, Gottesherrschaft 73–75.80–87.

erklären, das heißt, die drei Logien geben je spezifische urchristliche Reflexionen über die Tora auf unterschiedlichen Traditionsebenen wieder und sind kaum unmittelbar für Jesu Stellung zur Tora auszuwerten.[7] Überhaupt dürften nahezu alle (ohnehin nicht allzu zahlreichen) Jesusworte, in denen der Begriff ‚nomos' = „Tora" vorkommt, erst der nachösterlichen Reflexion entstammen.[8] Dasselbe scheint für die Stoffe zu gelten, in denen „Gebote" (‚entolai') der Tora zur sittlichen Unterweisung herangezogen werden (Mk 7,1–23; 10,1–12.17–22; 12,28–34).[9] Dieser Befund ist bereits höchst bezeichnend, wenngleich er als negativer Befund nur sehr vorsichtig ausgewertet werden darf. Sicherlich unzulässig ist der Schluß, daß Jesus selbst die Tora als Dokument des Gotteswillens abgelehnt habe und diese erst durch die nachösterliche Gemeinde im Zuge einer Rejudaisierung ins Spiel gebracht worden sei.[10] Ein solches Unterfangen Jesu wäre im Rahmen des Frühjudentums nahezu undenkbar und würde die positiven Äußerungen über die Tora in Lk 16,17 par; Mt 5,17 unter wirkungsgeschichtlichem Aspekt völlig uneinsichtig machen. Umgekehrt muß aber der Befund, daß erst die nachösterliche Gemeinde das Verhältnis der Weisungen Jesu zur Tora ausdrücklich reflektiert hat, ernstgenommen werden. Er setzt voraus, daß zwischen beiden Größen bestimmte Spannungen bestehen, die durch die Reflexion gerade aufgearbeitet werden sollen. Daß dies erst nach Ostern geschieht, deutet darauf hin, daß Jesus selbst seine Weisungen in einer noch näher zu bestimmenden Eigenständigkeit gegenüber der Tora verkündet hat. Eine Ablehnung der Tora ist damit jedoch nicht ohne weiteres gegeben. Eher dürfte die prinzipielle Anerkennung der Tora als Gotteswille geradezu die Voraussetzung dafür gewesen sein, daß Jesus das Verhältnis seiner Weisungen zur Tora nicht näher reflektierte.

---

[7] Bestenfalls Lk 16,16 par könnte (in seinem Grundbestand) authentisch sein; zur näheren traditionsgeschichtlichen Beurteilung der drei Logien s. *Merklein*, aaO. 72–96.

[8] Vgl. *Merklein*, aaO. 96f.

[9] Nach der Untersuchung von *K. Berger*, Gesetzesauslegung, geben die vier Perikopen das Gesetzesverständnis der hellenistisch-judenchristlichen Gemeinde wieder. Vgl. auch *Merklein*, aaO. 97–107, und – zu Mk 12,28–34 – *Ch. Burchard*, Liebesgebot (anders: *G. Bornkamm*, Doppelgebot; *R. H. Fuller*, Doppelgebot; *W. Schrage*, Ethik 69–72).

[10] Nach *E. Stauffer*, Jesus, hat Jesus nach der Verhaftung des Täufers „offiziell mit der Thora gebrochen" (62; vgl. 63–65). Entsprechend dieser These postuliert *Stauffer*, Botschaft, dann eine „Entjudaisierung der Jesusüberlieferung" (10) und verbucht alle Texte, die auch nur im entferntesten eine Torarezeption erkennen lassen, auf das Konto einer „Rejudaisierung des Christentums" (39. passim).

(3) Unter dieser Voraussetzung wird man auch zögern, aus *Mk 7,15* eine „grundsätzliche Torahabrogation" abzuleiten:[11]

> Nichts, was von außen in den Menschen hineinkommt, kann ihn unrein machen, sondern, was aus dem Menschen herauskommt, macht den Menschen unrein.

Die eigentliche Stoßrichtung des ursprünglich wohl isolierten und fast allgemein als authentisch angesehenen Wortes ist nur mehr schwer auszumachen.[12] Eine exklusive Ausrichtung auf die Speisegebote (Lev 11), wie sie in Mk 7,19 erfolgt, ist traditionsgeschichtlich wahrscheinlich sekundär.[12a] Dem Wort selbst geht es um den Gedanken der Reinheit, der als solcher von Jesus nicht abgelehnt, sondern anerkannt wird. Wie diese Reinheit zu bewahren ist, war zur Zeit Jesu allerdings kontrovers. Während die Sadduzäer die Reinheit und Heiligkeit des Volkes durch den Kult, der Sühne für die Sünde des Volkes schafft, gewährleistet sahen,[13] versuchten die Pharisäer durch Anwendung selbst der priesterlichen Reinheitsvorschriften auf das alltägliche Leben die Heiligkeitsforderung der Tora zu verwirklichen.[14] Nimmt man an, Jesu Wort hätte sich gegen den sadduzäischen Primat des Kultisch-Rituellen gerichtet,[15] enthielte es eine scharfe Kritik am (bestehenden) Kult. Jedoch scheint der Wortlaut von Mk 7,15a nicht den Kult, sondern eher das pharisäische Reinheitsideal im Auge zu haben. Ob Jesus dabei konkret die Sitte des Händewaschens kritisiert (so Mk 7,1f.5), die dem pharisäischen Bestreben entstammen dürfte, die priesterlichen Bestimmungen über das Essen der Hebe auf das profane Essen anzuwenden (vgl. b.Hul 106a), mag dahingestellt bleiben.[16] Jesus könnte mit seinem Wort auch allgemein gegen eine

---

[11] So: *H. Hübner*, Mark. VII. 343; vgl. *ders.*, Gesetz 165–175; *E. Käsemann*, Problem 207; *G. Bornkamm*, Jesus 89f; *Schrage*, Ethik 67f; *L. Lambrecht*, Jesus 76, spricht vom „anti-Torah character".

[12] Eine überzeugende Analyse von Mk 7,1–23 bietet *E. Schweizer*, Mk 81–83. Zur Authentizität von Mk 7,15 vgl. *R. Bultmann*, Geschichte 110; *W. G. Kümmel*, Reinheit; *J. Jeremias*, Theologie 202f; *W. Paschen*, Rein 173–177; *K. Müller*, Jesus 9f; *Lambrecht*, aaO. 75f; *S. Westerholm*, Jesus 80–82. *H. Merkel*, Markus 7,15 352–360, möchte nur die erste Vershälfte Jesus zusprechen. Bestritten wird die Echtheit neuerdings von *R. Räisänen*, Herkunft.

[12a] Vgl. *D. Lührmann*, . . . womit er, bes. 86–92.

[13] Vgl. *R. Meyer*, ThWNT VII 44,14–19; *G. Baumbach*, Konservativismus 209f. Zum Kult vgl. *J. Maier*, Tempel 378–382.

[14] Vgl. Lev 19,12 mit BerR 24,4. Zur Sache: *R. Meyer*, ThWNT IX 15f; zur Geschichte des Pharisäismus vgl. *ders.*, Tradition (Lit.).

[15] So *K. Müller*, Jesus 9f; *G. Baumbach*, Jesus 63f.

[16] Zur Problematik vgl. *Müller*, aaO.

äußere Reinheitsobservanz polemisieren. Solche Kritik äußerer Observanz zugunsten einer Bekehrung des Herzens ist vom Prinzip her kein Novum in Israel (vgl. Jes 1,10–17; Ps 50,7–23; 51,8–19; Spr 30,12). Bedenkt man zudem die semitischen Spracheigentümlichkeiten,[17] so ist der Schluß, daß Jesus mit Mk 7,15 die Reinheitstora abschaffen wollte, keineswegs zwingend.[18] Dies ändert jedoch nichts daran, daß das Wort im zeitgenössischen Kontext eine höchst aufsehenerregende Position bezogen hat.

Wenn man Pharisäer als Kontrahenten voraussetzen darf,[19] bleibt nämlich zu beachten, daß Jesus sich auf deren Argumentationsebene überhaupt nicht einläßt. Er streitet mit ihnen nicht – wie ansonsten in der Auseinandersetzung der Religionsparteien üblich[20] – darüber, ob ihre Reinheitsforderung vor dem Forum der Tora, die sie durch ihre kasuistische Auslegung und ihre religionsgesetzliche Tradition (Halacha) für den Alltag praktikabel machen beziehungsweise schützen wollen,[21] als legitim bestehen kann. Mit seinem Wort beansprucht Jesus vielmehr, *unmittelbar* und ohne absichernden Rückgriff auf die Tora den Gotteswillen offenzulegen. Wenn man diese Unmittelbarkeit mit der eschatologischen Botschaft Jesu zusammenbringen darf, bedeutet dies, daß Jesus offensichtlich der Überzeugung war, daß sich der Gotteswille primär aus der Konfrontation mit dem jetzt eschatologisch handelnden Gott erschließt.[22] Angewandt auf

---

[17] Darauf weist bes. *Westerholm*, Jesus 83, hin: „Semitic idiom does permit, in the emphasis of one aspect of a matter, its opposite to be denied categorically, even though the denial, taken by itself, goes further than the speaker's intentions. . . . Further, we must be on our guard against using a statement polemical in nature and paradoxical in expression to reconstruct anything like a systematic theology."

[18] Vgl. auch *Lührmann*, . . . womit er 84. Positiv ließe sich auf Lk 11,39–41 par Mt 23,25 f verweisen, das dann ebenfalls als authentisch zu gelten hat; vgl. *H.-F. Weiß*, ThWNT IX 43.

[19] Zum Verhältnis Jesu zu den Pharisäern vgl. *H. Merkel*, Jesus; s. auch *H.-F. Weiß*, Pharisäismus.

[20] Vgl. etwa die zadokidisch-qumranische Kritik an den Pharisäern; dazu: *R. Meyer*, ThWNT IX 28–31.

[21] Das Verhältnis von (schriftlicher) Tora und außerbiblischer Überlieferung ist nicht eindeutig zu bestimmen, da es fraglich ist, ob die Rückführung der „mündlichen Tora" auf die Offenbarung an Mose am Sinai (Av 1,1; b. Git 60b; b. Men 29a; vgl. *W. Bacher*, Tradition 33–46) schon für unseren Zeitraum vorauszusetzen ist. Skeptisch: *Westerholm*, Jesus 15–20; zuversichtlicher: *W. G. Kümmel*, Jesus 17–26; vgl. *C. Thoma*, Pharisäismus 268). In jedem Fall aber ist die Halacha im oben beschriebenen Sinn auf die (schriftliche) Tora bezogen; vgl. *Westerholm*, aaO. 20–25; *Meyer*, ThWNT IX 28 f.

[22] Den eschatologischen Bezug des Jesuswortes betonen auch *M. Hengel*, Jesus

Mk 7,15 heißt dies: Was jetzt nottut, ist nicht ein Streit darüber, wie die Tora auszulegen oder zu schützen sei und wie Israel durch peinlich genaue Befolgung eines solchermaßen an den Wortlaut der Tora und eine bestimmte Auslegungs- und Applikationstradition gebundenen Gotteswillens seine Reinheit und Heiligkeit bewahren oder erreichen könne; auf dem Hintergrund seiner „anthropologischen" Prämisse muß Jesus ein solches Unterfangen ohnehin aussichtslos erschienen sein. Was jetzt nottut, ist nach Meinung Jesu vielmehr, daß Israel sich Gottes eschatologisches Erwählungshandeln, das ja auf die endgültige Reinigung und Heiligung des Volkes abzielt, gefallen läßt. Die dafür nötige Entscheidung aber fällt im Innern; was aus dem Herzen, dem Sitz der Entschlüsse, herauskommt, entscheidet allein über Reinheit und Unreinheit des Menschen.[23]

Es ist denkbar, daß Mk 7,15 ursprünglich als Erwiderung auf pharisäische Kritik an Jesu Mahlgemeinschaft mit Sündern gesprochen war. Der Sachzusammenhang ist zumindest gegeben: Wer Mk 7,15 spricht, kann sich auch – wie *E. Käsemann* zu Recht betont hat – „den Sündern zugesellen."[24] Allerdings nicht, weil er mit Mk 7,15 „die Voraussetzungen des gesamten antiken Kultwesens mit seiner Opfer- und Sühnepraxis" getroffen und „die für die gesamte Antike grundlegende Unterscheidung zwischen dem Temenos, dem heiligen Bezirk, und der Profanität" aufgehoben hätte.[25] Daß Jesus sich den Sündern zugesellen kann und muß, hat seinen Grund nicht in der Abschaffung der Reinheitstora, sondern in der Wirklichkeit Israels, welches ein einziges Unheilskollektiv ist und dessen wahre Repräsentanten daher die Sünder sind.[26] *Deshalb* ist die pharisäische Unterscheidung von Rein und Unrein und das pharisäische Bemühen um eine peinlich genaue Befolgung der Reinheitstora unnütz. Sie spiegeln sich damit eine falsche Wirklichkeit vor und gehen an der wahren Wirklichkeit vorbei, in der alles darauf ankommt, sich für das jetzt stattfindende Erwählungshandeln Gottes zu entscheiden.

Letztlich dürfte es Jesus in Mk 7,15 gar nicht darum gegangen sein, in den Streit um die Tora und deren rechte Auslegung und Applikation einzutre-

---

163 f; *U. B. Müller,* Vision 438–440. Vgl. auch *Paschen,* Rein 186, der auf „Jesu Grundforderung der Umkehr" verweist.

[23] Vgl. *Paschen,* Rein 185: Die Unreinheit „greift im Inneren des Menschen an und bricht von dort hervor. Das Wort Jesu konzentriert den Einfluß der Unreinheit auf das Innere, das Herz, den Sitz der Entschlüsse."

[24] *Käsemann,* Problem 207; vgl. auch *Hengel,* aaO. 164.

[25] *Käsemann,* ebd.

[26] Siehe oben V/4.1.

ten. Nicht die Tora ist das Problem, sondern Israel! Dieses – und nicht eine von Jesus vorgenommene Abrogation der Tora – ist der Grund, daß Jesus in bezug auf die Erkenntnis des Gotteswillens der Tora nicht die Bedeutung beimessen kann, die ihr nach Auffassung der Pharisäer zukommt. In der jetzigen Situation kann letztes Kriterium des Gotteswillens nicht ein schriftlich fixierter Kodex sein, der dann in schriftgelehrter Exegese und unter Berücksichtigung der ihn schützenden Auslegungstradition zu aktualisieren ist.[27] In diesem Konzept bleibt für ein aktuelles Handeln und Wollen Gottes nur mehr der Spielraum, den ihm eine traditionsgebundene Toraauslegung einräumt. Letztes Kriterium des Gotteswillens ist für Jesus vielmehr Gott selbst und sein aktuelles Handeln, das er konkret als eschatologisches Erwählungshandeln proklamiert. Aus diesem Handeln ergibt sich unmittelbar, was Gott von Israel will. Was Jesus bestreitet, ist nicht die Tora als solche, wohl aber ihre Beanspruchung im Sinne einer ausschließlich schrift- und traditionsgebundenen Exegese und Interpretation des Gotteswillens.[28] Einem solchen Verfahren stellt Jesus den unmittelbaren Gotteswillen gegenüber.

Aus diesem Grund kann Jesus erst recht nicht die kasuistische Halacha der Pharisäer[29] zur *Sabbatobservanz* übernehmen. Jenseits aller Diskussionen um die rechte Auslegung und Applikation des Sabbatgebotes (Ex 31,13f) verkündet er als unmittelbaren Willen Gottes (Mk 2,27; vgl. Mk 3,4; Lk 14,5 par Mt 12,11f):[30]

Der Sabbat ist um des Menschen willen geschaffen worden, und nicht der Mensch um des Sabbats willen.

Daß Jesus hier durchaus „weisheitlich" argumentiert beziehungsweise die wahre Intention des Sabbats mit dem Verweis auf die Schöpfertätigkeit Gottes aufdeckt, die den Menschen vor dem Sabbat geschaffen hat,[31] ändert nichts daran, daß die Art und Weise, wie Jesus mit seinem Wort die ganze kasuistische Diskussion um die rechte Halacha beiseite schiebt,

---

[27] *Westerholm*, Jesus 51 f (passim), spricht in diesem Zusammenhang davon, daß die Pharisäer die Tora als „Statut" verstanden haben.

[28] *H. Conzelmann*, Selbstbewußtsein 35: Jesu „Auslegung der Gebote ist im Grunde eine Aufhebung aller Auslegung".

[29] Vgl. Bill. I 622–630; II 5. Zu Qumran vgl. die Verweise bei *H. Braun*, Radikalismus II 69–71.

[30] Vgl. dazu: *E. Lohse*, Worte; *J. Roloff*, Kerygma 52–88; *K. Schubert*, Jesus 65–70; *J. Becker*, Gottesbild 115–117; *Westerholm*, Jesus 92–103; *M. Trautmann*, Handlungen 278–318.

[31] *Lohse*, aaO. 68.

eine Vollmacht und eine Sicherheit bezüglich des eigentlichen Willens Gottes erkennen läßt, die wohl nur im Rahmen seiner eschatologischen Sendung beziehungsweise seines eschatologischen Wissens zu erklären sind.[32] Die Gemeinde hat daher auch völlig zu Recht das Wort Jesu christologisch mit der eschatologischen Vollmacht des Menschensohnes begründet (Mk 2,28).

(4) Wenn die bisherigen Ausführungen richtig sind, dann ist grundsätzlich in Frage zu stellen, ob der Begriff der *„Toraverschärfung"*, der gelegentlich zur Charakterisierung der Weisungen Jesu herangezogen wird, eine wirklich sachgerechte Kategorie darstellt. Das Phänomen wurde insbesondere von *H. Braun* anhand der Qumrantexte herausgearbeitet,[33] läßt sich aber auch bei anderen radikalen Gruppierungen des Frühjudentums, etwa bei den Zeloten, beobachten. Typisch dafür ist, daß ein bestimmter Aspekt der Tora so in den Vordergrund rückt,[34] daß alle anderen Rücksichten – selbst solche, die an sich von der Tora geboten sind – zurücktreten beziehungsweise in das hermeneutische Kielwasser des radikalisierten Aspektes geraten. Allerdings ist das Phänomen bei den Zeloten und in Qumran nicht einfach das gleiche. Bei den Zeloten – und hier zeigt sich ihre Nähe zum Pharisäismus – ist die *Tora selbst,* näherhin das erste Gebot, das Prinzip der – gewiß unter eschatologischen Bedingungen stehenden – radikalisierten Toraauslegung.[35] In Qumran dagegen ist zwar ein auf die Tora bezogenes, aber nicht aus ihr selbst deduzierbares, sondern zu ihr hinzutretendes (geoffenbartes) *eschatologisches Wissen* das Prinzip, das die Auslegung und Verschärfung der Tora leitet. Phänomenologisch steht Jesus unter diesem Aspekt der Qumransekte näher als den Zeloten oder den Pharisäern, da auch seine Verkündigung von einem eschatologischen Wissen geleitet ist. Es bleiben jedoch immer noch erhebliche Unterschiede. Das eschatologische Wissen, das etwa dem Lehrer der Gerechtigkeit in Qumran geschenkt ist,[36] ist auf die Tora

---

[32] Vgl. *U. B. Müller,* Vision 438.

[33] *Braun,* Radikalismus I.

[34] Bei den Zeloten war dies das 1. Gebot, in Qumran ging es um die rigorose Übertragung der Reinheits- und Kulttora auf das Leben der Gemeinde.

[35] Zum zelotischen Toraverständnis vgl. *M. Hengel,* Zeloten 229–234. passim.

[36] Der Lehrer besitzt besondere „Einsicht", er verkörpert geradezu das „wahre Geheimnis" des Heilswissens (vgl. 1 QH 2,10.17; dazu: *G. Jeremias,* Lehrer 192–201; vgl. weiter: 1 QpHab 2,8f; 7,1–8). Die Auslegung der Tora besitzt daher selbst unmittelbar Offenbarungsqualität (vgl. *O. Betz,* Offenbarung 88–92), sie kann nicht zur Diskussion gestellt werden, an ihr entscheidet sich vielmehr Heil und Unheil (vgl. *Jeremias,* aaO. 264. passim).

bezogen und führt zur rechten Auslegung der Tora. Das eschatologische Wissen Jesu hingegen bedingt seine Proklamation des bereits gegenwärtig stattfindenden eschatologischen Erwählungshandelns Gottes, das Israel unmittelbar anfordert. Diese Unmittelbarkeit ist wahrscheinlich auch der Grund, daß Jesus beanspruchen kann, in seinen Weisungen *unmittelbar* Gottes Willen zu verkünden, ohne in den Streit um die rechte Auslegung der Tora einzutreten. Jesu Weisungen sind daher, streng genommen, selbst dann nicht als Radikalisierung der Tora anzusprechen, wenn sie inhaltlich mit einem radikalisierten Toraethos anderer frühjüdischer Gruppierungen übereinstimmen. Sachgerechter dürfte der Gotteswille, den Jesus verkündet, als „unmittelbare Weisung" oder – sofern diese Unmittelbarkeit durch Jesu eschatologisches Wissen bedingt ist – als „eschatologische Weisung" zu bezeichnen sein, wenn man diese Ausdrücke nicht mit der These einer antinomistischen eschatologischen oder messianischen Tora belastet.[37]

(5) Der Befund, daß Jesus den Gotteswillen unmittelbar aufgrund eschatologischen Wissens und nicht nur mittelbar aufgrund eines schrift- und traditionsgebundenen Verfahrens zu kennen beansprucht, ist innerhalb des Frühjudentums sicherlich bemerkenswert, phänomenologisch jedoch nicht gänzlich analogielos. Zumindest in der *Zehnwochenapokalypse* (äth Hen 93,3–10; 91,12–17) dürfte eine vergleichbare Erscheinung vorliegen. Auch dort wird an der Gültigkeit der Mosetora, die „für alle kommenden Geschlechter" gegeben ist (93,6), grundsätzlich nicht gezweifelt. Angesichts der durchgängigen Bosheit Israels scheint sie aber nur noch die Funktion zu haben, den totalen Abfall zu vermessen (93,8f). Eine Erwählungsgarantie stellt sie jedenfalls nicht dar, wie denn auch die Zehnwochenapokalypse eine an ganz Israel gerichtete Umkehrpredigt im Sinne eines Aufrufs zur Rückkehr zur Tora für aussichtslos hält.[38] Was dem Zehnwochenapokalyptiker Berechtigung zur Heilshoffnung gibt, ist ein erneutes Erwählungshandeln Gottes (93,10a), das den Empfang „sieben-

---

[37] Voll ausgebildet ist diese These allerdings erst im Gefolge kabbalistischen Denkens bei Sabbataj Zwi (17.Jh.). Zur Frage einer neuen eschatologischen oder messianischen Tora vgl. *W. D. Davies*, Setting 109–190; *Banks*, Jesus 78–81; *P. Schäfer*, Torah; *H. Gese*, Gesetz 74–77; *P. Stuhlmacher*, Gesetz 256–261. Die Erwartung, daß in der Endzeit Gebote der Tora geändert oder aufgehoben werden, ist im rabbinischen Schrifttum relativ selten und auf spezifische Kreise beschränkt (*Schäfer*, aaO. 41f). Das oben herausgestellte Phänomen der eschatologischen Weisung Jesu hat damit kaum etwas gemein (zur religionsgeschichtlichen Einordnung vgl. den nächsten Abschnitt).

[38] Vgl. *K. Müller*, TRE III 240–243.

facher Belehrung über seine (= Gottes) ganze Schöpfung" zur Folge hat (93,10b). Daß diese eschatologische Belehrung zur *Auslegung* der Mosetora dienen soll,[39] wird im Text gerade nicht gesagt und dürfte angesichts der Reduktion der Mosetora auf die Gerichtsfunktion auch nicht zutreffend sein. Im Kontext des neuen Erwählungshandelns Gottes ist die siebenfache Belehrung vielmehr als positive heilsame Setzung zu begreifen, die, ohne die Gültigkeit der Mosetora anzutasten, den wahren Plan Gottes mit seiner Schöpfung und deren eschatologisches Ziel enthüllt und als solche die sachliche Voraussetzung für einen Wandel in Güte, Gerechtigkeit und Sündelosigkeit, wie er am Ende auf der ganzen Erde sein wird (91,17), bildet.[40]

Ob auch Jesus der Mosetora die Funktion beigemessen hat, Israel der Sünde zu überführen, ist eher unwahrscheinlich. Jedenfalls fehlen direkte diesbezügliche Aussagen. Andererseits dürfte er, wenn die oben (III) ausgeführte „anthropologische" Prämisse für seine Verkündigung zutrifft, in der Rückkehr zur Mosetora kaum mehr eine ausreichende Möglichkeit für Israel gesehen haben, der totalen Gerichtsverfallenheit zu entkommen. Eine Umkehrpredigt im Sinne eines Rufes zur Rückkehr zur Tora fehlt bezeichnenderweise bei Jesus.[41] Doch geht es hier nicht darum, die Unterschiede zwischen Jesus und der Zehnwochenapokalypse einzuebnen. Entscheidend für unseren phänomenologischen Vergleich ist, daß in der Zehnwochenapokalypse mit dem eschatologischen Erwählungshandeln eine unmittelbare, das heißt nicht im Rückgriff auf die schriftlich fixierte Tora gewonnene und über diese auch hinausgreifende, eschatologische Belehrung verbunden ist, welche die wahre Ordnung der Schöpfung aufdeckt und damit ein Leben nach Gottes Willen ermöglicht.[42] Daß

---

[39] So: *Müller*, aaO. 243. Daß die siebenfache Belehrung dem „Sinaigesetz korrespondiert" (*Ch. Münchow*, Ethik 36), ist angesichts der offenkundigen Analogie von äthHen 93,10 mit 93,5 kaum zutreffend.

[40] Daß diese Sicht der Zehnwochenapokalypse nicht nur ein singuläres Phänomen ist, sondern im Rahmen einer frühjüdischen Tradition stehen dürfte, scheint nicht zuletzt auch Paulus zu bestätigen, dessen theologisches Konzept und Gesetzesverständnis trotz aller (christologisch bedingten) Unterschiede auffällige Parallelen aufweist, wie z. B. die Gerichtsfunktion der Tora und die Entsprechung von Abrahamserwählung und eschatologischer Erwählung (vgl. äthHen 93,5.10). Hier wären noch weitere Untersuchungen nötig. Möglicherweise gehört in diesen Kontext auch die Vorstellung von der apokalyptischen Begrenzung der Mosetora in Q (Lk 16,17 par Mt 5,18; vgl. *S. Schulz*, Q 115).

[41] Dies bedeutet nicht, daß Jesus der Mosetora die ihr eigentlich zukommende Heilsfunktion abgesprochen hätte; dies scheint selbst Paulus nicht zu tun, vgl. Röm 2,13; Gal 3,12.

[42] In den Tradentenkreisen von äthHen dürfte überhaupt die Tora gegenüber der

das eschatologische Wissen der Zehnwochenapokalypse „siebenfache Belehrung über seine ganze *Schöpfung*" zum Inhalt hat, zeigt überdies, daß die oft behauptete Dualität von weisheitlichem beziehungsweise schöpfungsmäßigem und apokalyptischem Ethos[43] ein Konstrukt ist, das auch von sonstiger apokalyptischer Literatur widerlegt wird.[44] Im apokalyptischen Denken kann die Übergabe des eschatologischen Wissens vielmehr durchaus die Enthüllung des wahren Planziels der Schöpfung und des eigentlichen Schöpferwillens Gottes zum Ziele haben. Damit soll nicht behauptet werden, Jesu eschatologische Weisung sei auf die Vermittlung besonderer Einsicht in kosmologische und astronomische Geheimnisse ausgerichtet, wie dies in manchen apokalyptischen Schriften der Fall ist (vgl. äthHen 6–36; 72–82; u.ö.). Aber gerade von der Apokalyptik her braucht es nicht zu verwundern und beeinträchtigt nicht im mindesten den eschatologischen Charakter der Weisungen Jesu, wenn sie mit dem Verweis auf die Schöpfung operieren (vgl. Lk 6,35 par Mt 5,45; Lk 12,22–30 par Mt 6,25–32; Lk 12,6f par Mt 10,29–31).[45]

2. Die (primären) Antithesen

2.1 Vorbemerkungen

Die sechs Antithesen der matthäischen Bergpredigt (Mt 5,21f. 27f.31f.33–37.38–42.43–48) unterscheiden sich in mehrfacher Hinsicht. Nach geläufiger Auffassung will die I., II. und IV. Antithese die Tora radikalisieren oder überbieten,[46] während die III., V. und VI. Antithese Aussagen der Tora aufheben oder ersetzen soll.[47] Ob insbesondere letzteres zutrifft, kann man bezweifeln; zumindest dürfte es nicht der Intention des Evangelisten Matthäus entsprechen (vgl. Mt 5,17–20!).[48] Doch müs-

---

Schöpfungsordnung eine untergeordnete Rolle gespielt haben; vgl. *Limbeck*, Ordnung 71f (zum Zusammenhang von Schöpfungsordnung und Wandel nach dem Willen Gottes: aaO. 63–90); anders: *Münchow*, Ethik 39f.

[43] Vgl. etwa *H. Flender*, Botschaft 52–65.

[44] Vgl. dazu: *Limbeck*, Ordnung ; *Münchow*, Ethik.

[45] Zu Mk 10,2–9 s.u. 2.4. Einen eindrucksvollen Versuch, Jesu Weisung als eschatologisch orientierte Auslegung von Gottes ursprünglichem Schöpferwillen (unter erheblicher Relativierung der Sinaitora) zu verstehen, hat *H. Stegemann*, Jesus, vorgelegt.

[46] Vgl. *G. Eichholz*, Auslegung 70; *Bultmann*, Geschichte 144.

[47] Vgl. *Bultmann*, ebd.; *G. Bornkamm*, Jesus 99; u.v.a.

[48] Vgl. *Ch. Burchard*, Versuch 422–426.

sen wir dieses Problem hier nicht weiter verfolgen, da die Antithesen III, V und VI auf Q-Material zurückgehen und nach Ausweis der lukanischen Parallelen (Lk 16,18; 6,29 f; 6,27 f.32–36) ihre Antithetik erst sekundärer Bildung verdanken (sekundäre Antithesen). Für die verbleibenden Antithesen I, II und IV herrschte in der älteren Forschung nahezu ein Konsens darüber, daß ihre antithetische Form dem Evangelisten Matthäus bereits vorgegeben war (primäre Antithesen) und daß sie als „Muster" für die „Analogiebildungen" der sekundären Antithesen dienten.[49]

Allerdings können auch die primären Antithesen in ihrem jetzt vorliegenden Text nicht einfachhin als authentische Jesusworte gewertet werden. Schon die Tatsache, daß an Mt 5,21 f.27 f weiteres Spruchmaterial (Mt 5,23 f.25 f.29 f) angehängt ist, zeigt eine Tendenz zur Erweiterung. So dürfte – wie schon oft ausgeführt wurde – bei der I. Antithese Mt 5,22bc sekundär hinzugewachsen sein.[50] Bei der II. Antithese könnte man in der Schlußwendung („in seinem Herzen") matthäische Bildung vermuten.[51] Mit ähnlichen Erweiterungen wird meist auch bei der IV. Antithese gerechnet,[52] die sich im übrigen nicht unerheblich von den beiden ersten unterscheidet.[53] Überdies konnte G. Dautzenberg wahrscheinlich machen, daß „Mt 5,33b . . . eine gegenüber dem Schwurverbot Mt 5,34a sekundäre Bildung" und daß der Ursprung von letzterem „eher in strengeren (hellenistisch?)–judenchristlichen Kreisen zu suchen" ist.[54] Aus methodischen Gründen ist daher die IV. Antithese für unsere weiteren Überlegungen auszuscheiden. Für die I. und II. Antithese ist vorab von folgendem Text auszugehen:

Mt 5,21aα	Ihr habt gehört:	
	β	Den Alten wurde gesagt
	γ	„Du sollst nicht töten;
	bα	wer aber tötet,
	β	soll dem Gericht verfallen sein."

---

[49] *Bultmann*, aaO. 143 f; *Eichholz*, Auslegung 69 f; *Kümmel*, Jesus 31; *L. Goppelt*, Problem 28 f; u.v.a. Unter den neueren Arbeiten vgl. *P. Hoffmann (– V. Eid)*, Jesus 73 f; *R. Guelich*, Antitheses; *G. Strecker*, Antithesen 43–47; *V. P. Howard*, Ego Jesu 185–198; *G. Barth*, TRE V 606 f.

[50] Vgl. *Bultmann*, aaO. 142; *Hoffmann (– Eid)*, aaO. 76 f; *Ch. Dietzfelbinger*, Antithesen 15–18; *Strecker*, aaO. 48 f.

[51] *Hoffmann (– Eid)*, aaO. 75; *Strecker*, aaO. 51 f.

[52] Vgl. *Hoffmann (– Eid)*, aaO. 77 f; *Strecker*, aaO. 56–63.

[53] Während in der These von I und II direkt Worte aus der Tora zitiert sind (s.u. 2.2), verwendet die These von IV bestenfalls atl Material (meist wird auf Lev 19,12 verwiesen; vgl. jedoch *G. Dautzenberg*, Schwurverbot 51 f).

[54] Schwurverbot 52.65.

22aα Ich aber sage euch:
   β Jeder, der seinem Bruder zürnt,
   γ soll dem Gericht verfallen sein.

Mt 5,27α Ihr habt gehört:
     β Es wurde gesagt
     γ „Du sollst nicht ehebrechen."
  28 α Ich aber sage euch:
     β Jeder, der eine Frau ansieht, um sie zu begehren,
     γ hat schon mit ihr Ehebruch begangen.

Bevor dieser Text als authentische Jesustradition ausgewertet werden kann, ist jedoch eine weitere kritische Rückfrage zu stellen. Vor allem ist zu prüfen, ob die vorangestellten Thesen nicht – ähnlich wie bei den übrigen Antithesen – erst sekundär „als Widerlager für die Antithesen" gebildet wurden.[55] Gerade diese Möglichkeit hat in den letzten Jahren zunehmend Befürworter gefunden.[56] Angesichts dieser forschungsgeschichtlichen Situation ist insbesondere der Charakter der in Mt 5,21 f*.27 f* ausgesprochenen Antithetik genau zu bedenken.

2.2 Der Charakter der Antithetik in Mt 5,21 f*.27 f*

Daß es zu den Einleitungswendungen der Antithesen vergleichbare rabbinische Ausdrucksweisen gibt, wurde schon oft herausgestellt.[57] Teilweise wurde sogar vermutet, daß die Antithesen unter dem Einfluß rabbinischer Terminologie gebildet wurden.[58] Wie dem auch sei, so dürfte unter sachlicher Rücksicht ein Vergleich für die Profilierung der spezifischen Antithetik in Mt 5,21 f*.27 f* von Nutzen sein.[59]
Vor allem im Midrasch dienen die Begriffe ,schmc' („hören") und ,'mr' („sagen") dazu, „eine Ansicht, die sich auf wortwörtliche Erklärung stützt, einer zweiten Auffassung, die den ganzen Zusammenhang berücksichtigt, gegenüberzustellen, um dann die Entscheidung für die sachge-

---

[55] So: *Burchard*, Versuch 424.
[56] Vgl. *M. J. Suggs*, Wisdom 109–115; ders., Antitheses; *I. Broer*, Antithesen; ders., Freiheit 102–113.
[57] Das Belegmaterial ist übersichtlich bei *E. Lohse*, Ich aber, zusammengestellt; vgl. auch *Howard*, Ego Jesu 189–194.
[58] Vgl. *B. H. Branscomb*, Jesus 233–255, bes. 238–242; *D. Daube*, New Testament 55–62; vgl. *W. D. Davies*, Setting 101–103.
[59] Zum Zwecke einer eindeutigen Sprachregelung bezeichne ich im Folgenden den der „These" entgegengesetzten Satz als „Anti-These", während mit „Antithese" die Gattung (bestehend aus „These" und „Anti-These") gekennzeichnet sein soll.

mäße Interpretation zu treffen."[60] Zu „Ich aber sage" gibt es sogar eine direkte rabbinische Entsprechung („w'nj 'wmr' oder ‚'wmr 'nj'). Der Ausdruck leitet eine Äußerung ein, „die von der herrschenden Auffassung oder der Meinung eines angesehenen Gelehrten abweicht oder ihr widerspricht."[61] Wenn man die Antithesen als nach dem Muster der rabbinischen Terminologie gebildet verstehen wollte, dann ginge es in ihnen darum, daß einer (allzu) wörtlichen Auslegung der Tora (These) eine – nach Meinung des Sprechers – sachgerechtere Auslegung (Anti-These) gegenübergestellt werden soll. Dies trifft aber gerade nicht zu.

Zunächst ist die *Syntax der Antithetik* in Mt 5,21f*.27f* genau zu beachten. Wie ein Blick auf die Übersetzungen erkennen läßt, wird zumeist die gesamte Wendung „Ihr habt gehört, daß (‚hoti') (den Alten) gesagt wurde" als Einleitung der Thesen verstanden.[62] Dies aber ist keineswegs selbstverständlich. In Analogie zur Einleitungsformel der Anti-Thesen (‚egō de legō hymin hoti' = „Ich aber sage euch:") könnte das ‚hoti' auch als ‚hoti' recitativum verstanden und im Deutschen als Doppelpunkt wiedergegeben werden, so daß „Es wurde (den Alten) gesagt", genau genommen, nicht mehr zur Einleitung, sondern bereits zu den Thesen selbst gehört. Dafür spricht auch, daß nur in Mt 5,21aα.27α (hörerorientiert: 2. Person) und Mt 5,22aα.28α (sprecherorientiert: 1. Person) direkt kommunikationsbezogene Elemente vorliegen, während alle übrigen Elemente – einschließlich Mt 5,21aβ.27β – referentiell (3. Person), also Sachaussagen, sind. Mit dieser Beobachtung entfällt auch die Verlegenheit, Mt 5,21aαβ.27αβ im Sinn einer Tautologie deuten zu müssen. Zwar kann sowohl „Ihr habt gehört" wie auch „Es wurde gesagt" zur Anführung einer Tradition dienen.[63] Hier aber sind beide Wendungen wohl mit Bedacht gewählt, so daß zwischen beiden durchaus zu differenzieren ist und die zweite als Zitationsformel einer Schriftstelle zu verstehen ist.[64] Dies entspricht im übrigen auch dem Textbefund. Die beiden anschließenden Prohibitive Mt 5,21aγ.27γ sind wörtliche Zitate aus dem

---

[60] *Lohse*, Ich aber 76; vgl. *W. Bacher*, Terminologie I 189–192.

[61] *Lohse*, aaO. 80.

[62] So z.B. Zürcher Bibel, Lutherbibel, Einheitsübersetzung.

[63] Vgl. Bill. I 253.

[64] Vgl. *Bacher*, Terminologie I 6: „Die passivische Ausdruckweise... ‚es ist gesagt worden' ist die häufigste Form der Citirung von Bibelstellen." Siehe auch: *G. Dalman*, Jesus 66. Ausdrücklich bestritten wird das Passivum divinum von *Burchard*, Versuch 422; vgl. dagegen: *Broer*, Freiheit 78f.108f; *Dietzfelbinger*, Antithesen 10; *Howard*, Ego Jesu 192. Unter den „Alten" ist dann wohl die „Sinaigeneration" zu verstehen (*Dietzfelbinger*, aaO. 9; *Dalman*, ebd.).

Dekalog. Lediglich Mt 5,21b läßt sich nicht als wörtliches Zitat aus der Tora identifizieren. Doch stimmt es sachlich und formkritisch[65] mit Ex 21,12 überein (vgl. Lev 24,17; Gen 9,6; Num 35,16ff); eventuell könnte es sogar als eine im Blick auf Mt 5,22aγ ad hoc gebildete Umformung dieser Schriftstelle gewertet werden.[66] In jedem Fall dürfte es der Sprecher sachlich als Zitat aus der Tora verstanden haben.

Aufgrund dieses Befundes ist auszuschließen, daß es sich in den Antithesen Mt 5,21f*.27f* lediglich um eine Gegenüberstellung unterschiedlicher Auslegungen handelt. Zumindest die Thesen zitieren nicht eine Auslegung oder ein allzu wörtliches Verständnis eines Schriftwortes, sondern das Wort der Tora selbst. Entsprechend lautet die Einleitungsformel nicht – wie bei den Rabbinen – hermeneutisch fragend „Soll ich (etwa so) hören (d.h. verstehen)" („schwmᶜ ʾnjʿ) oder „Ich könnte das nach seiner wörtlichen Bedeutung verstehen" („schwmᶜ ʾnj kschmwᶜwʿ),[67] sondern feststellend „Ihr habt gehört"; diese Einleitungsformel steht daher auch nicht *nach*, sondern *vor* dem zitierten Schriftwort. Wenn es den Thesen aber nicht um einen Streit um die richtige Hermeneutik der Schriftworte geht, so ist es unwahrscheinlich, daß ihnen in den Anti-Thesen mit „Ich aber sage euch" eine andere, sachgerechtere Auslegung gegenübergestellt werden soll. Bezeichnenderweise fehlt denn auch in den Anti-Thesen jedwedes begründende Heranziehen oder Diskutieren weiterer Schriftstellen, wie dies in rabbinischen Belegen nach einer mit „Ich aber sage" eingeleiteten Anführung einer abweichenden Meinung nahezu regelmäßig der Fall ist.[68] Auch dies deutet darauf hin, daß es in den Antithesen nicht um Auslegung gegen Auslegung noch um wörtliches Verständnis gegen sachgerechte Interpretation geht. Daher dürfte es auch nicht zutreffen, die Antithetik als Toraverschärfung zu werten.

Positiv bestätigt wird dies durch eine *sachliche Auswertung* der oben erörterten Syntax der Antithetik. Wenn man von den Einleitungsformeln einmal absieht, stehen sich in These und Anti-These Wort der Tora und Jesuswort gegenüber, wobei das erstere durch die Zitationsformel ausdrücklich als solches gekennzeichnet ist. Verfehlt wäre es allerdings, diese provozierende Antithetik dahingehend auszuwerten, daß das Jesuswort das Wort der Tora aufheben oder ersetzen wolle. Ihre Funktion läßt sich vielmehr nur erfassen, wenn man die Antithetik der Einleitungsformeln

---

[65] Apodiktischer Rechtssatz in Partizipial- bzw. Relativsatzform, vgl. *H. J. Boekker*, Recht 168–175.
[66] Vgl. *Broer*, aaO. 77.
[67] Belege bei *Lohse*, Ich aber 75f.
[68] Vgl. *Lohse*, aaO. 77–80.

mitbeachtet. In ihnen wird der Autorität der Tradition, die den Hörern vorgegeben ist („Ihr habt gehört" = „Ihr habt als Tradition empfangen"[69]), die Autorität Jesu, auf die sich die Hörer einlassen sollen („Ich aber sage euch"), entgegengesetzt. Für die Antithetik der Antithesen insgesamt ergibt sich dann, daß der Autorität einer Tradition, die sich auf das Wort der Tora stützt und beruft, die Autorität Jesu gegenübergestellt wird, die sich allein auf Jesus selbst gründet. Dem Schriftwort wird damit nicht sein Charakter als Äußerung des Gotteswillens abgesprochen (vgl. Zitationsformel). Bestritten aber wird der Anspruch einer Tradition, die meint, den Gotteswillen im Wortlaut der Schrift gleichsam „dingfest" machen zu können. Betroffen von dieser Kritik ist natürlich auch jedes Bemühen, den Gotteswillen aus der schriftlich fixierten Tora in gelehrter Exegese zu extrapolieren. Demgegenüber beanspruchen die Anti-Thesen, den Gotteswillen *unmittelbar* zu kennen und zu verkünden.

Damit dürfte auch die Frage nach der *Authentizität* von Mt 5,21 f*.27 f* entschieden sein. Die provozierende Antithetik läßt sich kaum auf die Gemeinde zurückführen, die nach Ausweis der Traditionsgeschichte (vgl. Mt 5,17!) eher die Tendenz hat, die Weisungen Jesu als Auslegung der Tora zu verstehen.[70] Im übrigen konvergiert der bei den Antithesen gemachte Befund mit dem Ergebnis zu Mk 7,15: Es wird zwar nicht bestritten, daß die Tora Äußerung des Gotteswillens ist, abgelehnt aber wird eine Reduktion des Gotteswillens auf einen schriftlich fixierten Normenkodex, der allein in einem exegetischen Verfahren (das seinerseits wieder traditionsgebunden sein kann) zu aktualisieren ist.[71] Wie bei Mk 7,15 dürften wir daher auch bei den Antithesen der ipsissima intentio Jesu begegnen.

---

[69] Bill. I 253

[70] Es muß allerdings konzediert werden, daß es zur Erklärung der provozierenden Antithetik genügen würde, wenn *eine* der beiden Antithesen auf Jesus zurückginge. Doch ist hier eine Entscheidung schwierig, wenn nicht unmöglich. Im übrigen sind Struktur und Intention der beiden Antithesen so übereinstimmend, daß die Annahme der Authentizität beider das Bild der Verkündigung Jesu kaum verfälschen kann.

[71] Vgl. *Kümmel*, Jesus 32: „Aber nun ist das Merkwürdige, das für die Rabbinen Erschreckende ..., daß Jesus dieses tiefere Verständnis des Willens Gottes nicht durch genauere Auslegung des Gesetzeswortes und auch nicht durch Anschluß an die Tradition findet, sondern einfach erklärt: ,Ich aber sage euch'. ... mag Jesus auch *in* Gesetz und Tradition Gottes Willen finden, dieses ,ich sage euch' beseitigt mit einem Strich den ganzen jüdischen Traditionsgedanken und wirft damit für den Pharisäer die Geltung des Gesetzes überhaupt über den Haufen."

2.3 Die Intention der Antithesen Mt 5,21f*.27f*

Konkret dürften sich die Antithesen gegen das Toraverständnis und die Schriftauslegung der Pharisäer richten, wenngleich damit natürlich auch die theologische Basis aller anderen torabezogenen und schriftauslegenden Gruppierungen des Frühjudentums getroffen ist. Bei allen Vorbehalten, die schon aus zeitlichen Gründen bezüglich eines Vergleiches mit rabbinischem Material zu machen sind, ist es wohl doch nicht als Zufall zu werten, daß insbesondere die halachischen Midraschim Mekhilta (MekhY zu Ex), Sifra (zu Lev) und Sifre (SifBam und SifDev zu Num und Dtn)[72], eine intensive kasuistische Diskussion der in den Antithesen angesprochenen „Tatbestände" aufweisen.[73] Vielleicht darf man sogar die in der Mekhilta an das Zitat des fünften und sechsten Dekaloggebotes angehängte Frage „Weshalb wird das gesagt?" (MekhY 77b zu Ex 20,13 und Ex 20,14; so auch MekhY 85b zu Ex 21,12; vgl. Sifra 424a zu Lev 24,17) als negatives Pendant zu dem in den Antithesen vor dem Toragebot stehenden Ausdruck „Es wurde gesagt" verstehen.

Was Jesus mit „Ich aber sage euch" gegen eine derartige Reduktion des Gotteswillens auf die schriftlich fixierte Tora (einschließlich ihrer schriftgelehrten Interpretation) stellt, ist inhaltlich nichts grundlegend Neues. Die Abqualifizierung des Zorns, ja seine Parallelisierung mit dem Mord, und die Ächtung des begehrlichen Blickes waren auch dem sonstigen Judentum bekannt,[74] wenngleich es bezeichnend ist, daß sich entsprechende Äußerungen überwiegend in den haggadischen Teilen der Überlieferung finden. Doch bekommt der „alte" Inhalt durch die Antithetik, in der er zu stehen kommt, eine neue Qualität. Die Antithetik ist das eigentlich Erregende und Neue an Mt 5,21f*.27f*. Die Art und Weise, wie Jesus dem schriftlich fixierten beziehungsweise aus der Schrift abzuleitenden Gotteswillen – ohne Bezug, sondern geradezu im Gegenzug zur Schrift, auf welche die Tradition fixiert ist – seine Weisung als *unmittelbaren* Gotteswillen entgegenhält, verrät eine Autorität, die wohl nur mit Jesu *eschatologischem* Wissen und Auftrag zu erklären ist. In diesem Kontext dürfte zugleich die tiefere formale und sachliche Intention der Antithesen deutlich werden.

Daß Jesus formal eine auf die Schrift und ihre Auslegung fixierte Bestim-

---

[72] Ihre Tradition dürfte z. T. bis in tannaitische Zeit zurückreichen; zur Problematik vgl. *H. L. Strack – G. Stemberger*, Einleitung 233–241.244–251.252–255.
[73] Vgl. Bill. I 256f.295f.
[74] Vgl. Bill. I 276–282.298–301; *E. Percy*, Botschaft 131–144; *Braun*, Radikalismus II 85 Anm. 2; 86 Anm. 1.

mung des Gotteswillens ablehnt – die beiden Antithesen dürften hierfür nur Exempel sein –, hängt letztlich mit Jesu Verkündigung insgesamt zusammen. Wo der Gotteswille am Wortlaut der Schrift festgemacht wird und um seine Auslegung und Verbindlichkeit gestritten wird, droht die Tora selbst zu einem Kriterium Gottes in der Hand des Menschen zu werden, mit dem dieser Gottes je gegenwärtiges Handeln und Wollen beurteilen zu können meint. Sie kann zum Alibi werden gegen die Unmittelbarkeit, mit der das eschatologische Erwählungshandeln Gottes jetzt auf Israel trifft. Gegen eine solche Inanspruchnahme der Tora muß sich Jesus zur Wehr setzen, und zwar um des Gottes willen, den er verkündet.

Daß Jesus kompromißlos auch die geheimsten Regungen des Herzens inkriminiert und demgegenüber die Suffizienz einer auf die Schrift fixierten Bestimmung des Gotteswillens bestreitet, die in Fragen des menschlichen Sozialverhaltens (vgl. die angeführten Dekaloggebote) allzu leicht auf eine Diskussion der *rechtlichen* Verbindlichkeiten hinausläuft,[75] ist aber nicht nur formal, sondern letztlich auch inhaltlich im Kontext seiner eschatologischen Verkündigung zu verstehen. Gott, dessen eschatologische Herrschaft Jesus proklamiert, verzichtet auf sein Richterrecht, das dem Unheilskollektiv Israel nur das Gericht einbringen könnte, und will ihm in freier Gnade sein eschatologisches Heils- und Erwählungshandeln zuteil werden lassen. Diesen Gott drohen die Pharisäer zu verfehlen, wenn sie meinen, die internen sozialen Beziehungen Israels mit Hilfe einer halachischen Schriftauslegung dem umfassenden Gotteswillen unterwerfen zu können. Es besteht die Gefahr, daß doch wieder Freiräume entstehen, die dem Menschen überlassen sind und in denen – wie im Falle des Zorns oder des begehrlichen Blicks – keine letzte Verbindlichkeit besteht. Auch unter diesem Gesichtspunkt wäre es falsch, die Antithesen als radikalisierte Auslegung der Tora zu werten. Jesus geht es nicht um eine weitergehende Einengung von Freiräumen, sondern um deren Aufhebung. Als Volk, dessen Selbstverständnis allein in Gottes erwählendem Handeln gründet und sich jetzt erneut darin gründen darf, muß Israel sich bewußt bleiben beziehungsweise sich erneut bewußt werden, daß es sein Sozialverhalten über alle kasuistisch-rechtlichen Regelungen hinaus durch radikales, vom Herzen kommendes Bedachtsein auf das Wohl des Mitmenschen zu bestimmen vermag. Gottes bedingungslose erwählende Zuwendung fordert und ermöglicht zugleich radikale Zuwendung zum Mitmenschen, die sich selbst unter Berufung auf das Wort der Schrift

---

[75] Vgl. zur Frage von Mord und Ehebruch: Bill. I 254–275. 294–298.

nicht begrenzen läßt.[76] Was Israel schon immer gewußt hat: daß Gott den Menschen ganz und bis in die Tiefen seines Herzens beansprucht, bekommt durch die Unmittelbarkeit des eschatologisch handelnden Gottes, den Jesus verkündet, eine neue Dringlichkeit und eine neue Verbindlichkeit; die Bedingungslosigkeit des eschatologischen Erwählungshandelns Gottes wird zum entscheidenden Maßstab auch des mitmenschlichen Handelns, demgegenüber jeder Streit um die religionsgesetzliche Verbindlichkeit des Torawortlautes verstummen muß.

2.4 Jesu Weisung gegen die Ehescheidung

Wenngleich die III. Antithese der Bergpredigt (Mt 5,31f) ihre antithetische Form erst redaktioneller Bildung verdankt, ist es angebracht, die ihr zugrundeliegende Weisung Jesu im Anschluß an Mt 5,21f*.27f* zu behandeln. Abgesehen von der thematischen Verwandtschaft mit Mt 5,27f* weist sie inhaltlich einen ähnlich provozierenden Charakter auf wie die primären Antithesen.
Jesu Wort gegen die Ehescheidung ist im Neuen Testament in unterschiedlicher Weise überliefert (Mt 5,32 par Lk 16,18; Mk 10,11f par Mt 19,9; 1 Kor 7,10f; vgl. Mk 10,2–9 par Mt 19,3–8). Aufgrund einer traditionsgeschichtlichen Analyse kann die Q-Fassung, die wiederum in Mt 5,32* (ohne die sog. Unzuchtsklausel) am besten erhalten sein dürfte, als die älteste Form des Wortes wahrscheinlich gemacht werden:[77]

> Jeder, der seine Frau entläßt,
> macht, daß mit ihr die Ehe gebrochen wird.
> Und jeder, der eine Entlassene heiratet,
> begeht Ehebruch.

Gegen die Authentizität des Logions werden kaum Zweifel erhoben. Seiner äußeren Form nach ist es als Rechtssatz anzusprechen.[78] Schon dies läßt erkennen, daß Jesus gegen eine bestehende Rechtspraxis polemisieren will. Diese Rechtspraxis kann sich zwar nicht auf eine direkte Anordnung der Tora berufen, entfaltet ihre kasuistische Halacha aber doch anhand

---

[76] Vgl. dazu auch *U. Luz*, in: *R. Smend – ders.*, Gesetz 69.
[77] Zur Analyse vgl. *R. Pesch*, Treue 7–76; *Merklein*, Gottesherrschaft 275–282. Für die Ursprünglichkeit von Lk 16,18 plädieren: *H. Baltensweiler*, Ehe 60–64.68–71; *Hoffmann (– Eid)*, Jesus 110f. *B. Schaller*, Sprüche 227–238, favorisiert Mk 10,11 (allerdings nicht als authentisch; s.u. Anm. 82).
[78] Zu Form und Sprachintention vgl. bes. *G. Lohfink*, Jesus.

eines Torawortes (Dtn 24,1) als Schriftbeweis.[79] Für das Verständnis des (für unsere Ohren ungewöhnlich formulierten) Wortes ist das jüdische Ehe- beziehungsweise Scheidungsrecht vorauszusetzen, wonach eine Ehescheidung in der Regel immer vom Mann ausgeht.[80] Jesu Wort wendet sich auch eindeutig an die Adresse des Mannes: Wer seine Frau entläßt, macht, daß mit ihr die Ehe (= die Ehe des entlassenden Mannes!) gebrochen wird. Jesus legt also die nahezu notwendige Wiederheirat einer entlassenen Frau als Ehebruch aus und schiebt dem *Mann* dafür die Schuld zu. Das Wort Jesu ist eine ungeheure Provokation, weil der Tatbestand, den Jesus für seine Schuldigerklärung voraussetzt, nach zeitgenössischem (insbesondere pharisäischem) Verständnis nichts Unrechtes ist. Von vereinzelten Gegenstimmen einmal abgesehen,[81] galt die Entlassung der Frau unter Berufung auf Dtn 24,1 als Recht des Mannes. Umstritten waren lediglich die Gründe, welche die Inanspruchnahme dieses Rechtes erlaubten. Je nach Interpretation von „etwas Häßliches" in Dtn 24,1 ergab sich eine laxere oder eine rigorosere Praxis. Jesus läßt sich auf solche Diskussion um die rechte Interpretation des Wortlautes der Tora – durchaus entsprechend der Haltung, wie er sie ausdrücklich in den (primären) Antithesen einnimmt – nicht ein. Unmittelbar verkündet er Gottes Willen bezüglich der Ehescheidung. Und er tut dies, indem er die Folgen der üblichen Rechtspraxis in provozierender Weise aufdeckt: Wer sein Recht in Anspruch nimmt, macht sich an gröbstem Unrecht schuldig, indem er seine Frau in den Ehebruch treibt (vgl. Mt 5,32a*); und wer eine durchaus rechtens Entlassene heiratet, begeht selbst schreiendes Unrecht (vgl. Mt 5,32b). Das Wort Jesu untersagt dem Mann, seiner Frau gegenüber den Rechtsstandpunkt einzunehmen; im Gewande eines Rechtssatzes demaskiert es geltende Rechtspraxis als Unrecht. Was Jesus mit seinem paradoxen Wort einschärfen will, ist die unkündbare Treuepflicht und Verantwortung des Ehemannes für seine Ehefrau über alle rechtlichen Regelungen hinaus.

Eine Begründung ist der Weisung Jesu nicht beigegeben. Sie setzt aber die Überzeugung voraus, daß nach Gottes ureigenem Willen die Ehe eine Einheit stiftet, die der Mensch nicht tangieren darf. Ob der entsprechende Grundsatz, der in Mk 10,9 formuliert ist, authentisch ist, läßt sich wohl

---

[79] Vgl. Bill. I 312–315; zum atl Befund s. *Boecker*, Recht 93–99. Vgl. auch *K. Berger*, Gesetzesauslegung 509–520.

[80] Vgl. Bill. I 303–321; II 372–399; *Hoffmann (–Eid)*, Jesus 113–118 (Lit.).

[81] Vgl. das Verbot der sukzessiven Polygamie in CD und vor allem Mal 2,15f; s. dazu den Überblick bei *Broer*, Freiheit 97–102.

nicht mehr mit Sicherheit nachweisen.[82] Der Sache nach trifft er aber die Grundhaltung Jesu, die bereits im Mal 2,14–16 vorgeprägt sein dürfte.[83] Ob Jesus selbst mit seiner Weisung direkt den ursprünglichen Schöpferwillen Gottes aufdecken wollte, wie es Mk 10,6–8 – traditionsgeschichtlich sicherlich sekundär[84] – formuliert, läßt sich ebenfalls kaum mehr eindeutig entscheiden. Man wird aber zumindest die wirkungsgeschichtliche Sachgemäßheit dieser Interpretation nicht bestreiten können.[85] In jedem Fall verkündet Jesus *unmittelbar* den Willen Gottes. Und man wird nicht fehlgehen, wenn man diese Unmittelbarkeit ähnlich wie bei den (primären) Antithesen in den Kontext seiner eschatologischen Sendung stellt. Die Bedingungslosigkeit, mit der Gottes eschatologisches Erwählungshandeln auf Israel trifft, deckt die wahre (schöpfungsmäßige?) Ordnung Gottes auf und schafft neue Möglichkeit, sie zu verwirklichen. Die Bedingungslosigkeit göttlichen Handelns ist die Voraussetzung und Ermöglichung für das Sozialverhalten einer Gemeinschaft, deren Glieder miteinander in unbedingter Güte und Treue („ḥæsæd wæ'ᵃmæt')[86] umgehen können, die eine nur vom eigenen Wohl her motivierte Inanspruchnahme des Rechtsstandpunktes übersteigen. Von dieser Unbedingtheit der Güte und Treue muß auch die Wirklichkeit der Ehe geprägt sein und das Verhalten in ihr daraus gestaltet werden.

3. Das eschatologische Erwählungshandeln Gottes als der sachliche Grund der eschatologischen Weisung Jesu

Wenngleich in den bisherigen Ausführungen bereits deutlich gemacht werden konnte, daß sich auch die Inhalte der Weisungen Jesu in seine eschatologische Verkündigung einfügen und in diesem Kontext erst ihre tiefere theologische Intention freigeben, so war ihre Qualität als eschatologische Weisung mehr oder weniger nur indirekt greifbar in der *formalen Autorität* Jesu. Sie zeigte sich in der Art und Weise, wie Jesus *unmittelbar* oder gar *in Gegenüberstellung zu einer starr schriftgebundenen Tradition* den Willen Gottes zu verkünden beanspruchte.

---

[82] *Schaller*, Sprüche 238–245, möchte die ganze Traditionsgeschichte von Mk 10,9 her aufrollen; vgl. jedoch *Merklein*, Gottesherrschaft 281 f.

[83] Zur Problematik vgl. jedoch *Broer*, Freiheit 99–102.

[84] Anders: *Baltensweiler*, Ehe 51–53; vgl. dagegen: *Hoffmann (–Eid)*, Jesus 110; *Pesch*, Treue 22; *Schaller*, Sprüche 238 Anm. 45; *Berger*, Gesetzesauslegung 533–553.

[85] Siehe oben VI/1(5).

[86] Vgl. dazu H. *Wildberger*, THAT I 201–206; H. J. *Stoebe*, THAT I 600–621.

Im Folgenden ist zu zeigen, daß Gottes eschatologisches Erwählungshandeln auch unmittelbar den *Inhalt* der Weisungen berührt. Dabei ist von vornherein zu betonen, daß ein eschatologisches Ethos keineswegs in Gegensatz zu einem schöpfungsmäßigen Ethos treten muß, wie ja auch Gottes eschatologisches Handeln nicht sein Schöpfungshandeln in Frage stellt, sondern erst – und sei es in apokalyptischer Dialektik – zum Ziele bringt.

3.1 Jesu Weisung zur Feindesliebe

Jesu Weisung zur Feindesliebe erscheint im Kontext der matthäischen Bergpredigt als VI. Antithese (Mt 5,43–48), geht jedoch, wie die lukanische Parallele (Lk 6,27f.32–36) zeigt, auf Q-Material zurück, das seinerseits schon wieder eine bestimmte Entwicklung durchlaufen hat. Mit Hilfe einer literarkritischen und traditionsgeschichtlichen Analyse kann folgender Text erschlossen werden:[87]

> Ich sage euch:
> Ia Liebet eure Feinde,
> (tut Gutes denen, die euch hassen,
> segnet die, die euch verfolgen,
> betet für die, die euch schmähen,)
> damit ihr Söhne eures Vaters werdet,
> b denn er läßt seine Sonne aufgehen über Bösen und Guten
> und läßt regnen über Gerechte und Ungerechte.
> IIa Werdet barmherzig,
> b wie euer Vater barmherzig ist.

(1) Ob die in Klammern stehenden Imperative ursprünglich sind, ist zweifelhaft; möglicherweise haben sie sich erst im Laufe des Traditionsprozesses angelagert.[88] Vielleicht ist auch die Nennung der „Guten" und „Gerechten" sekundär.[89] Umstritten ist, ob I und II eine ursprüngliche Überlieferungseinheit darstellen. D. Zeller behandelt II (= Lk 6,36 par Mt 5,48) als selbständigen Spruch.[90] H. Schürmann versteht ihn (schon in der Q-Abfolge) als Einleitung zu den folgenden Versen Lk 6,37f par.[91] In

---

[87] Vgl. dazu: S. *Schulz*, Q 127–132; *Merklein*, Gottesherrschaft 225–229; D. *Zeller*, Mahnsprüche 101–104.110f.
[88] So: D. *Lührmann*, Liebet 425f (vgl. 416f).
[89] Vgl. Lk 6,35c; H. *Schürmann*, Lk I 356.
[90] *Zeller*, Mahnsprüche 110–113, hier 110f.
[91] *Schürmann*, Lk I 359f; vgl. *Lührmann*, Liebet 421f; A. *Polag*, Fragmenta 34; W. *Schenk*, Synopse 26–29.

jedem Fall ist davon auszugehen, daß Lk 6,36 par (II) sich schon in Q an Lk 6,27f.32–35 par anschloß, dann aber eher als Abschluß der vorausgehenden denn als Einleitung der folgenden Sprüche.[92] Dafür spricht auch die integrale Redestruktur des dargebotenen Textes (s. u.). Diese könnte natürlich auch konstruiert, also erst im Laufe des Traditionsprozesses entstanden sein. Allerdings stellt II eine so perfekte Verbindung zwischen der Forderung von I und der sonstigen (eschatologischen und theologischen) Verkündigung Jesu her, daß man – sofern man nicht ein isoliertes Sonderdasein der ethischen Verkündigung Jesu voraussetzt – in II eine kongeniale Aufdeckung des Kontextes sehen muß, aus dem heraus die Forderung von I gesprochen ist. Insofern wird man der ganzen Spruchgruppe zumindest eine intentionale Authentizität zusprechen müssen und sie als sachliche Einheit zu behandeln haben.[93]

(2) Die Spruchgruppe weist eine *Struktur* auf, deren einzelne Elemente formal und inhaltlich ein kohärentes Beziehungssystem bilden. Nach der sprecherorientierten Einleitung „Ich sage euch" (1. Pers.) folgen zwei Hauptteile (I und II), in denen jeweils eine hörerorientierte Passage (Ia/IIa: 2. Pers.) in eine sachorientierte (referentielle) Aussage (Ib/IIb: 3. Pers.) einmündet. Die Elemente Ia und IIa wenden sich mit Imperativen direkt fordernd an den Zuhörer, wobei in Ia noch eine finale Motivation angegeben ist, die syntaktisch und semantisch zu Ib überleitet. Die Elemente Ib und IIb wollen durch Verweis auf analoge Sachverhalte die Forderungen akzeptabel und einsichtig machen, sind also Begründungen im weiteren Sinn.[94]

(3) Im Blick auf eine *sachliche Auswertung* der Struktur ist zunächst zu vermerken, daß es zu allen Einzelelementen vergleichbare Aussagen vor allem in weisheitlichen, aber auch in rabbinischen (besonders haggadischen) Texten des Frühjudentums gibt.[95] Das gilt in gewisser Weise selbst für das Gebot der Feindesliebe. Man kennt die Verpflichtung, dem in Not

---

[92] Zur näheren Begründung vgl. *Merklein*, Gottesherrschaft 223–225; s. auch *J. Piper*, Love 63.

[93] Gegen die Authentizität des Gebotes der Feindesliebe selbst wurden in der Forschung kaum Zweifel vorgebracht.

[94] Ib ist durch „denn" direkt als solche ausgewiesen; in IIb wird durch „wie" stärker die Analogie betont, doch hat das satzeinleitende griech. ,hōs' auch begründenden Charakter; vgl. Bl-Debr § 453,2, so auch *Schürmann*, Lk I 360 Anm. 117.

[95] Vgl. dazu: *Zeller*, Mahnsprüche 104–109.111f; *Merklein*, aaO. 229–231.

geratenen Feind beizustehen;[96] auch gibt es Beispiele und Mahnungen, die dazu anhalten, für den zu beten, der einem Böses zufügt, und Böses durch Gutes-Tun zu überwinden.[97] Allerdings kommt es nirgends zu einer positiven Forderung der Liebe zum Feind.[98] Man wird daher vermuten dürfen, daß gerade diese Forderung mit dem spezifischen Profil der Verkündigung Jesu zusammenhängt. Begründet wird die Forderung der Feindesliebe zunächst mit Gottes gnädigem Walten über seine Schöpfung (Ib), wie es jedermann zugänglich und erkennbar ist. Das Motiv der Gotteskindschaft (Ia) ist hier daher zumindest nicht unmittelbar eschatologisch auszuwerten.[99] Die Forderung deckt demnach zunächst nur auf, was eigentlich schon immer dem Handeln und damit dem Willen Gottes entspricht. Allerdings scheint der Begründungszusammenhang in I menschlicher Logik nicht so unmittelbar einsichtig zu sein, daß aus dem beobachtbaren Schöpferwalten unbedingt die Verpflichtung der *Liebe* zum Feind abgeleitet werden müßte. Faktisch bestätigt das der Befund im sonstigen Judentum. Ib ist offensichtlich nicht die logische Prämisse, aus der Ia notwendigerweise zu deduzieren ist, sondern eher ein nachfolgendes Plausibilitätsargument, das, um überzeugend zu sein, zumindest die grundsätzliche Bereitschaft voraussetzt, die Autorität des Sprechers von Ia anzuerkennen. Dies deutet der Sprecher (Jesus) selbst an, wenn er die Forderung mit „Ich sage euch" einleitet und sie so von vornherein auf seine eigene Autorität gründet. Damit stoßen wir wieder auf jenen Zusammenhang, der Jesu Forderung wenigstens formal als eschatologisch begründet erscheinen läßt.

Bei Teil II kommt alles darauf an, den *Inhalt* der geforderten *menschlichen* Barmherzigkeit und den der vorausgesetzten *göttlichen* Barmherzigkeit richtig zu bestimmen. Nun kann es bezüglich der menschlichen Barmherzigkeit (IIa) im Zusammenhang mit dem I. Teil der Spruchgruppe keinen Zweifel geben, daß nicht irgendeine, vom Angeforderten

---

[96] Bes. im Anschluß an Ex 23,4f: vgl. Bill. I 368–370; s. auch: *Percy,* Botschaft 156–162; *A. Nissen,* Gott 304–317.

[97] Vgl. die gute Übersicht bei *Broer,* Freiheit 85–89.

[98] *Nissen,* aaO. 316, kommt zum Ergebnis: „Eine Liebe zum Feind... gibt es deshalb im Judentum nicht; sie ist nicht nur in den uns erhaltenen Quellen nicht belegt, sondern ist vom Ansatz her ausgeschlossen und muß ausgeschlossen sein, wenn nicht vom Ansatz her das Gesamtgefüge des jüdischen Ethos und damit der Offenbarung selber ins Wanken geraten soll."

[99] Vgl. jedoch *Zeller,* Mahnsprüche 107f, der allerdings das Futur ‚esesthe' („ihr werdet sein") Lk 6,35 gegenüber dem Aorist ‚genēsthe' („ihr werdet" = „ihr seid") Mt 5,45 bevorzugt (aaO. 102).

selbst zu bestimmende, sondern eine sehr konkrete Barmherzigkeit verlangt ist, nämlich eine Barmherzigkeit, die bis zur Liebe zum Feind geht. Wie aber ist die begründende göttliche Barmherzigkeit (IIb) zu bestimmen? Ist damit die Barmherzigkeit gemeint, die allgemein menschlicher Erfahrung zugänglich ist und etwa in dem in Ib angesprochenen gnädigen Schöpferwalten Gottes entgegentritt? Dann wäre II nur eine allgemeine Zusammenfassung von I und eigentlich entbehrlich, da es semantisch nicht über I hinausgeht. Doch läßt sich die Semantik von II eben nicht nur von I her bestimmen. Außer acht gelassen würde dabei, daß es *Jesus* ist, der von Barmherzigkeit spricht. Was Barmherzigkeit Gottes ist, kann daher nur im Zusammenhang mit dem sonstigen Reden und Tun Jesu bestimmt und erkannt werden.[100] Tatsächlich kommt im Auftreten Jesu Gottes gnädiges Schöpferhandeln (vgl. Ib) in ganz neuer Weise zum Zuge, indem Gottes eschatologisches Erwählungshandeln sich auf das Unheilskollektiv bezieht und es in schöpferischer Tat zum Erwählungskollektiv macht. Jesu Botschaft von der Gottesherrschaft schließt die Tilgung der Schuldvergangenheit Israels ein.[101] Die Unheilsgeschichte Israels wird im bedingungs- und voraussetzungslosen Vergebungsangebot Gottes gegenstandslos. Bestimmt man die in IIb angesprochene Barmherzigkeit Gottes von jener Barmherzigkeit her, die Jesus als Güte des eschatologisch handelnden Gottes verkündet und praktiziert, dann wird der ganze Spruchkomplex stimmig und die Forderung in Ia auf ihren sachlichen Grund verwiesen.[102] Denn wenn Gott sich Israel, das vor ihm nur als Kollektiv von Sündern, und das heißt von Feinden Gottes, vorkommt, eschatologisch zuwendet, es erneut und endgültig erwählt und ihm deshalb alle Schuld erläßt, dann kann es auch in Israel nicht mehr die Kategorie des Feindes geben. Die Kategorie des Feindes muß gerade überwunden werden, indem die empfangene Vergebung und erwählende Zuwendung Gottes in einer alle Schuld vergebenden und alle Feindschaft überwindenden Zuwendung zum Mitmenschen praktiziert wird. Die Forderung der Feindesliebe nimmt Israel nur beim Wort, indem sie die Ant-wort einfordert, mit der Israel das Geschehen der Gottesherrschaft als ein Geschehen, das sich *an ihm* vollzieht, erkennt. Die Feindesliebe ist das Kriterium und zugleich die Möglichkeit derer, die Gottes eschatologi-

---

[100] So zu Recht auch *A. Polag*, Christologie 61 f.
[101] Siehe oben V/4.
[102] Vgl. *Lührmann*, Liebet 437: „Gedeckt ist das Wort durch Jesu eigenes Verhalten der Zuwendung zu denen, die für die Frommen ‚Sünder' waren. Seinem Verhalten wie seinem Gebot entspricht die Verkündigung der nahen Gottesherrschaft . . .".

sches Erwählungshandeln trifft, und daher wohl mit Recht als *das* Zeichen des neuen Ethos des eschatologisch erwählten Gottesvolkes zu werten.[103] Die Feindesliebe ist selbst Geschehensereignis der Gottesherrschaft, sofern sich in ihrer Praxis Menschen präsentieren, die sich vom Geschehen der Gottesherrschaft erfassen ließen. Daß diese Praxis schon in Gottes Schöpferwalten angelegt ist, widerspricht nicht dem eigentlich eschatologischen Charakter und der eschatologischen Begründung der Feindesliebe, da die Feindschaft, die es trotz des alle umfassenden gnädigen Schöpferwaltens Gottes tatsächlich gibt, nur die theologische Notwendigkeit des eschatologischen Erwählungshandeln Gottes unterstreicht.

(4) In der Literatur wird nicht selten die Frage diskutiert, ob Jesus mit den *„Feinden"*, die es zu lieben gilt, nur die persönlichen und religiösen Feinde[104] oder auch die nationalen Feinde im Auge habe. Im ersten Fall würde das Gebot nur auf den Binnenraum Israels abzielen, im zweiten auch die Heiden miteinbeziehen. Nun ist es zwar richtig, daß die weisheitliche Tradition, die Jesu Forderung motivisch zweifellos aufgreift, unmittelbar „nur den persönlichen Feind im Auge" hat.[105] Dennoch ist eine solche Reduktion schon aus Gründen der konkreten zeitgeschichtlichen Umstände unrealistisch.[106] Die ständige Präsenz römischer Truppen und Garnisonen in den wichtigsten Orten des Landes und immer neue zelotische Aufstände und Anschläge lassen keinen Zweifel daran, daß auch das alltägliche Leben von der politischen Realität heidnisch-römischer Oberhoheit geprägt war. Wenngleich es wohl zu weit geht, Jesu Wort zur Feindesliebe direkt als antizelotische Äußerung zu charakterisieren,[107] so ist es so gut wie ausgeschlossen, daß das Wort Jesu nicht auch

---

[103] Im Anschluß an *E. Neuhäusler*, Anspruch 51, der die Feindesliebe „als *das* Zeichen der neuen Ethik" bezeichnet.

[104] So: *Schulz*, Q 132f; vgl. *Braun*, Radikalismus II 91 Anm. 2.

[105] *Zeller*, Mahnsprüche 107.

[106] Vgl. dazu: *Hoffmann (–Eid)*, Jesus 153; *P. Fiedler*, Jesus 191–193; *Schrage*, Ethik 77.

[107] *M. Hengel*, Gewalt 41; *ders.*, Zeloten 385f; vgl. *P. Hoffmann*, Studien 75f.309–311 (für Q!). *L. Schottroff*, Gewaltverzicht, möchte die Forderung zur Feindesliebe als einen „Appell zu einer missionarischen Haltung gegenüber den Verfolgern" deuten (215); ob damit aber die Intention Jesu getroffen ist (eher schon die Haltung frühchristlicher Gemeinden!), ist m.E. fraglich. *G. Theißen*, Gewaltverzicht, stellt Mt 5,38–48 par auf der Ebene Jesu in den Kontext „gewaltlose(r) Konfliktstrategien ... gegenüber den Römern" (195); das ist denkbar, doch muß *Theißen* selbst konzedieren, daß „Jesu Forderung weit über jede konkrete Situation hinaus(geht)" (ebd.).

den politischen Feind wenigstens assoziieren ließ, demgegenüber sich eben mit der Weisung Jesu im Ohr kein Aufstand organisieren ließ. Unter sachlicher Rücksicht ist die exegetische Diskussion um die Qualifizierung des zu liebenden Feindes eher bedauerlich, da sie wieder jene Kasuistik ins Spiel bringt, die Jesus, wie auch seine sonstigen Weisungen zeigen,[108] ausschließen wollte. Zwar hat Jesus selbst seine Weisung zur Feindesliebe nicht als Antithese zum Gebot der Nächstenliebe (Lev 19,18), wie das jetzt im matthäischen Kontext der Fall ist (Mt 5,43 f), und damit auch kaum als radikale Auslegung oder Entschränkung dieses Torawortes verstanden. Dennoch dürfte die matthäische Interpretation wirkungsgeschichtlich wenigstens insofern im Recht sein, als durch Jesu Wort die ganze kasuistische Diskussion, wer denn der „Nächste" sei,[109] hinfällig wird.[110]

(5) *Zusammenfassend* läßt sich sagen: Jesu Weisung zur Feindesliebe läßt auch vom Text her am deutlichsten erkennen, was im Kontext der Gesamtbotschaft Jesu für alle seine Weisungen vorauszusetzen ist. Die Gottesherrschaft, die Jesus proklamiert und als bereits gegenwärtiges Geschehen verkündet und praktiziert, ist letztlich die Perspektive, der Orientierungsrahmen, der Sinnhorizont, auf den hin und von dem her sich das menschliche Handeln zu bestimmen hat. Gottes gegenwärtiges eschatologisches Erwählungshandeln ist zugleich der *Grund* und die *Ermöglichung* eines Ethos,[111] das bis hin zur Liebe zum Feind zu gehen

---

[108] Siehe oben die Abschnitte 1 und 2.

[109] Vgl. Bill. I 353–368; *H. Braun*, Qumran 17 f; *ders.*, Radikalismus II 57 Anm. 1.

[110] Vgl. auch die wohl sekundäre Rahmenfrage „Und wer ist mein Nächster?" in Lk 10,29, die nach Meinung des Schriftgelehrten zur Hermeneutik von Lev 19,18 (vgl. Lk 10,27) dienen soll. In Mt 5,43 f wie auch in Lk 10,29 (als Rahmen für die folgende Geschichte) hat die christliche Überlieferung erfaßt, daß das Anliegen, das Jesus mit seinem Gebot der Feindesliebe verfolgt, eine kasuistische Hermeneutik des Torawortlautes sofort zum Verstummen bringen muß.

[111] Um diese für das Handeln relevanten Aspekte der Gottesherrschaft herauszustellen, hatte ich in meiner Habilitationsschrift von der „Gottesherrschaft als Handlungsprinzip" gesprochen. Der Begriff „Prinzip" hat mir manche Kritik eingebracht. Da mir an dem Begriff selbst nichts liegt, verzichte ich hier auf ihn, obwohl ich gestehen muß, keinen Ersatzterminus angeben zu können, mit dem die verschiedenen Aspekte wie Orientierungsrahmen, Grund, Voraussetzung und Ermöglichung des Handelns zusammengefaßt werden können. Von künftigen Kritikern wünsche ich mir mehr Streit um die Sache und weniger die Unterstellung eines „Prinzipien"-Begriffs, der in den Sachausführungen meines Buches nicht zu verifizieren ist.

vermag. Die bisher beobachtete formale Autorität, mit der Jesus den unmittelbaren Willen Gottes zu verkünden beanspruchte, hat in der Botschaft von der Gottesherrschaft ihren sachlichen Grund. Das „Ich sage euch", mit dem Jesus die Forderung der Feindesliebe in formaler Autorität erhebt, ist sachlich getragen von der Barmherzigkeit des eschatologisch handelnden Gottes, die das inhaltliche Maß der Forderung und zugleich die Ermöglichung des geforderten Handelns begründet.[112] Falsch wäre es, dieses eschatologische Ethos als Gegensatz zu einem schöpfungsmäßigen Ethos zu werten, wenngleich es scheint, daß erst das eschatologische Handeln Gottes Israel in den Stand setzt, ein dem Walten des Schöpfers entsprechendes Handeln zu erfassen und zu verwirklichen.

Von der Sache her wird man aber von der Gottesherrschaft nicht nur als dem Grund und der Ermöglichung des geforderten Handelns sprechen dürfen, sondern umgekehrt auch ein der eschatologischen Weisung entsprechendes Handeln als *Geschehensereignis* der Gottesherrschaft würdigen müssen. Gerade in der Feindesliebe wird Gottes eschatologische Güte zur Tat-Wirklichkeit Israels, in der sich proleptisch ereignet, worauf das Geschehen der Gottesherrschaft hinausläuft, nämlich auf die Heiligung des Namens Gottes, wo alle Feindschaft sowohl in Israel als auch gegenüber den Völkern aufgehoben ist im Bekenntnis zu Gott als dem einzigen Herrn. Handeln als Geschehensereignis der Gottesherrschaft ist freilich nicht so zu verstehen, als ob der Mensch durch seine Aktivität Gottes Herrschaft verwirklichen könnte. Der Vorgang ist genau umgekehrt: Es ist die *Gottesherrschaft,* die als Geschehen den Menschen erfaßt und – sofern er sich darauf einläßt und gerade auf eigenmächtiges Handeln verzichtet – sich in seinem Handeln ereignet.[113] Nur in diesem Kontext läßt sich übrigens die Frage nach der Erfüllbarkeit des Gebotes der Feindesliebe und überhaupt der Weisungen Jesu stellen – und positiv beantworten. Jesu Weisungen fordern ein, was Gottes Tat bereits geschaffen hat und dem Menschen als Möglichkeit eröffnet.

(6) Daß die aufgewiesenen Zusammenhänge von sittlicher Weisung und theologischer beziehungsweise eschatologischer Begründung keineswegs das mehr oder minder zufällige Ergebnis der Untersuchung eines Einzeltextes sind, zeigt vor allem das *Gleichnis vom unbarmherzigen Knecht*

---

[112] Vgl. dazu auch: *Piper,* Love 80–88; *P. Hoffmann,* Eschatologie 127–129.131 f.

[113] In diesem Sinn ist *E. Gräßer,* Verständnis 20, voll zuzustimmen, wenn er (gegen *Lorenzmeier*) betont: „Im Sinne Jesu kann man nicht sagen, daß die Gottesherrschaft ‚durch Menschen *geschieht*‘".

Mt 18,23–34, auf das hier allerdings nur verwiesen werden kann.[114] Wie bei der Weisung zur Feindesliebe ist es auch in Mt 18,23–34 die vorher empfangene und erfahrene Güte Gottes, die das menschliche Handeln ermöglicht und es in seiner Qualität bestimmt. Dabei ist die Zuwendung zum Mitmenschen, die bei der Weisung zur Feindesliebe nach ihrer positiven Seite – nämlich als *Liebe* – ausgelegt war, in unserem Gleichnis auch nach ihrer negativen Seite erläutert, nämlich als *Verzicht* auf das eigene Recht und als *Erlaß* der fremden Schuld. Obwohl das Gleichnis keine direkt imperativische Handlungsanweisung formuliert, deckt es doch in aller nur wünschenswerten Klarheit auf, *warum* das durch das eschatologische Geschehen ermöglichte Handeln nicht in das Belieben des Menschen gestellt, sondern selbst ein *unbedingt gesolltes Handeln* ist (vgl. V. 33). Dabei geht es weniger um die Erfüllung moralischer Pflichten als um die Annahme oder Ablehnung des göttlichen Erwählungshandelns selbst, das nicht passiv hingenommen werden kann, sondern aktiv in mitmenschlicher Praxis beantwortet werden muß. Gerade so wird das Geschehen des Erbarmens zum Ereignis für den davon Betroffenen. Der Knecht, der seinem Mitknecht kein Erbarmen gewährt (V. 30), hat dieses Geschehen des Erbarmens verfehlt. Er hat es zwar in Anspruch genommen, sich aber nicht darauf eingelassen. Es hat ihn nicht erfaßt, ihn nicht verändert, sich nicht in ihm wirklich ereignet. Deshalb steht er am Ende genau wieder dort, wo er am Anfang gestanden hat: außerhalb des Geschehens der Barmherzigkeit, in der Ordnung des Rechts und damit in der Verhaftung seiner Schuld (vgl. V. 34 mit VV. 24f).

Gottes eschatologische Zuwendung hebt alle Grenzen auf, welche die Hinwendung zum Mitmenschen vom Kalkül menschlich gesetzter Bedingungen und Voraussetzungen abhängig machen. Unter dieser göttlichen Prämisse duldet die Hinwendung zum Mitmenschen weder Grenzen, die der Mitmensch – sei es aktiv durch seine Feindschaft, sei es passiv durch sein Verschuldetsein – setzt, noch Grenzen, die der zur Hinwendung Herausgeforderte selber zieht oder durch eine vorgegebene Rechtsordnung meint in Anspruch nehmen zu können.

Im Sinne solcher Grenzüberschreitung ist es daher durchaus sachgemäß, daß der Evangelist Matthäus die Frage des Petrus nach einer *numerischen Begrenzung der Vergebung* ablehnt und unbegrenzte Vergebungsbereitschaft fordert (Mt 18,21f).

---

[114] Zu Analyse und Interpretation vgl. *E. Linnemann*, Gleichnisse 111–119; *A. Weiser*, Knechtsgleichnisse 75–104; *Fiedler*, Jesus 195–204; *Merklein*, Gottesherrschaft 237–242.

Um eine Grenzüberschreitung geht es auch dem *Gleichnis vom barmherzigen Samariter Lk 10,30–35(.36f),*[115] mit dem Jesus seine Volksgenossen zu bewegen sucht, von einem konkreten und akuten Feindbild als Vorgabe des Handelns abzulassen. Die Erzählung ist eine werbende Konkretisierung der imperativischen Formulierung der Feindesliebe in Mt 5,44 par.

3.2 Jesu Weisung zur Überwindung gegnerischer Aggressivität

Im Kontext der matthäischen Bergpredigt ist die aus Q stammende Weisung *Mt 5,39b.40 par Lk 6,29* als Anti-These dem alttestamentlichen Talionsgrundsatz „Auge um Auge, Zahn um Zahn" (Ex 21,24; Dtn 19,21; Lev 24,20) gegenübergestellt. Ursprünglich dürfte der Doppelspruch, der gattungsmäßig weisheitlichen Mahnsprüchen näher steht als Gesetzesworten oder Rechtssätzen,[116] jedoch kaum auf eine Interpretation oder gar Aufhebung des Talionsgrundsatzes abzielen.[117] Doch ist die matthäische Rezeption wenigstens insofern sachgerecht, als derjenige, der von der Paradoxie des Doppelspruches betroffen ist, die Talionsregel kaum mehr zur Richtschnur seines Handelns machen kann. Für die weitere Betrachtung kann von folgendem Wortlaut ausgegangen werden:[118]

V. 39b Dem, der dich auf die rechte Wange schlägt,
      halt auch die andere hin.
V. 40 Und dem, der mit dir prozessieren
      und dein Hemd nehmen will,
      dem laß auch den Mantel.

An frühjüdischem Vergleichsmaterial fehlt es nicht.[119] Doch liegt dieses eher auf der Linie von Mt 5,39a und will den Verzicht auf Vergeltung einschärfen. Davon hebt sich der Doppelspruch insbesondere in seiner

---

[115] Die VV. 36f sind wohl anläßlich der Verbindung mit Lk 10, 25–28(.29) hinzugekommen; vgl. *Bultmann,* Geschichte 192.

[116] Vgl. *Zeller,* Mahnsprüche 56.

[117] Gegen *Kümmel,* Jesus 31; *Braun,* Radikalismus II 97 Anm. 1; *Hübner,* Gesetz 95.226.230f.

[118] Zur Rekonstruktion vgl. *Schulz,* Q 121–123; *Polag,* Fragmenta 34; *Merklein,* Gottesherrschaft 269f. Verszählung nach Mt.

[119] Vgl. Bill. I 341–343; *Percy,* Botschaft 150–152; *Nissen,* Gott 304–349; *Zeller,* Mahnsprüche 57f.

positiven Forderung ab (s.u.) und kann daher mit Fug und Recht als authentisches Jesuswort angesehen werden.[120]

Wie die Formulierung im Singular erkennen läßt, wendet sich der Doppelspruch an das Individuum und will sein Verhalten zu seinem persönlichen Gegner in akuter Situation beeinflussen.[121] Wie beim Gebot der Feindesliebe wäre es jedoch eine verfehlte Kasuistik, daraus eine exklusive individualethische Geltung ableiten zu wollen. Unterstrichen würde dies durch die Rezeption von Q, sofern es zutrifft, daß sich die Q-Gemeinde durch Lk 6,20–49 par zu einer antizelotischen Stellungnahme gedrängt sah.[122] Auf einen ähnlichen Interpretationsrahmen könnte der bei Matthäus sekundär angehängte V. 41 hindeuten.[123]

Inhaltlich setzt der Doppelspruch die Situation des Angegriffenen voraus. Im ersten Fall geschieht der Angriff durch brachiale Gewalt, im zweiten durch gerichtliche Klage. In beiden Fällen ist es das gute Recht des Angegriffenen, sich des Angriffs zu erwehren. Das Wort Jesu aber fordert den Angegriffenen auf, sein Recht nicht in Anspruch zu nehmen und keinen Widerstand zu leisten. Schon deshalb wird man dem Wort Jesu nicht unterstellen dürfen, es ziele auf die Schaffung einer rechtlich verbindlichen Halacha und müsse wie ein Gesetz gehandhabt werden. Nicht neues Recht soll aufgerichtet, sondern im Gegenteil rein rechtliches Denken durch kreatives aggressionsabbauendes Handeln überwunden werden.

In diesem Zusammenhang ist zu beachten, daß Jesu Wort weit mehr verlangt als einen bloßen Verzicht auf Widerstand.[124] Man soll nicht nur nicht zurückschlagen, sondern auch noch die andere Wange hinhalten! Man soll nicht nur auf einen Prozeß verzichten, sondern auch noch den nicht eingeklagten Mantel dazugeben! Es geht Jesus also um ein positives Eingehen auf den Angreifer. Seine Aggressivität soll unterlaufen und ihm so die Möglichkeit eröffnet werden, die Ebene der Konfrontation zu verlassen und seine feindschaftliche Mentalität aufzugeben. Daß man zur Schaffung dieser Möglichkeit nichts unversucht lassen darf, zeigen die konkreten Umstände, die das Wort Jesu anspricht. Der Schlag auf die rechte Wange galt, da mit dem Handrücken ausgeführt, als besonders

---

[120] Vgl. *Bultmann*, Geschichte 110; *Braun*, Radikalismus II 97 Anm. 1; u.v.a.
[121] *Zeller*, aaO. 59.
[122] Vgl. *Hoffmann*, Studien 75f.309–311.325f.332f. /
[123] Vgl. *Hoffmann (–Eid)*, Jesus 158.
[124] Darauf macht *Hoffmann (–Eid)*, aaO. 159f, zu Recht aufmerksam; vgl. auch *ders.*, Eschatologie 133f.

entehrend.[125] Der Mantel, der freiwillig hergegeben werden soll, war nach jüdischem Recht praktisch unpfändbar.[126] Selbst ein erniedrigender Angriff (V. 39b) darf also nicht daran hindern, dem Angreifer eine neue, aggressionsfreie Möglichkeit der Begegnung zu schaffen; und dafür darf der Angegriffene selbst vor radikalen Möglichkeiten des Einsatzes (V. 40) nicht zurückschrecken. Letztlich handelt das Wort Jesu von der Kreativität dessen, der auch noch seinen Feind zu lieben vermag. Mit Recht ist daher der Doppelspruch als Konkretisierung der Weisung zur Feindesliebe anzusehen beziehungsweise – wie es *P. Hoffmann* ausdrückt – als „Übersetzung des Gebotes in konkretes Verhalten" zu werten.[127]

Eine direkte Begründung für dieses Verhalten wird nicht angegeben. „Daß die Nähe des von Jesus angekündigten Weltenrichters solches Dulden gebietet und durchträgt",[128] kann jedoch bestenfalls die negative Seite der Forderung Jesu, nämlich den Verzicht auf Widerstand, erklären. Für die positive Seite wird man, wie es sich auch aus sachlichen Gründen nahelegt, eine ähnliche Begründung wie bei der Weisung zur Feindesliebe voraussetzen müssen. Die Güte des eschatologisch handelnden Gottes schafft die Tat-Wirklichkeit, die es ermöglicht, sich durch keine Aggression selbst in die Gegenaggressivität abdrängen zu lassen; sie ermächtigt vielmehr dazu, selbst dem Angreifer in Liebe zu begegnen und ihm neue Möglichkeiten des Handelns zu eröffnen.

4. Abschließende Überlegungen

4.1 Der Vorrang mitmenschlichen Verhaltens

Es fällt auf, daß nahezu alle konkreten Weisungen Jesu auf das *mitmenschliche Verhalten* abzielen. Es fehlen ausdrückliche Anweisungen, die sich auf das Studium der Tora oder die Observanz des Kultes beziehen. Daraus wird man kaum eine prinzipielle Ablehnung der Tora oder des Kultes ableiten können. Das vorrangige Einschärfen unbedingter Mitmenschlichkeit könnte durchaus im Sinne prophetischer Kritik als Gegengewicht gegen eine nur äußerliche Kult- und Toraobservanz zu

---

[125] Der Schlag mit dem Handrücken wurde mit der doppelten Geldbuße geahndet; vgl. Bill. I 342f.
[126] Nach Ex 22,25f mußte der Mantel bei Sonnenuntergang wieder zurückgegeben werden; vgl. Bill. I 343f.
[127] *Hoffmann (–Eid)*, Jesus 156.
[128] *Zeller*, Mahnsprüche 59.

verstehen sein. In diesem Sinne hat die Q-Gemeinde (vgl. Lk 11,39–41.42.46 par Mt 23,25f.23.4), die markinische Tradition (vgl. Mk 7; 12,32–34) und insbesondere das Matthäusevangelium (vgl. neben Mt 23 noch Mt 9,13; 12,5–7) die Weisungen Jesu gedeutet.

Vielleicht aber muß man für Jesus selbst, der das Verhältnis seiner Weisungen zu Kult und Tora allerdings kaum grundsätzlich reflektiert haben dürfte, noch einen Schritt weitergehen. Es ist immerhin denkbar, daß der Verzicht Jesu, Israel auf den Weg des Toragehorsams (im Sinne einer auf den Wortlaut der Tora fixierten Erfüllung) zurückzubringen oder es als reine Kultgemeinde zu restituieren, mit der „anthropologischen" Prämisse seiner Verkündigung zusammenhängt. Wenn das vorfindliche Israel ein einziges Unheilskollektiv darstellt, welches das Recht verloren hat, sich für ein künftiges Heil auf früheres Erwählungshandeln Gottes zu berufen, dann kann ihm in der Tat auch Toragehorsam und Kultobservanz nicht mehr helfen. Seine einzige Heilsmöglichkeit liegt vielmehr in der Annahme des von Jesus proklamierten und repräsentierten eschatologischen Erwählungshandelns Gottes, und das heißt praktisch, in einem Tun, das der damit geschaffenen und ermöglichten Tat-Wirklichkeit entspricht, die unmittelbar den Willen Gottes aufdeckt.[129] Eine solche Sicht wertet Kult und Tora nur scheinbar ab. Denn das darin beschlossene negative Urteil trifft nicht Tora und Kult als solche, sondern ausschließlich das vor-findliche *Israel* selbst, das sich auf Kult und Tora stützen zu können meint und damit seine wahre Situation verkennt. Weder bestreitet dieses Urteil der Tora, Äußerung des Gotteswillens zu sein, oder dem Kult, göttliche Setzung zu sein, noch beinhaltet es eine grundsätzliche Ablehnung von Tora und Kult, noch behauptet es, daß das Tun der Tora und der Vollzug des Kultes schlecht oder von jetzt an nicht mehr erforderlich seien. Aber eine positive und für Israel heilsrelevante Funktion kann der Tora und dem Kult nach Meinung Jesu wohl nur dann zukommen, wenn ihr Tun beziehungsweise sein Vollzug im Rahmen einer Antwort auf das gegenwärtige Erwählungshandeln Gottes geschieht, nicht aber, wenn Tora und Kult als Instanz und Möglichkeit des Heils *gegen* Gottes eschatologisches Heilshandeln beansprucht werden. Dabei wird man davon ausgehen müssen, daß Jesus sich nahezu ständig solchen Ansprüchen bestimmter Gruppen gegenübergestellt sah, welche Tora (vgl. Pharisäer) und/oder Kult (vgl. Sadduzäer) als die auch weiter-

---

[129] Positiv kommt dies in dem sog. Stürmerspruch zum Ausdruck, dessen Authentizität allerdings unsicher bleiben muß (vgl. dazu *Merklein*, Gottesherrschaft 80–90).

hin ausreichenden Heilsmittel Israels ansahen und gerade deswegen der Heilsverkündigung Jesu skeptisch oder ablehnend begegneten. Vielleicht erklärt dieses Spannungsfeld die Zurückhaltung Jesu bezüglich positiver Weisungen zu Kult und Tora und seine Bevorzugung des mitmenschlichen Bereiches als des eigentlichen Feldes, wo die Entscheidung für Gottes Erwählungshandeln zu fallen hat.[130]

Andererseits scheute Jesus nicht die Auseinandersetzung. Wo Tora und Kult als Instanz gegen die Geltung seiner Verkündigung aufgebracht wurden, schreckte er auch vor heftiger Polemik nicht zurück, nicht gegen Tora und Kult als solche, wohl aber gegen das sie derart qualifizierende Verständnis. Für den Bereich des Kultes ist auf die Ausführungen des folgenden Kapitels zu verweisen, für den Bereich der Tora ist vor allem an Aussagen wie Mk 7,15, Mt 5,32* oder Mt 5,21 f*.27f* zu erinnern.

4.2 Doppeltes Ethos?

Die früher (vor allem katholischerseits) vertretene Auffassung, die radikalen Forderungen der Bergpredigt richteten sich nur an besonders Berufene (Stand der Vollkommenheit), dürfte zumindest im Bereich der wissenschaftlichen Exegese überwunden sein.[131] Der Gedanke eines doppelten Ethos ist jedoch in der neueren Forschung – nun unter soziologischer Fragestellung – wieder lebendig geworden. So unterscheidet zum Beispiel G. *Theißen* für die Jesusbewegung „ein abgestuftes Ethos für Wandercharismatiker und ortsansässige Sympathisanten."[132] Diese Sicht ist, gemessen an der faktischen soziologischen Struktur, zweifellos richtig, theologisch meines Erachtens aber nicht ungefährlich, wenn die theologische Basis dieses „abgestuften Ethos" nicht genügend bedacht wird.

Richtig ist, daß es im palästinisch-syrischen Urchristentum Wanderprediger gegeben hat, die um der Verkündigung der Botschaft Jesu willen ihre „bürgerliche" Existenz aufgegeben hatten und nun von Ort zu Ort zogen, um diese Botschaft auszurichten. Wirkungsgeschichtlich ist dies eine Folge der Aussendung von „Jüngern" durch Jesus selbst.[133] Anders als in

---

[130] Zu einseitig urteilt dagegen m.E. *U. Luz*, Erwägungen 123: „Es gibt keinen anderen Raum abgesehen von den zwischenmenschlichen Beziehungen, der für die Erfüllung des Willens Gottes vorbehalten sein könnte . . ."

[131] Zur Sache vgl. *R. Schnackenburg*, Bergpredigt 41–43.

[132] Soziologie 23.

[133] Zu Jüngerschaft und Nachfolge vgl. bes. *M. Hengel*, Nachfolge; s. auch *H. Merklein*, Jüngerkreis; *M. Pesce*, Discepolato.

der späteren Gemeinde, wo die „Jünger" zum Bild für die Gemeinde wurden und „Nachfolgen" mit „Glauben" identifiziert wurde, hat man sich auf der Ebene des historischen Jesus unter den „Jüngern" eine speziell ausgewählte Gruppe von Menschen vorzustellen, die Jesus „nachfolgten", das heißt konkret, mit Jesus durch das Land zogen.[134] Von diesen „Jüngern" verlangte Jesus tatsächlich die Bereitschaft zu einem außergewöhnlichen Verhalten, dessen Besonderheit durch die spezifischen Erfordernisse des Wanderlebens (und nicht etwa durch eine rigorose Moral oder Aszese) geprägt war. Der Jünger mußte seine Heimat verlassen (vgl. Lk 9,58 par Mt 8,20; Mk 1,16–20), sich von seinem Besitz trennen (vgl. Mk 10,17–22; Mk 6,8f; Lk 10,4 par Mt 10,9f), die Bindung an seine Familie aufgeben und gegebenenfalls sogar den Bruch mit ihr riskieren (vgl. Lk 14,26 par Mt 10,37). Vielleicht hat Jesus auch Martyriumsbereitschaft gefordert (vgl. Lk 14,27 par Mt 10,38; Mk 8,34). Am nachdrücklichsten dürfte die ganze Radikalität dieses „Nachfolgeethos" in Mt 8,21f par Lk 9,59f eingefangen sein. Dem Wunsch eines grundsätzlich Nachfolgewilligen, zuvor noch seinen Vater bestatten zu dürfen, widerspricht Jesus mit dem harten Wort: „Folge mir und laß die Toten ihre Toten begraben". *M. Hengel* hat diesem Wort eine eindringliche Studie gewidmet und dabei herausgestellt, daß es vom Nachfolgenden verlangt, sich über die vom vierten Gebot geforderte Sohnespflicht, die im Zentrum der jüdischen Frömmigkeit stehenden „Liebeswerke" und die nach antikem Empfinden streng geachtete Pietätspflicht hinwegzusetzen.[135] An eine Aufhebung der Tora oder des vierten Dekaloggebotes wird Jesus allerdings nicht gedacht haben. Der Ruf in die Nachfolge hatte den Zweck, Menschen für die Teilnahme an Jesu eigener Sendung zu gewinnen; sie sollten das Geschehen der Gottesherrschaft verkünden und das eschatologische Erwählungshandeln Gottes an Israel promulgieren (Lk 10,9 par Mt 10,7f; Mk 1,17).[136] Und dort, wo es um die Durchsetzung von Gottes Herrscherrecht, also letztlich um seine Alleinigkeit und Einzigkeit, geht, hat selbstverständlich alles andere hintanzustehen. Ein solches Handeln entspricht dem Grundbekenntnis Israels, dem Schᵉma (Dtn 6,4f), das täglich rezitiert wurde,[137] und steht somit grundsätzlich auf dem Boden der Tora. Im übrigen hatten auch die Zeloten mit Verweis auf die

---

[134] Griech. ,akolouthein' = hebr. ,hālak 'aḥᵃrê' = „hinter (jemandem) hergehen".
[135] Nachfolge 9–17.
[136] Vgl. *Hengel*, aaO. 80–89.
[137] Übrigens zusammen mit dem Dekalog, der ebenfalls mit dem Verweis auf die Einzigkeit Jahwes beginnt.

Einzigkeit Gottes (1. Gebot!) ähnlich radikale Nachfolgeforderungen erhoben wie Jesus.[138] Man hat aus dieser Parallelität schon geschlossen, daß Jesu Nachfolgeforderungen ebenfalls als Radikalisierung der Tora zu werten seien.[139] Diese Charakterisierung ist aber schon deswegen unsachgemäß, weil eine etwa aus dem 1. Gebot oder Dtn 6,4f verschärfend abgeleitete Nachfolgeforderung – als Forderung der Tora – nur prinzipiell sein könnte, also – wie es bei den Zeloten tatsächlich der Fall war – Israel insgesamt, und nicht nur – wie im Ruf Jesu – diesen und jenen in Israel anfordern würde. Nicht ein Gebot oder Satz der Tora wird in Jesu Nachfolgeruf verschärft; in ihm trifft vielmehr das von Jesus repräsentierte Geschehen der Gottesherrschaft auf konkrete Menschen, die, es verkündigend, in dieses Geschehen eintreten sollen. Die Autorität, welche die Radikalität der Nachfolge begründet, ist daher letztlich Jesus selbst, oder – sachlich ausgedrückt – das gegenwärtige Geschehen der Gottesherrschaft, das Jesus repräsentiert.

Damit läßt sich das Verhältnis von „Jüngerethos" und „allgemeinem Ethos" auch theologisch näher erklären. Vom Phänomen her ist ein spezifisches „Jüngerethos" nicht zu bestreiten. Es gewinnt seine Konturen durch den besonderen Bezug zum Geschehen der Gottesherrschaft, in den die Jünger als (Mit-)Verkündiger dieses Geschehens durch den Ruf Jesu hineingestellt werden. Dieser Bezug zur Gottesherrschaft macht aber auch deutlich, daß das „Jüngerethos" im Prinzip keiner anderen Logik gehorcht als das „allgemeine Ethos", das ebenfalls entschlossenes Sicheinlassen auf das Geschehen der Gottesherrschaft und die dadurch ermöglichte und geschaffene Tat-Wirklichkeit einfordert. „Jüngerethos" und „allgemeines Ethos" haben daher die gleiche theologische Basis, sind nur spezifische Konkretionen ein und desselben Ethos, das sich als Tat-Antwort auf das gegenwärtige eschatologische Erwählungshandeln bestimmen läßt und seine Spezifizierung durch den je konkreten Anspruch erhält, mit dem das Geschehen der Gottesherrschaft auf den einzelnen trifft. Das „Jüngerethos" ist daher kein Sonderethos, sondern nur ein konkreter Spezialfall des „allgemeinen Ethos".

Bestätigt wird dies durch synoptische Tradition, welche die Nachfolgeforderungen nicht als Sonderethos, sondern als Paradigmen des Glaubens für die Gemeinde überliefert. Dies bedeutet: Was vom Jünger in seiner konkreten Situation als Verkündiger der Gottesherrschaft verlangt ist, kann in bestimmten Situationen auch für die „Sympathisanten" akut

---

[138] Vgl. *Hengel*, Nachfolge 23–27; *ders.*, Zeloten 93–114.
[139] Vgl. *Schulz*, Q 441f; *Braun*, Radikalismus II passim; s. auch oben Anm. 35.

werden, nämlich dann, wenn die allgemein geforderte entschiedene Ausrichtung auf das Geschehen der Gottesherrschaft zum Konflikt mit bisherigen gesellschaftlichen Normen führt.

Man sollte daher mit der Rede von einem doppelten Ethos sehr vorsichtig umgehen und sie, wenn überhaupt, nur sehr differenziert gebrauchen, zumal die Erkenntnis von der gemeinsamen theologischen Basis erst den tieferen Charakter und das eigentliche Anliegen auch der allgemeinen Weisungen Jesu schlaglichtartig erhellen kann. Gerade heute besteht die Gefahr, aus den Weisungen Jesu nichts anderes als die Forderung purer Mitmenschlichkeit zu hören. Die harten Nachfolgeforderungen, die in konkreter Situation auch mitmenschliche Rücksichtslosigkeit gebieten können, vermögen deutlich zu machen, daß Jesus auch mit seinen allgemeinen Weisungen nicht auf Mitmenschlichkeit im Sinne einer säkularen Humanität abzielt. Letztlich geht es Jesus nicht um eine „Selbstverwirklichung" des Menschen, sondern um Gott und seine Herrschaft, und das bedeutet im Blick auf den Menschen, um die rechte *Antwort* auf *Gottes* eschatologisches Handeln, durch die es erst dem Menschen ermöglicht wird, zum wahren Mensch-sein – als Geschöpf und Erwählter Gottes – zu gelangen.

VII. Die Gottesherrschaft und der Tod Jesu

Weit mehr noch als im Falle der Botschaft Jesu bewegt sich eine Untersuchung der Ereignisse, die unmittelbar mit Jesu Tod in Zusammenhang stehen, im Bereich des Hypothetischen. Dies gilt auch für die folgenden Ausführungen, die zudem – schon aus Raumgründen – auf detaillierte Auseinandersetzung mit anderen, wohl nicht weniger hypothetischen Meinungen verzichten müssen. Im Rahmen der vorliegenden Untersuchung sind vor allem zwei Fragen zu behandeln: 1. Steht Jesu Tod in irgendeinem Zusammenhang mit seiner Botschaft von der Gottesherrschaft? 2. Wie hat Jesus selbst seinen Tod verstanden oder gedeutet?

1. Wie kam es zum Tode Jesu?

Sicher ist, daß Jesus durch die Römer den Kreuzestod erlitten hat, und zwar, wie schon der historisch wohl zutreffende titulus crucis bestätigt (Mk 15,26), auf Grund „messianischer" Anschuldigungen, die von jüdischer Seite gegen ihn erhoben worden waren. Weit weniger sicher ist aber schon, ob diese Anschuldigungen in einem formellen Gerichtsverfahren des gesamten Synhedriums[1] oder lediglich durch eine Untersuchung festgestellt wurden, die von führenden Leuten der sadduzäischen Priester-

---

[1] So nach der Darstellung der Synoptiker (Mk 14,53–65; 15,1 par). Die Problematik ist bekannt. Geht man von der historischen Glaubwürdigkeit der mk Darstellung aus, so muß man, um die Widersprüche zum *mischnischen* Strafrecht aufzufangen, postulieren, daß Jesus nach *sadduzäischem* Recht verurteilt wurde (so: *J. Blinzler*, Prozeß 137–244, bes. 227). Nimmt man dagegen an, „daß die wesentlichen Grundgesetze zur Erhaltung des Staates und seiner Religion stets gemeinsam (d. h. von Sadduzäern *und* Pharisäern; Anm. d. Verf.) vertreten" wurden (*A. Strobel*, Stunde 54), so muß man im Falle des Prozesses Jesu mit einem „Kriminalfall nichtdurchschnittlicher Art" (*Strobel*, aaO. 48), d. h. mit einem „religiösen Spezialvergehen" (vgl. ebd. 55–61.81–86), rechnen und überdies, was das nächtliche Verhör Jesu betrifft, den höheren Geschichtswert der lk Version bzw. Tradition (vgl. bes. Lk 22,54 diff Mk 14,53) favorisieren (ebd. 14–18). Das eigentliche Problem liegt m.E. in der mangelnden methodischen Eindeutigkeit der literarkritischen und traditionsgeschichtlichen Analysen der Passionsüberlieferung, was durch die abweichenden Ergebnisse jüngerer Arbeiten nur unterstrichen wird.

aristokratie, den „Hohenpriestern" unserer Evangelien,[2] durchgeführt wurde.[3] Völlig unsicher, wenn nicht unwahrscheinlich, muß es bleiben, daß in einem (wie immer gearteten) jüdischen Verfahren gegen Jesus die „Messias"- oder „Sohn Gottes"-Prädikation von ausschlaggebender Bedeutung gewesen sein soll.[4] Die entsprechende Frage des Hohenpriesters in Mk 14,61 par wirkt fast wie ein deus ex machina, wenn man berücksichtigt, daß nach synoptischer Darstellung ein ausdrücklicher Messiasanspruch Jesu weder in den Auseinandersetzungen mit seinen Gegnern noch als Verhaftungsgrund eine unmittelbare Rolle gespielt hat. Allerdings muß das Verfahren Jesu einen Anlaß gehabt haben, der es letztlich ermöglichte, Jesus als Messiasprätendenten den Römern zu überstellen.[5] Vielleicht war die jüdische Behörde der Überzeugung, daß Jesus als „Verführer" einzustufen sei.[6] Nur wird man als Grund für diese Einschätzung kaum ein schon frühzeitig erwachtes Mißtrauen gegen „Jesu Wirken . . . von seiten der offiziellen Kreise" in Anschlag bringen können.[7] Auch ist der Vorwurf der „Blasphemie" (Mk 14,64)[8] – abgesehen davon, daß man über seinen historischen Wert streiten kann – bestenfalls eine juristische Schlußfolgerung, die erst im Verfahrensverlauf gezogen werden konnte, nicht aber der Grund und Anlaß des Verfahrens überhaupt. Um so wichtiger ist es, nach einem *unmittelbaren konkreten Anlaß* für das Verfahren gegen Jesus zu fragen. Er muß von solcher Art gewesen sein, daß er den „Hohenpriestern" einen wichtigen und nach ihrer Überzeugung vielleicht sogar legitimen Grund lieferte, um in einer

---

[2] Dazu gehören neben dem amtierenden Hohenpriester noch dessen Vorgänger und fünf weitere Oberpriester, von denen der Tempeloberst, der den Kult und die diensttuende Priesterschaft beaufsichtigte und im Tempel die oberste Polizeigewalt innehatte, die wichtigste Funktion ausübte; vgl. *Blinzler*, aaO. 140–142.

[3] So nach Joh 18,12–14.19–24. Die These, daß der mk Darstellung der Verhandlung vor dem Synhedrium kein Geschichtswert beizumessen sei, wurde insbesondere von *H. Lietzmann*, Prozeß 254–260, vertreten und dann von *P. Winter*, Trial 27–43, aufgegriffen, der eine verantwortliche Beteiligung der jüdischen Seite überhaupt zurückdrängen möchte (vgl. aaO. 60–69.192.204 f.passim).

[4] Diese in der kritischen Forschung fast zum Konsens gewordene Auffassung wird neuerdings jedoch wieder bestritten; vgl. *Pesch*, Mk II 436–439.442 f; *Strobel*, aaO. 69–71; *O. Betz*, Probleme 633–637.

[5] Von daher hat die christliche Darstellung in Mk 14,61 f auch ihr rezeptionsgeschichtliches Recht.

[6] Vgl. *Strobel*, aaO. 81–86; zur politischen Relevanz: ebd. 116 f.

[7] So *Strobel*, aaO. 86 (mit Verweis auf Mk 3,6; vgl. dagegen jedoch *L. Oberlinner*, Todeserwartung 67–79).

[8] Vgl. *Strobel*, aaO. 92–94.

äußerst rigorosen Weise gegen Jesus vorzugehen, die in ihrer Konsequenz letztlich auf den Tod Jesu hinauslief.

Folgt man der Darstellung des Markusevangeliums, so hat der Plan, Jesus zu beseitigen, in der sogenannten *Tempelreinigung* seinen entscheidenden Grund und Anlaß (Mk 11,15–19; besonders V. 18). Grundsätzlich ist diese Nachricht durchaus glaubwürdig, wenngleich die verwickelte Traditionsgeschichte der Perikope (vgl. Joh 2,13–17) einer historischen Auswertung erhebliche Widerstände entgegensetzt.[9] Es besteht jedoch kein Grund, die Historizität einer Aktion Jesu im Tempelbereich gänzlich zu bezweifeln. Man wird dabei kaum an eine umfängliche Räumung des gesamten Vorhofs der Heiden, in dem Geldwechsler und Taubenhändler ihren Standort hatten,[10] sondern eher an eine begrenzte exemplarische Aktion zu denken haben.[11] Daß diese Aktion „nur" der Wiederherstellung der Heiligkeit des Tempels dienen sollte, wie man es aus Mk 11,17 und Joh 2,16 folgern könnte,[12] ist wenig wahrscheinlich. Abgesehen davon, daß der Vorhof der Heiden (!) nicht zum eigentlich heiligen Bezirk zählte, war der Verkauf von Opfertieren und das Geldwechseln im Bereich des Tempels und unter Aufsicht der Tempelbehörde einem geordneten Kultbetrieb eher förderlich als hinderlich.[13] Die Aktion Jesu mußte daher zumindest von der sadduzäischen Tempelbehörde nicht nur als „Tempel*reinigung*", sondern als Affront gegen die Sinnhaftigkeit des Kultbetriebes überhaupt gewertet werden; und wahrscheinlich war sie von Jesus selbst auch so gemeint.

Indirekt bestätigt wird dies durch das sogenannte *Tempellogion*, das nach der markinischen Darstellung auch im Prozeß Jesu eine Rolle spielte (Mk 14,58; vgl. Mk 15,29). Daß dieses Wort bereits von den urchristlichen Gemeinden als schwierig empfunden wurde, zeigt die je unterschiedliche Akzentuierung, die es in der Überlieferung erhalten hat (vgl. Mt 26,61; 27,39f; Joh 2,19; Apg 6,13f). Daß man dennoch hartnäckig

---

[9] Zur Analyse vgl. *F. Schnider – W. Stenger*, Johannes 26–53; *J. Roloff*, Kerygma 89–110; und jetzt bes. *M. Trautmann*, Handlungen 78–131 (Lit.), die Mk 11,15 für das älteste (und authentische) Traditionsstück hält (aaO. 107–109.114–118).

[10] Näherhin wird man an die „Königshalle" zu denken haben; vgl. *Trautmann*, aaO. 115.

[11] Vgl. *E. Schweizer*, Mk 131; *J. Becker*, Joh I 123f; *Trautmann*, aaO. 118f.

[12] Vgl. dazu jedoch *Trautmann*, aaO. 87–90.91–93.104f.

[13] Der Geldwechsel war nötig, weil die Tempelsteuer nur in tyrischer Währung entrichtet werden konnte (vgl. *Trautmann*, aaO. 115f). Für die Opfertiere entfiel damit das Problem evtl. ritueller Untauglichkeit (vgl. *Becker*, aaO. 123).

daran festgehalten hat, läßt kaum einen Zweifel an seiner Authentizität,[14] wenngleich sein ursprünglicher Wortlaut kaum mehr rekonstruierbar sein dürfte. In jedem Fall handelt es sich um ein kritisches Wort gegen den bestehenden Tempel, wobei es dahingestellt bleiben mag, ob es ursprünglich als reines Gerichtswort, welches das Ende des bestehenden Tempels androhte, gemeint war, oder ob es darüber hinaus schon den eschatologisch neuen Tempel, in dem der Herr selbst thront (vgl. Ez 40–48; Hag 2,7–9; Tob 13,15f; äthHen 90,28f; u.ö.), ankündigen wollte.[15] Ernsthaft zu erwägen bleibt, ob dieses Tempellogion nicht in den ursprünglichen Überlieferungszusammenhang der sogenannten Tempelreinigung gehörte.[16] In jedem Fall muß es seinen historischen Ort im oder am Tempel in Jerusalem gehabt haben,[17] so daß es zeitlich und sachlich in den weiteren Kontext der Tempelaktion Jesu gehört.

Wenn diese Erwägungen richtig sind, ist ein *hinreichender Grund und Anlaß* für das Vorgehen der Tempelbehörde gegen Jesus gefunden.[18] Auf öffentliche Reden und Aktionen, die gegen den Tempel und den Kult gerichtet waren, mußte die sadduzäische Priesteraristokratie höchst empfindsam reagieren,[19] weil damit nicht nur ihre wirtschaftliche Existenzgrundlage getroffen, sondern auch die theologische Basis Israels selbst in Frage gestellt war, dessen Heil nach sadduzäischer Auffassung durch den Kult (Sühne!) gewährleistet wurde. Da zugleich die Römer ein Interesse an der Aufrechterhaltung der von ihnen sanktionierten tempelstaatlichen Ordnung hatten, konnte eine Provokation gegen den Tempel sehr leicht auch politische Relevanz bekommen. Zumindest läßt sich von daher die Überstellung Jesu an die Römer und ihre politische (messianische) Begründung sehr gut verstehen.

Damit ist allerdings noch nicht geklärt, was *Jesus* mit seinem provozierenden Reden und Tun im Tempel intendierte. Noch in der Rezeption der Evangelien ist erkennbar, daß es eschatologisch motiviert und ausgerichtet gewesen sein dürfte. Ob das Vorgehen Jesu im Tempel und überhaupt

---

[14] Vgl. *Roloff,* Kerygma 104; *G. Theißen,* Tempelweissagung 142–144; *Trautmann,* aaO. 123f; *Oberlinner,* Todeserwartung 125–127.

[15] Vgl. dazu *Trautmann,* aaO. 124.

[16] *Schweizer,* Mk 131; *K. Müller,* Jesus 13–15; *Theißen,* aaO. 144; *Trautmann,* aaO. 124. Vgl. auch Joh 2,13–17.18–22.

[17] Vgl. *Oberlinner,* Todeserwartung 125f.

[18] Siehe dazu bes. *Müller,* aaO. 15–20; *G. Baumbach,* Jesus 65–68; vgl. *H. Schürmann,* Tod 30.39f; *Trautmann,* aaO. 125f.

[19] Vgl. das Vorgehen gegen Jesus, den Sohn des Ananias, JosBell 6,300–305.

sein Wirken in Jerusalem durch die Erfahrung zunehmender Ablehnung seiner Botschaft von der Gottesherrschaft veranlaßt war („galiläische Krise")[20] oder einfach in der Konsequenz dieser seiner Botschaft und seiner Sendung lag, muß hier nicht erörtert werden. Daß Jesus nach Jerusalem hinaufgezogen sei, „einzig um dort zu sterben", um also die endzeitliche Drangsal an sich zu vollziehen und so das Kommen der Gottesherrschaft herbeizuzwingen,[21] ist wohl eine grandiose Überinterpretation. Richtig dürfte aber sein, „daß Jesus am Ende seines Wirkens nicht gedankenlos nach *Jerusalem* gezogen ist. Hier suchte er in der Tat ganz *bewußt* die Entscheidung."[22] Daß Jesus um die Gefährlichkeit dieses Unternehmens gewußt haben dürfte, kann man wohl auch ohne die kaum authentischen Leidensansagen (Mk 8,31; 9,31; 10,33f) annehmen. Dennoch bleibt festzuhalten: Jesus wollte „den Glauben ,provozieren', nicht seine Hinrichtung".[23]

Wie aber hat man sich die Entscheidung, die Jesus in Jerusalem suchte, näher vorzustellen? Zunächst wird man vermuten dürfen, daß schon der Wahl des Ortes zeichenhafte Bedeutung beizumessen ist. Wenn Jesus den Anspruch seiner Botschaft auf ganz Israel aufrechterhalten wollte, mußte er sie auch in Judäa und vor allem in Jerusalem, der heiligen Gottesstadt und dem traditionellen religiösen Zentrum Israels, ausrichten. Dort aber mußte sie fast zwangsläufig mit dem Tempel- und Kultverständnis insbesondere der sadduzäischen Priesterschaft in Kollision geraten, wobei durchaus mit in Rechnung zu stellen ist, daß eine Infragestellung der heiligen Kulttradition auch bei der breiten Masse des Volkes auf Unverständnis, wenn nicht Ablehnung, stoßen mußte.[24] Denn bei aller (soziologisch bedingten) Reserve gegen die herrschende Priesteraristokratie zweifelte die Mehrheit des Volkes grundsätzlich nicht daran, daß der Kult eine von Gott gegebene Sühne- und Heilsmöglichkeit für Israel darstellte. Auch Jesus wird man einen derartigen Zweifel prinzipieller Natur kaum unterstellen dürfen. Nicht der Kult als gottgesetzte Ordnung dürfte für ihn das Problem gewesen sein, sondern – ähnlich wie im Falle der Auseinandersetzung um die Tora – die Art und Weise, wie *Israel* diesen Kult für sich beanspruchte. Wenn Israel ein einziges Unheilskollektiv ist,

---

[20] So z. B. *F. Mußner*, Krise; vgl. jedoch *Oberlinner*, Todeserwartung 79–109.
[21] *A. Schweitzer*, Geschichte 442–445, hier 444f (zit. nach der Taschenbuchausgabe).
[22] *E. Gräßer*, Naherwartung 95.
[23] *Oberlinner*, Todeserwartung 129.
[24] Das betont *Theißen*, Tempelweissagung 158f, zu Recht; seine überwiegend ökonomische Begründung (aaO. 153–158) greift m.E. jedoch zu kurz.

dessen alleinige Heilsmöglichkeit in der Annahme des von Jesus repräsentierten eschatologischen Erwählungshandelns Gottes besteht, dann kann es nicht den Kult als Möglichkeit der Sühne *gegen* Gottes sündentilgendes Erwählungshandeln in Anspruch nehmen oder unter Berufung auf eine kultische Heilsmöglichkeit sich von der Entscheidung *für* das jetzt zu ergreifende Erwählungshandeln dispensieren. Um diese Entscheidung dürfte es Jesus bei seinem provozierenden Reden und Tun im Tempel gegangen sein. Dabei mag es auf sich beruhen, ob Jesus das Gericht Gottes über den bestehenden Tempel und den dort geübten Kult, der von Israel ohne Einsicht in seine wahre Situation beansprucht wurde, bereits als unausweichliches Faktum ankündigen beziehungsweise in prophetischer Handlung vorwegnehmen wollte oder ob er lediglich in prophetisch-drastischer Weise die Folgen vor Augen stellen wollte, die Israel zu gewärtigen hat, falls es seine Botschaft von der Gottesherrschaft brüsk ablehnt. Beides muß sich nicht widersprechen, sondern kann in prophetischer Sprechweise durchaus ineinanderfließen. In jedem Fall sind Tempelwort und Tempelaktion in erster Linie eine prinzipiell-theologische Provokation *Israels.* Seine wahre, auch durch Tempel und Kult nicht zu beschönigende und zu bewältigende Situation wollte Jesus aufdecken und Israel damit in harter und schmerzlicher Konfrontation vor die *jetzt* fällige Entscheidung für seine Botschaft von der Gottesherrschaft stellen.

Daß Jesus mit dieser Provokation Israels faktisch insbesondere die sadduzäische Hochpriesterschaft, die sich als Hüterin eines auf dem Kult beruhenden Israel verstand, an einem äußerst neuralgischen Punkt treffen mußte, wird er wohl geahnt haben. Daß die Situation für ihn bedrohlich wurde, mußte ihm spätestens dann klar werden, als er von höchst offizieller Seite wegen seiner Tempelaktion zur Rede gestellt wurde, wie man aus Mk 11,27b.28 vielleicht noch erschließen kann. Die Perikope von der Vollmachtsfrage (Mk 11,27b–33), die in ihrer jetzigen Form sicherlich Züge sekundärer Gestaltung aufweist, könnte ursprünglich mit der Tempelreinigung (Mk 11,15–18) eine Überlieferungseinheit gebildet haben (vgl. Joh 2,13–17.18–22).[25] Zumindest würde sich unter dieser Voraussetzung die durch Mk 11,27 (diff Mt und Lk!) ziemlich merkwürdig motivierte Frage „In welcher Vollmacht tust du dies?" (Mk 11,28) gut erklären. Auch der Verweis Jesu auf die Johannestaufe (Mk 11,30) wäre durch einen Zusammenhang mit der Aktion im Tempelvorhof sogar

---

[25] So z. B. *Schweizer,* Mk 135; *Schnider-Stenger,* Johannes 29 f; *Roloff,* Kerygma 91–94; *Trautmann,* Handlungen 109 f (Lit.); vgl. *Bultmann,* Geschichte 18 f.232 f.

inhaltlich bestens motiviert. Wenn es richtig ist, daß es Jesus dabei darum ging, die Nutzlosigkeit und Vergeblichkeit eines Kultes herauszustellen, der von einem Unheilskollektiv vollzogen wurde und diesem nur zur Ablenkung von der allein noch heilsamen Entscheidung diente, dann war es nur sachgerecht, wenn Jesus zur Legitimation seiner Handlungsweise auf Johannes zurückgriff, mit dem er die „anthropologische" Prämisse von der totalen Gerichtsverfallenheit Israels teilte. Wer der Taufe des Johannes als von Gott gesetzter Möglichkeit, dem sonst sicheren Gericht zu entrinnen, die Anerkennung verweigerte, von dem war kaum zu erwarten, daß er die Botschaft Jesu vom eschatologischen Erwählungshandeln Gottes für existentiell und theologisch not-wendig hielt, weil er ja schon die Voraussetzung dafür, nämlich die totale Gerichtsverfallenheit Israels, mit der Ablehnung der Johannestaufe geleugnet hatte. Wer sich weigerte, diese Vorentscheidung zu hinterfragen, für den war ein Zweifel an der Wirksamkeit des Kultes ebenso unangebracht wie ein Glaube an ein neues, den Kult überschreitendes Heilshandeln Gottes. Letztlich treffen hier zwei gegensätzliche Verständnisse von „Israel" aufeinander und – damit verbunden und sie begründend – zwei gegensätzliche Vorstellungen von Gott. Weil Israel und Gott dabei auf dem Spiel standen, mußte auch der Konflikt von beiden Seiten in tödlicher Unnachgiebigkeit ausgetragen werden.

2. Wie hat Jesus seinen Tod verstanden?

Wie immer die Ereignisse der letzten Tage Jesu in Jerusalem im einzelnen darzustellen und zu werten sind, in jedem Fall wird man davon auszugehen haben, daß Jesus in diesen Tagen die Möglichkeit oder sogar die Gewißheit seines Todes deutlich vor Augen getreten ist.[26] Dafür spricht nicht zuletzt das mit großer Mehrheit für authentisch gehaltene Wort Mk 14,25, das im Zusammenhang mit Jesu letztem Mahl überliefert wird und dort wohl auch seinen Ursprung hat.[27]

Unter diesem Gesichtspunkt ist eine weitere Frage in unsere Überlegungen miteinzubeziehen, nämlich die Frage nach der historischen Zuverlässigkeit der *Abendmahlsüberlieferung*. Die damit verbundenen Probleme sind vielfältig und können hier nicht näher diskutiert werden.[28] Doch sei

---

[26] Vgl. *Oberlinner*, Todeserwartung 134 f.
[27] Vgl. *Oberlinner*, aaO. 130–134 (Lit).
[28] Zum Stand der Diskussion vgl. *H. Feld*, Verständnis.

wenigstens auf einige Gesichtspunkte hingewiesen, die für unseren Zusammenhang relevant sind:

(a) Sachlich noch am wenigsten ins Gewicht fallen dürfte die *literarkritische* und *traditionsgeschichtliche* Frage, ob die markinische (Mk 14,22–24 par Mt 26,26–28) gegenüber der lukanisch-paulinischen Version (Lk 22,19f; 1 Kor 11,23–25) ursprünglicher ist oder umgekehrt, oder ob beide Versionen Elemente einer traditionsgeschichtlich erst zu erschließenden ursprünglicheren Fassung enthalten.[29] In jedem Fall ist deutlich, daß die Abendmahlsüberlieferung den Tod Jesu als Sühnegeschehen und Bundesstiftung gedeutet hat.

(b) *Formgeschichtlich* dürften die neutestamentlichen Abendmahlstexte durch die liturgische Praxis der sie gebrauchenden Gemeinden geprägt sein.[30] Manche Forscher meinen daher, daß man auf „die Frage nach den ipsissima verba" überhaupt verzichten müsse.[31] Dennoch wird man der Überlieferung wenigstens insoweit Glauben schenken dürfen, daß die Abendmahlstradition im letzten Mahl Jesu ihre Wurzeln hat.[32]

(c) Dann aber stellt sich die Frage, ob die mit ihr verbundenen theologischen *Motive* nicht doch bis auf Jesus zurückreichen können. Da das Bundesmotiv meines Erachtens doch unter dem starken Verdacht steht, der nachösterlichen Reflexion zu entstammen,[33] ist diese Frage besonders für das Sühnemotiv zu stellen. Dabei wird man mit der Mehrheit der Exegeten davon ausgehen müssen, daß die markinische Formulierung „für viele" (‚hyper pollōn' Mk 14,24) gegenüber der applizierenden Ver-

---

[29] Die Priorität der mk Abendmahlsworte wurde vor allem von *J. Jeremias*, Abendmahlsworte 132–195, vertreten; neuerdings wird sie mit Nachdruck von *R. Pesch* in mehreren Veröffentlichungen verfochten: vgl. bes. Abendmahl; Mk II 364–377. Zum gegensätzlichen Standpunkt vgl. u. a. *H. Schürmann*, Einsetzungsbericht, bes. 129–132; *P. Neuenzeit*, Herrenmahl 103–120. Meine eigene Auffassung habe ich dargestellt in: Erwägungen 89–99.

[30] Man spricht von „Kultanamnese", „Kultätiologie", „Kultlegende" oder einfach von „Kulttexten". Die von *Pesch*, Abendmahl 35–38, vorgenommene Qualifizierung der Mk-Tradition als „berichtende Erzählung" berücksichtigt m.E. zu wenig den auch in Erzählungen möglichen Einfluß der mündlichen (liturgischen) Tradition.

[31] So: *H. Patsch*, Abendmahl 89; vgl. *Oberlinner*, Todeserwartung 130f.

[32] *Merklein*, Erwägungen 100f.

[33] Zur näheren Begründung s. *Merklein*, aaO. 237f; vgl. *F. Hahn*, Verständnis 68f.

sion „für euch" in 1 Kor 11,24 und Lk 22,19.20 eine gewisse Priorität beanspruchen kann.[34] Nun spielt aber Jes 53,12, worauf die Wendung „für viele" zurückgreifen dürfte, im theologischen Denken des Frühjudentums kaum eine Rolle, und der allgemeine Gedanke eines stellvertretenden Sühnetodes[35] scheint eher im hellenistischen Judentum beheimatet zu sein.[36] Ist dann aber nicht damit zu rechnen, daß das Sühnemotiv in der Abendmahlsüberlieferung erst im Einflußbereich hellenistisch-judenchristlichen Denkens aufgekommen ist? Andererseits wird man angesichts der theologischen Kreativität Jesu zumindest nicht grundsätzlich die Möglichkeit einer Bezugnahme auf Jes 53 – noch dazu in außergewöhnlicher Situation – bestreiten dürfen, zumal die Verkündigung Jesu auch sonst (deutero-)jesajanische Einflüsse aufweist. Positiv könnte man dafür geltend machen, daß „im Rahmen des Schriftbeweises" der frühen christlichen Gemeinde „Jes 53 eine auffällig geringe Rolle" spielt.[37] Das Postulat einer Rückprojektion aus nachösterlicher Sicht ist daher mindestens ebenso schwierig wie das Postulat der Authentizität.[38]

(d) Letztlich spitzt sich das Problem auf die *theologische* Frage zu, ob und inwieweit die Vorstellung vom Sühnetod mit der sonstigen Verkündigung Jesu zusammenpaßt. Gerade wenn man Jesu Botschaft von der Gottesherrschaft nicht nur als Verheißung künftigen Heils, sondern als Proklamation eines bereits gegenwärtigen Heilsgeschehens versteht, und wenn dieses Heil von Gott Israel bedingungslos geschenkt werden soll beziehungsweise nur an die eine „Bedingung" gebunden ist, daß Israel Gottes Erwählungshandeln akzeptiert und sich davon erfassen läßt, wäre es dann nicht – so könnte man fragen – ein Widerspruch, wenn Jesus kurz vor seinem Tod dieses Heil nun doch an eine weitere „Bedingung", nämlich an sein stellvertretendes Sterben, gebunden hätte?[39] Würde dadurch das Heil der Gottesherrschaft, das er proklamiert hat, nicht relativiert und zu einem rein verbalen Geschehen, dem die letzte Effizienz fehlt, degradiert?

---

[34] Die gegenteilige Auffassung wird nur vereinzelt vertreten; vgl. z. B. *Schürmann*, Einsetzungsbericht 76 f; *Neuenzeit*, Herrenmahl 110 f.

[35] Vgl. dazu: *E. Lohse*, Märtyrer 64–110.

[36] Vgl. *Patsch*, Abendmahl 151–158; *K. Wengst*, Formeln 62–65; vgl. jedoch auch *M. Hengel*, Sühnetod 135–141.

[37] *Patsch*, aaO. 181 (vgl. 158–170).

[38] *Patsch*, aaO. 182: „Es muß ernsthaft damit gerechnet werden, daß es (= ‚für viele'; Anm. d. Verf.) von Jesus formuliert wurde." *Patsch* geht dabei allerdings von einer universalen Bedeutung aus (s. dazu unten).

[39] Vgl. *P. Fiedler*, Jesus 277–281; vgl. auch *A. Vögtle*, Jesus von Nazareth 21–24, der jedoch weit differenzierter argumentiert.

Die Frage, ob Jesus seinen Tod im Sinne stellvertretender Sühne gedeutet hat, läßt sich daher nur im Rahmen einer Verhältnisbestimmung von Botschaft und Tod Jesu beantworten. Dabei ist davon auszugehen, daß allein schon die Möglichkeit eines gewaltsamen Todes, die Jesus wenigstens in den letzten Tagen seines Jerusalemaufenthaltes vor Augen gestanden haben dürfte, ein ernstes theologisches Problem darstellte, da ein solcher Tod ja auch die Gültigkeit der Botschaft Jesu und die Legitimität seiner Sendung in Frage stellte. Jesus muß daher, sofern er sich einem möglichen gewaltsamen Geschick nicht durch Flucht entziehen wollte, zugleich eine Möglichkeit gesehen haben, diesen Tod als integralen Bestandteil des von ihm proklamierten und repräsentierten Geschehens der Gottesherrschaft zu begreifen.[40] Natürlich könnte man annehmen, daß Jesus so sehr von seiner Sendung als einem von Gott getragenen Geschehen überzeugt war, daß er sich mit der formalen Einsicht zufriedengab, daß auch sein Tod *„eine Möglichkeit dieses Wirkens Gottes"* sein müsse.[41] Dies würde zur Begründung einer Aussage wie Mk 14,25 notfalls genügen. Aber es fragt sich, ob ein solches Gottvertrauen menschlich überhaupt vollziehbar ist, wenn nicht wenigstens ein grundsätzliches Denkmodell dafür vorhanden ist, *wie* durch Gottes Wirken der Tod dessen, der das Geschehen der Gottesherrschaft bislang repräsentiert hat, nicht Ende, sondern geradezu Ereignis dieses Geschehens sein kann.

Die neutestamentlichen Abendmahlsüberlieferungen bieten ein solches Denkmodell in Gestalt des Sühnemotivs an, das nun auf eine mögliche Verankerung im historischen Kontext Jesu zu untersuchen ist. Das oben dargestellte theologische Problem erweist sich bei näherem Zusehen als Scheinproblem, wenn man den Sühnetod Jesu nicht als *zusätzlichen* Heilsfaktor zum Heil der Gottesherrschaft, sondern als Ereignis im Geschehen der Gottesherrschaft begreift. Dies legt sich auch durch die konkrete Formulierung des Sühnemotivs nahe. Die „Vielen", für die Jesu Tod Sühne schaffen soll, sind auf „die viele einzelne umfassende Gesamtheit der dem Gericht Gottes Verfallenen" zu beziehen.[42] Allerdings dürfte im frühjüdischen und jesuanischen Kontext kaum unmittelbar an die Gesamtheit der Völker,[43] sondern an die Gesamtheit Israels zu denken

---

[40] Vgl. dazu auch: *Schürmann*, Tod 41–46.
[41] *Oberlinner*, Todeserwartung 133.
[42] *J. Jeremias*, ThWNT VI 545,23 f.
[43] Gegen *Jeremias*, aaO. 540.545; *ders.*, Abendmahlsworte 171–174. Die universale Deutung ist von der überwiegenden Mehrheit der Forschung übernommen worden.

sein.[44] Die universale Bedeutsamkeit einer Sühne für Israel ist damit nicht ausgeschlossen, da die Verwirklichung des Heils in Israel die große Völkerwallfahrt zum Zion erwarten läßt.[45] Gerade der unmittelbare Bezug der „Vielen" auf Israel fügt sich in den Gesamtkontext der Botschaft Jesu und insbesondere in den situativen Kontext des Jerusalemer Konflikts adäquat ein. Die mit der Möglichkeit seines Todes sich abzeichnende definitive Verwerfung durch die offiziellen Repräsentanten Israels mußte Jesu Botschaft von dem auf *ganz* Israel abzielenden eschatologischen Erwählungshandeln Gottes weit mehr in Frage stellen als die Ablehnung durch viele einzelne, die Jesus wohl auch schon bisher erfahren hatte. Hinzu kommt, daß eine Beseitigung Jesu durch die offiziellen Vertreter des jüdischen Tempelstaates einerseits die Legitimität des von ihnen repräsentierten, von Jesus aber inkriminierten Kultbetriebes vor aller Öffentlichkeit nur bestätigen konnte, während andererseits der von Jesus dagegen aufgebrachte Entscheidungsruf offensichtlich ins Unrecht gesetzt wurde, so daß zu erwarten war, daß auch die große Mehrheit des Volkes weiterhin den bestehenden Kult als entscheidende Heilsmöglichkeit für Israel ansehen mußte. Nun hätte sich Jesus – so könnte man erwägen – in dieser Situatiuon mit der Einsicht zufriedengeben können, daß gemäß seiner zeichenhaften Aktion im Tempel diejenigen, welche am bestehenden Kult *gegen* die von ihm geforderte Heilsentscheidung festhielten, eben dem Gericht Gottes verfallen werden. Damit ist aber nur die eine Seite des involvierten theologischen Problems gelöst, sofern die anthropologische Konsequenz des abgelehnten göttlichen Heilshandelns festgestellt ist. Noch nicht beantwortet ist die eigentlich theo-logische Frage, ob nämlich durch die zwar partielle, aber in ihrer Auswirkung auf die Mehrheit des Volkes nicht minder repräsentative Ablehnung Jesu durch die Repräsentanten Israels das auf *ganz* Israel ausgerichtete Erwählungshandeln Gottes, wie es Jesus verkündete, in seiner Qualität als *göttliches* Geschehen nicht erheblich beeinträchtigt, wenn nicht – als *unwirksames* Geschehen – ad absurdum geführt wird. Der Sühnegedanke, der sich auch durch den situativen Kontext – den Streit um die Sinnhaftigkeit des bestehenden Kultes – nahelegte, bietet zumindest die Möglichkeit, der genannten theologischen Folgerung zu entgehen. Jesus hätte dann – wohl unter Rückgriff auf Jes 53 – beim letzten Mahl seinen (zu erwartenden) Tod als Sühne für Israel gedeutet, dessen mehrheitliche

---

[44] Vgl. dazu: *Pesch*, Mk II 360; *ders.*, Abendmahl 99 f; *G. Lohfink*, Wie hat Jesus 36 f.
[45] Siehe oben IV/1.2.

Ablehnung und dessen Beharren im vor-findlichen Unheilsstatus sich deutlich abzeichnete. Damit war sichergestellt, daß selbst die Verweigerung des Unheilskollektivs den eschatologischen Heilsentschluß Gottes nicht rückgängig machen und die Wirksamkeit des göttlichen Erwählungshandelns nicht in Frage stellen kann. Die Treue und Kontinuität des eschatologischen Handelns Gottes kommen selbst im Tode seines Repräsentanten und in der Ablehnung Israels nicht zum Erliegen. Das eschatologische Handeln Gottes erweist sich vielmehr gerade in ihnen als wirksames *Heilshandeln,* indem Gott durch den Tod Jesu Sühne schafft für das Unheilskollektiv, das sich dem Heilshandeln Gottes verweigert. Israel bleibt weiterhin Adressat und Objekt göttlichen Heilshandelns. Jesu Sühnetod begründet demnach kein neues Heil, das auch nur im entferntesten in Spannung steht zu jenem Heilsgeschehen, das mit dem Heilsentscheid Gottes, dessen Offenbarung Jesu Sendung auslöste und begründete,[46] in Gang gekommen war. Das Heil des Sühnetodes Jesu ist vielmehr integraler Bestandteil jenes eschatologischen Heilshandelns Gottes, das mit Jesu Proklamation der Gottesherrschaft angehoben hatte. Die Deutung des Todes Jesu im Sinne des Sühnetodes liegt daher so sehr in der Konsequenz seiner Botschaft, daß doch ernsthaft mit der Möglichkeit zu rechnen ist, daß diese Deutung auf Jesus selbst zurückgeht und daß er sie beim letzten Mal vor seinen Jüngern auch ausgesprochen hat.[47]

Unter dieser Voraussetzung wäre zugleich der sachliche Grund benannt, warum Jesus beim letzten Mahl das in *Mk 14,25* überlieferte Wort sprechen kann:[48]

> Amen, ich sage euch, ich werde vom Gewächs des Weinstocks nicht mehr trinken bis zu jenem Tag, wo ich es neu trinken werde in der Gottesherrschaft.

Dieses Wort ist weit mehr als eine „Verzichterklärung"[49]. Es ist Todesprophetie und in ihr zugleich Vollendungsverheißung.[50] Jesus hält im

---

[46] Siehe oben V/1.

[47] Zu einem ähnlichen Ergebnis kommen; *Schürmann,* Einsetzungsbericht 99f; *Jeremias,* Abendmahlsworte 218–223; *Patsch,* Abendmahl 180–182.227; *T. Holtz,* Jesus 125–127; *Pesch,* Abendmahl 107–111; *Hengel,* Sühnetod 145f; *Lohfink,* Wie hat Jesus 34–37. Vgl. auch *Schürmann,* Tod 46–53.55–63. Die Frage, ob Mk 10,45 authentisch ist, muß hier nicht beantwortet werden; m.E. ist sie eher zu verneinen (vgl. *Pesch,* aaO. 122f; *ders.,* Mk II 162–164; anders: *P. Stuhlmacher,* Existenzstellvertretung).

[48] Vgl. neben den synoptischen Parallelen auch 1 Kor 11,26.

[49] *Jeremias,* aaO. 199.

[50] *F. Hahn,* Motive 340; vgl. *Schürmann,* Tod 42f.57.

Angesicht seines Todes fest an der Gültigkeit seiner Botschaft von der Gottesherrschaft und verweist auf deren endgültiges Hereinbrechen. Er gibt sogar seiner Gewißheit Ausdruck, daß er selbst trotz seines Todes am vollendeten Heilsmahl der Gottesherrschaft teilnehmen werde. Damit ist die für die Verkündigung Jesu so bezeichnende unauflösliche Verbindung von Botschaft und Person Jesu auch über seinen Tod hinaus gewahrt.

Hat sich für Jesus mit diesen Deutungen seines Todes auch die Qualität seiner *Naherwartung* geändert? Diese Frage ist in der Forschung oft diskutiert worden. Schon *J. Weiss* hatte aus der Einsicht Jesu, daß er „sein Leben ... für das der Vernichtung verfallene Volk (hingeben)" müsse,[51] gefolgert: „Indem Jesus so den unausweichlichen Tod in die Kette der göttlichen Heilsratschlüsse eingliedert, wird natürlich die Reichserrichtung um ein Beträchtliches hinausgeschoben."[52] Und *W. G. Kümmel* hat Mk 14,25 als Verweis auf eine „Zwischenzeit" verstanden, da das Wort „nur dann einen Sinn" habe, „wenn der Eintritt der Gottesherrschaft nicht in *allernächster* Nähe erwartet wird und wenn die Jünger einige Zeit lang ohne ihren entfernten Herrn zusammenkommen sollen."[53] Mit dieser These *Kümmels* hat sich bereits *E. Gräßer* eingehend auseinandergesetzt und die Reflexion über eine Zwischenzeit meines Erachtens zu Recht auf das Konto der Urgemeinde verbucht.[54] *Gräßer* seinerseits meint, Mk 14,25 sei ein „Trostwort an die zurückbleibenden Jünger, das nur dann einen Sinn hat, wenn die Erfüllung der Verheißung bald bevorsteht."[55] Nun scheint Mk 14,25, sofern man es psychologisch auswerten darf, in der Tat eher die Erwartung einer baldigen Vollendung des Geschehens der Gottesherrschaft zu artikulieren. Andererseits hat Jesus mit der Deutung seines Todes als Sühne für Israel die Voraussetzung geschaffen, daß das Geschehen der Gottesherrschaft Israel trotz seiner Verweigerung weiterhin (und ohne terminliche Eingrenzung) verkündet werden kann. Bei genauerem Zusehen dürfte die aufgeworfene Problematik eine Konsequenz einer unglücklichen Fragestellung sein. Sie setzt nämlich voraus, daß die Ansage der zeitlichen Nähe der Gottesherrschaft ein zentrales, wenn nicht überhaupt das entscheidende Anliegen Jesu gewesen sei, und berücksichtigt zu wenig den Charakter der Gottesherr-

---

[51] Predigt 103.
[52] Ebd.
[53] Verheißung 70.
[54] Problem 33–59; *ders.*, Naherwartung 102–124.
[55] Problem 54.

schaft als bereits *gegenwärtiges* Geschehen. Daß dieses auch bald zum Abschluß kommen wird, kann man dabei als selbstverständliche Konnotation voraussetzen, wenngleich es zu beachten gilt, daß der Termin dafür von Jesus nie thematisiert wurde. Das eigentliche Problem, vor das Jesus durch seinen möglichen Tod gestellt wurde, kann daher nicht ein zeitliches gewesen sein, ob sein Tod also die Nähe der Gottesherrschaft beschleunige oder verzögere. Das eigentliche Problem stellte sich für Jesus viel tiefer und radikaler, da sein Tod nicht nur die Nähe, sondern das Geschehen der Gottesherrschaft als solches tangierte. Daß dieses Geschehen sich dennoch und gerade in seinem Tod durchhält und daß es auch nach seinem Tod zur Vollendung drängt, ist daher der eigentliche Skopus der Sühnedeutung seines Todes und des eschatologischen Ausblicks in Mk 14,25. Daß beide Aussagen sich gegenüber einer weitergehenden zeitlichen Befragung als spröde erweisen, liegt wahrscheinlich daran, daß Jesus selbst von derartigen Fragen nicht bedrängt war. Dies würde im übrigen zur sonstigen Verkündigung Jesu auch nicht passen.

VIII. Zum Selbstverständnis Jesu

Wegen des vorwiegend *christologischen* Interesses der neutestamentlichen Überlieferung sind Aussagen über das Selbstverständnis des *historischen* Jesus schon aus methodischen Gründen besonders schwierig. In jedem Fall verbietet sich der Versuch, aus unseren Quellen Rückschlüsse auf eine psychische Verfassung oder gar Entwicklung Jesu zu ziehen.[1] Aus diesem Grund wird hier auch der zu psychologischen Assoziationen verleitende Begriff „Selbstbewußtsein" vermieden und statt dessen vom „Selbstverständnis" Jesu gesprochen. Es geht dabei um die theologische Sachfrage, wie Jesus selbst seine Rolle in dem von ihm proklamierten Geschehen der Gottesherrschaft eingeschätzt hat, beziehungsweise – objektiv ausgedrückt – um die Frage, welche Rolle der *Person* Jesu in diesem Geschehen zukommt.

1. Die Gottesherrschaft und die Person Jesu

(a) Zunächst ist eine *negative* Feststellung nötig: Eine Antwort auf unsere Frage läßt sich kaum über die *christologischen Titel* finden. „Bei keinem Hoheitstitel läßt sich mit genügender Sicherheit erweisen, daß Jesus selbst ihn für sich in Anspruch genommen hat; und auch da, wo vielleicht eine gewisse Wahrscheinlichkeit dafür erreicht werden kann – im Falle des Menschensohntitels – ist der genaue Sinn, den Jesus selbst mit ihm verbunden haben könnte, allzusehr umstritten."[2] Ein kurzer Durchblick durch die christologischen Titulaturen und Bezeichnungen mag dieses Urteil bestätigen,[3] wobei das Problem des „Menschensohnes" später gesondert behandelt werden soll.[4]

---

[1] Auf die Problematik einer tiefenpsychologischen Deutung der Person bzw. Botschaft Jesu, wie sie z. B. von *H. Wolff*, Jesus, vorgelegt wurde, kann hier nicht eingegangen werden. Bei den ebenfalls mit tiefenpsychologischen Ansprüchen auftretenden Untersuchungen von *K. Niederwimmer*, Jesus, und *H. A. Zwergel*, Bedeutung, handelt es sich m.E. um existentiale Interpretationen mit tiefenpsychologischen Mitteln.
[2] *W. Thüsing*, Theologien 87f.
[3] Vgl. auch die Übersicht bei *H. Conzelmann*, Grundriß 147–156; *E. Lohse*, Grundriß 43–50; *N. Brox*, Selbstverständnis 173–184. Nicht behandelt wird hier die Frage, ob sich Jesus als *Lehrer* verstanden hat; s. dazu: *F. Hahn*, Hoheitstitel 74–81; vgl. jetzt auch *R. Riesner*, Jesus, der das Material m.E. allerdings viel zu unkritisch auswertet.
[4] Siehe unten 2.

Mit Sicherheit sind die Aussagen vom *präexistenten Gottessohn*, wie sie das christologische Denken des Paulus und Johannes bereits voraussetzt (vgl. Röm 8,3f; Gal 4,4f; Joh 3,16f; 1 Joh 4,9), nachösterlichen Ursprungs.[5] Auch die absolute Redeweise von *„dem Sohn"*, die bei den Synoptikern dreimal vorkommt (Lk 10,22 par Mt 11,27; Mk 13,32; Mt 28,19), läßt sich kaum als authentisch erweisen.[6]

Die davon zu unterscheidende Rede vom *„Sohn Gottes"* im *messianischen* Sinn ist nach den traditionsgeschichtlich ältesten Zeugnissen (Röm 1,3f; 1 Thess 1,10) ganz eindeutig eine christologische Interpretation der Auferweckungsaussage.[7] Schon deswegen ist auch gegen eine historische Auswertung anderer messianischer Bezeichnungen wie *„Messias"* (Christus) oder *„Davidssohn"* eher Zurückhaltung geboten. Gemessen an Röm 1,3f scheint die Davidssohnschaft Jesu als genealogische Voraussetzung der durch die Auferweckung erlangten Gottessohnschaft aus dieser erschlossen zu sein.[8] Die nach frühjüdischem Verständnis[9] mit dem „Davidssohn" sachverwandte Bezeichnung „Messias"(Christus) findet sich im älteren Formelgut vor allem in den sogenannten „Sterbensformeln" (Röm 5,6.8; 1 Kor 15,3b; u. ö.).[10] Dies dürfte ein Indiz dafür sein, daß das Bekenntnis zum „Christus" Jesus im Gefolge seines Todes als Messiasprätendent aufgekommen ist,[11] was nicht ausschließt, daß messianische Erwartungen bereits an Jesus herangetragen wurden. Aber schon wegen des damit verbundenen politischen (Miß-)Verständnisses ist es höchst unwahrscheinlich, daß Jesus sich selbst als „den Messias, den Sohn des Hochgelobten," deklariert (Mk 14,61f)[12] oder eine entsprechende Prädikation von seiten der Jünger akzeptiert haben soll (Mk 8,29f).[13]

---

[5] Vgl. *H. Merklein*, Entstehung; *E. Schweizer*, ThWNT VIII 376–378.

[6] Zu Lk 10,22 par vgl. bes. *P. Hoffmann*, Studien 118–142; zu Mk 13,32 s.o. IV Anm. 46; ansonsten *Hahn*, Hoheitstitel 319–333.

[7] Vgl. *H. Merklein*, Auferweckung, bes. 13–15.18–20.

[8] Daß Röm 1,3f nicht im Sinne einer „Zweistufen-Christologie" auszulegen ist, hat m.E. *K. Wengst*, Formeln 114f, richtig herausgestellt. Zum weiteren Material ad vocem „Davidssohn" vgl. *Hahn*, aaO. 242–279; *Ch. Burger*, Jesus.

[9] Nach christlichem Verständnis wird „Davidssohn" anderen Würdebezeichnungen gegenüber nicht selten relativiert, vgl. neben Röm 1,3f bes. Mk 12,35–37.

[10] Vgl. dazu: *Wengst*, aaO. 78–86; *W. Kramer*, Christos 22–40.

[11] Vgl. *N. A. Dahl*, Messias 161.

[12] Vgl. *W. Grundmann*, ThWNT IX 520: „In dieser Form ist die Frage (= Mk 14,61; Anm. d. Verf.) durch das christliche Bekenntnis zu Jesus, der Messias und Sohn Gottes ist . . ., bestimmt."

[13] Nach der Analyse von *E. Dinkler*, Petrusbekenntnis, bes. 286–300, der in Mk 8,33 die ursprüngliche Antwort Jesu auf 8,29 erblickt, hätte Jesus die Messiasbezeichnung sogar kategorisch abgelehnt.

Dagegen könnte man einwenden, daß die Messiaserwartung des Frühjudentums keineswegs ausschließlich national-politisch ausgerichtet war, sondern auch priesterlich, weisheitlich oder prophetisch eingefärbt sein konnte,[14] so daß doch mit einem Messias-Bewußtsein Jesu beziehungsweise einem Messias-Bekenntnis des Petrus insbesondere im prophetischen Sinn gerechnet werden könne.[15] Sachlich trifft diese Überlegung insofern zu, als ein eschatologisch-prophetisches Selbstverständnis Jesu – vielleicht sogar unter Rückgriff auf Jes 61,1 – durchaus naheliegt.[16] Ob Jesus dieses Selbstverständnis jedoch mit dem Messias-Titel artikuliert hat oder artikuliert haben wollte, bleibt historisch weiterhin zweifelhaft, da die Erwartungen des breiten Volkes ganz offensichtlich auf einen königlichen Messias ausgerichtet waren (vgl. PsSal 17f; XVIII-Gebet 14).[17] Semantisch ist im übrigen darauf zu verweisen, daß der singularische substantivische Messiasbegriff vom Alten Testament bis ins Frühjudentum immer den königlichen Herrscher meint, sofern der Begriff nicht durch Beifügungen eine andere semantische Ausrichtung erhält.[18]

In den Evangelien wird mehrfach überliefert, daß Jesus vom Volk als „Prophet" eingeschätzt wurde (Mk 6,15 par; 8,27 par; Mt 21,11.46; Lk 7,16; Joh 6,14; 7,40).[19] An der historischen Zuverlässigkeit dieser Nachricht wird man kaum zweifeln können, zumal im Reden und Tun Jesu durchaus „prophetische" Züge zu finden sind.[20] Daher ist es zumindest wirkungsgeschichtlich korrekt und sachgemäß, wenn Jesu Geschick bereits in Q mit Hilfe der deuteronomistischen Prophetenvorstellung gedeutet wird (Lk 11,49–51 par Mt 23,34f; Lk 13,34f par Mt 23,37–39; vgl. Lk 13,31–33).[21] Ob Jesus selbst sich als „Propheten" gewußt oder gar so bezeichnet hat, ist damit allerdings noch nicht erwiesen. Auffällig ist jedenfalls, daß die Evangelien eine solche Selbstprädikation, wenn man

---

[14] Vgl. bes. den „Messias des Geistes" aus 11 QMelch 18 (im Anschluß an Jes 61,1); zum Material vgl. *K. Berger*, Hintergrund; *ders.*, Messiastraditionen.

[15] *R. Pesch*, Messiasbekenntnis 26f (im Anschluß an *Berger*, Hintergrund 399f).

[16] Siehe unten zum „eschatologischen Propheten".

[17] Vgl. dazu: *A.S.v.d. Woude*, ThWNT IX 512f. Wenn man Mk 8,29 für historisch hält, müßte man dies auch für das Schweigegebot in Mk 8,30 postulieren (so: *Pesch*, aaO. 28); zum redaktionellen Charakter von Mk 8,30 vgl. jedoch *G. Theißen*, Wundergeschichten 145–147.

[18] Vgl. *Merklein*, Auferweckung 6f.

[19] Vgl. Lk 24,19; Joh 4,19; 9,7 und Lk 7,39; Joh 7,52.

[20] Vgl. *G. Friedrich*, ThWNT VI 845–847; *F. Schnider*, Jesus 69–88.

[21] Zur Analyse vgl. *O. H. Steck*, Israel 40–58; *Schnider*, aaO. 130–173; *Merklein*, Entstehung 35–37.46.54.58.

von Lk 13,33 einmal absieht,[22] nicht überliefern.[23] Dieses Schweigen der Tradition hat sein sachliches Recht darin, daß das tatsächliche Auftreten Jesu trotz aller Analogie die Kategorie des „Prophetischen" zugleich wieder sprengte (vgl. Lk 11,31f par Mt 12,41f; Lk 10,23f par Mt 13,16f).[24] Ein der Botschaft und dem Wirken Jesu angemessenes „Selbstverständnis" ließe sich bestenfalls im Kontext der Vorstellung des *eschatologischen Propheten* vermuten. Diese Vorstellung ist im zeitgenössischen Judentum in mehrfacher Ausprägung vorhanden[25] und von der neutestamentlichen Überlieferung auch tatsächlich auf Jesus angewandt worden. Letzteres gilt besonders für die Vorstellung vom Propheten wie Mose (nach Dtn 18,15.18) beziehungsweise vom wiederkommenden Mose (Moses redivivus).[26] Der Charakter der Überlieferungsstücke, die entsprechende direkte oder indirekte Hinweise enthalten (vgl. Apg 3,22; 7,37; Lk 24,19; Mk 9,7 par; 6,35–44 par; 8,1–10 par; Joh 6,1–15), läßt aber einen direkten Rückschluß auf das Selbstverständnis Jesu für wenig geraten erscheinen.[27] Ein etwas zuverlässigerer Weg könnte sich über die im Einflußbereich von Deutero- und Trito-Jesaja stehende Vorstellung eines eschatologischen Propheten ergeben, die besonders durch 11 QMelch für das Frühjudentum bestätigt zu sein scheint.[28] Angesichts der in der Botschaft Jesu zu erhebenden motivischen Verbindungen zu Deutero- und Trito-Jesaja[29] ist es durchaus denkbar, daß Jesus von dem Selbstverständnis geleitet war, der geistgesalbte endzeitliche Bote Gottes in Analogie zum Freudenboten von Jes 61,1; 52,7 zu sein. Allerdings bleibt festzuhalten, daß es sich hier um eine sachliche Analogie handelt, die nicht im Sinne einer terminologischen Identifizierung ausgewertet werden kann.[30]

---

[22] Die Authentizität ist zumindest zweifelhaft; vgl. *Steck*, aaO. 40–45.46f; *L. Oberlinner*, Todeserwartung 147f.

[23] Mk 6,4 ist eine sprichwörtliche Redensart; vgl. *Friedrich*, ThWNT VI 842f.

[24] Vgl. *Schnider*, Jesus 173–181; *F. Mußner*, Ursprünge 100f.

[25] Vgl. die instruktive Übersicht bei *J. Becker*, Johannes 47–54; s. auch *Hahn*, Hoheitstitel 351–371.

[26] Zur Unterscheidung vgl. *Becker*, aaO. 51. Die Vorstellung vom Elias redivivus wird im NT überwiegend auf Johannes angewandt (vgl. *Hahn*, aaO. 371–380); für die Jesustradition sind nur Einflüsse von Einzelelementen zu erkennen (ebd. 382 Anm. 1; 392).

[27] Zu den genannten und weiteren Stellen vgl. *Friedrich*, ThWNT VI 847–849; *Hahn*, aaO. 380–392; *Schnider*, Jesus 89–100.

[28] Vgl. *P. Stuhlmacher*, Evangelium 142–153; skeptisch ist *Becker*, aaO. 53f.

[29] Vgl. oben II/3; 4; 5.2.

[30] In der ntl Überlieferung wird Jesus nirgends direkt als der „Freudenbote" bezeichnet. Terminologisch wird der angezeigte Zusammenhang in einer christlich-eigensprachlich ausgeprägten Messias-Bezeichnung (der „Messias" als der

Ähnlich wird man das Verhältnis zur *Gottesknecht*-Vorstellung zu bewerten haben. Sofern es richtig ist, daß Jesus seinen Tod im Sinne von Jes 53 gedeutet hat,[31] ist es durchaus denkbar, daß er zumindest in seinen letzten Tagen sich selbst in sachlicher Analogie zum deuterojesajanischen Gottesknecht gesehen hat. Eine direkte Identifizierung (Mt 12,18; Apg 3,13.26; 4,27.30; vgl. Mk 1,11 par) dürfte aber erst in der nachösterlichen Reflexion stattgefunden haben.[32]

Dieser zunächst negativ erscheinende Befund, daß die geläufigen christologischen Titel kaum auf Jesu selbst zurückgehen, darf nicht kurzschlüssig dahingehend interpretiert werden, daß diese exklusiv in der österlichen Erfahrung beziehungsweise im österlichen Kerygma begründet seien und keinerlei sachlichen Anhalt in der historischen Person Jesu hätten. Gerade die Beobachtungen zum eschatologischen Propheten und zum Knecht Gottes lassen das wirkungsgeschichtliche Recht einer expliziten Christologie deutlich hervortreten. Dies dürfte, unbeschadet der nicht zu bestreitenden Katalysatorfunktion von Ostern, letztlich für alle christologischen Titel gelten. Zugleich bleibt in Rechnung zu stellen, daß jede titulare Identifizierung wegen ihres vorgegebenen begrenzten semantischen Gehaltes nur einen Ausschnitt eines möglicherweise viel breiter dimensionierten Selbstverständnisses akzentuieren kann. Insofern muß das Fehlen eines titularen Selbstverständnisses bei Jesus nicht einmal als Negativum gewertet werden.[33]

(b) Für eine *positive Darstellung* des Selbstverständnisses Jesu sind wir in erster Linie auf das verwiesen, was sich bisher über die Verkündigung und das Wirken Jesu ausmachen ließ. Insbesondere wird die Tatsache, daß *Jesus* die Gottesherrschaft proklamiert hat, und die Art und Weise, *wie* er dies getan hat, zu beachten und auszuwerten sein. Von entscheidender Bedeutung ist dabei der Befund, daß Jesus nicht nur das Kommen der Gottesherrschaft angesagt und verheißen, sondern darüber hinaus die Gottesherrschaft als bereits gegenwärtiges Geschehen proklamiert hat.

Geistgesalbte im Anschluß an Jes 61,1, zum Teil verbunden – wohl über Jes 42,1 – mit der Gottesknecht-Vorstellung: vgl. Apg 10,38; 4,27) wie z. B. in Mt 11,2 (vgl. 11,5!) ausgedrückt, die ihre nächste religionsgeschichtliche Parallele im „Messias des Geistes" von 11 QMelch 18 hat.

[31] Siehe oben VII/2.

[32] Vgl. *U. Wilckens*, Missionsreden 163–170.236 f; gegen *J. Jeremias*, Theologie 58–61; *ders.*, ThWNT V 709–713.

[33] Vgl. *G. Bornkamm*, Jesus 163; *E. Fuchs*, Frage 155 f; *Schweizer*, ThWNT VIII 367, 14–18.

Sachlich ist Jesus daher nicht nur als der eschatologische Bote zu werten, der dem Eschaton unmittelbar vorausgeht. Da die Gottesherrschaft, die durch den Satansturz (vgl. Lk 10,18) im Himmel bereits verwirklicht ist, durch Jesu Verkündigung und Wirken als Geschehen nun auch auf dieser Erde Platz greift, muß er prägnant als der irdische *Repräsentant* des göttlichen Geschehens der Gottesherrschaft bezeichnet werden. Dabei ist diese Repräsentanz nicht im Sinne einer äußeren Repräsentation zu verstehen. Repräsentant und Geschehen der Gottesherrschaft bilden vielmehr insofern eine Einheit, als es ohne die Person Jesu das Geschehen der Gottesherrschaft nicht gäbe. Die Gottesherrschaft bleibt daher unablöslich an die nicht austauschbare Person Jesu gebunden.[34] Im Anschluß und in Präzisierung eines Wortes von *E. Fuchs,* der das Verhalten Jesu als „das Verhalten eines Menschen" gewürdigt hat, „der es wagt, an Gottes Stelle zu handeln,"[35] könnte man Jesus als den unmittelbaren und unvertretbaren Repräsentanten des eschatologisch handelnden Gottes bezeichnen. Ob Jesus sich selbst dieser Repräsentanz, die sachlich zu konstatieren ist, auch bewußt war, ist anzunehmen (vgl. Lk 11,20 par). Eventuell artikuliert sie sich sogar in seinem Sprechen vom Menschensohn.[36]

Diese Repräsentanz des eschatologisch handelnden Gottes ist nicht denkbar ohne ein *singuläres, unmittelbares Gottesverhältnis,* das dann in der nachösterlichen Reflexion seinen wohl tiefsten Ausdruck in der Rede von Jesus als dem präexistenten Sohn (Gottes) gefunden hat. Im Reden und Auftreten Jesu selbst äußert es sich in einer doppelten Weise, zunächst in der spezifischen Art, wie er *zu Gott* gesprochen hat. Terminologisch am deutlichsten ist dies in der „Abba"-Anrede zu greifen. Sie kann zwar nicht als Privileg Jesu ausgewertet werden, da Jesus selbst sie auch seine Jünger lehrt (vgl. Lk 11,2 par); zudem setzt sie ein neues Gottesverhältnis voraus, das ganz Israel geschenkt werden soll.[37] Dennoch ist das Gottesverhältnis Jesu gegenüber dem neuen Gottesverhältnis Israels einzigartig, weil das letztere im Erwählungshandeln Gottes begründet ist, das durch Jesus repräsentiert und vermittelt wird. Israels neues Gottesverhältnis ist daher als vermitteltes an das Gottesverhältnis Jesu gebunden, der als der Repräsentant des eschatologischen Erwählungshandelns unmittelbar auf der Seite Gottes steht und damit Israel bleibend gegenübersteht. Die „Abba"-Anrede kann nur geschehen unter Berufung auf Jesus, der dazu

---

[34] Daß deswegen die Gottesherrschaft nicht in der Person Jesu aufgeht, wird in Kap. IX noch kurz anzusprechen sein.
[35] Frage 156.
[36] Siehe unten 2.
[37] Siehe oben V/5.2.

ermächtigt. Wirkungsgeschichtlich ist diese nicht überholbare Bezogen-
heit korrekt eingefangen in jener Bitte, die Lukas dem Vaterunser voran-
stellt: „Herr, *lehre* uns beten . . .“ (Lk 11,1). Mit der Betonung, daß
Jesus Israel bleibend gegenübersteht, ist bereits übergeleitet zu dem
zweiten Aspekt, unter dem das unmittelbare Gottesverhältnis Jesu hervortritt. Es ist die spezifische Art und Weise, wie Jesus *von Gott* zu den
Menschen spricht. Hier wäre zunächst wieder auf die eschatologische
Verkündigung Jesu und seine darin zum Ausdruck kommende Repräsentanz Gottes zu verweisen. Weiter ist an den Befund des VI. Kapitels zu
erinnern, insbesondere an die Autorität, mit der Jesus beansprucht, den
unmittelbaren Willen Gottes zu verkünden, selbst im Gegensatz zur
Tradition, die sich auf den Wortlaut der Tora stützt.

Für das Selbstverständnis Jesu bleibt noch ein Letztes zu beachten. Das
Geschehen der Gottesherrschaft, das er repräsentiert, impliziert nämlich
nicht nur ein spezifisches, unmittelbares Verhältnis zu Gott, sondern
auch ein besonderes *Verhältnis zu Israel.* Da das Geschehen der Gottesherrschaft als eschatologisches Erwählungshandeln Gottes sich zuallererst
auf Israel bezieht, ist Jesus nicht nur der Repräsentant Gottes vor Israel,
sondern auch der Repräsentant Israels vor Gott. Er ist der Ersterwählte,
der das Geschehen der Gottesherrschaft gerade deswegen repräsentieren
kann, weil dieses Geschehen ihn bereits voll erfaßt hat und die Erwählung
Israels in ihm proleptisch schon vollendet ist. Für die Ausbildung christologischer Aussagen ist dieser Gesichtspunkt wirkungsgeschichtlich wahrscheinlich nahezu ebenso wichtig wie der Gedanke der Gottesunmittel-
barkeit Jesu. Dies dürfte besonders für die Rezeption der deuterojesajanischen Gottesknechtsvorstellung (vgl. Mk 1,11 par), aber auch für den
Messiastitel gelten. Ob Jesus selbst sich ausdrücklich als Repräsentant
Israels verstanden hat, ist positiv schwer nachzuweisen. Immerhin dürfte
die Wahl der Zwölf nicht allein unter dem Aspekt des Anspruchs Jesu auf
ganz Israel stehen, sondern gleichermaßen auch den Willen, Israel zu
repräsentieren, widerspiegeln. Ganz deutlich käme der Gedanke der
Repräsentanz Israels allerdings zum Tragen, wenn, wie oben vermutet,[38]
Jesus seinen Tod als Sühnetod für Israel verstanden hätte.

Zusammenfassend läßt sich sagen: Gottesherrschaft und Person Jesu
gehören aufs engste und untrennbar zusammen.[39] Jesus ist nicht der

---

[38] Siehe VII/2.
[39] Die enge Zusammengehörigkeit von Verkündigung und Person Jesu arbeitet
auch *S. Ruager,* Reich Gottes, heraus, der allerdings in der Beurteilung des
synoptischen Einzelmaterials z. T. erheblich von der hier gebotenen Sicht
abweicht.

Verkündiger, sondern der Repräsentant der Gottesherrschaft. Dies gilt in doppelter Hinsicht. Vom Ursprung des Geschehens der Gottesherrschaft her, das in seinem Auftreten Ereignis wird, ist Jesus der Repräsentant des eschatologisch handelnden und erwählenden Gottes. Auf der anderen Seite, vom Ziel dieses Geschehens her, ist er der Repräsentant des eschatologisch erwählten beziehungsweise zu erwählenden Israel. Im Schnittpunkt dieser doppelten Repräsentanz der Gottesherrschaft, die ihn einerseits in das Verhältnis der Unmittelbarkeit zu Gott und andererseits in das Verhältnis unvertretbarer Proexistenz[40] für Israel rückt, ist das Selbstverständnis Jesu anzusiedeln, von dem seine Sendung – unabhängig von der Frage nach seinem psychologischen „Bewußtsein" – sachlich getragen ist.

2. Jesus und der Menschensohn

Ob und in welchem Sinn Jesus vom „Menschensohn" gesprochen hat, ist in der Forschung bis heute sehr umstritten.[41] Eine umfassende Diskussion der anstehenden religions- und traditionsgeschichtlichen Probleme würde den Rahmen dieser Untersuchung bei weitem sprengen. Ausgehend vom neutestamentlichen Befund soll daher zunächst mehr oder weniger thetisch die eigene Position bezüglich der möglicherweise für Jesus zu reklamierenden Menschensohnworte dargestellt werden (a). In einem weiteren Schritt soll dann auf einige religionsgeschichtliche Aspekte der Menschensohnvorstellung hingewiesen werden (b), auf deren Hintergrund schließlich versucht werden soll, die Bedeutung einer möglichen Rede Jesu vom Menschensohn im Kontext seiner Verkündigung der Gottesherrschaft zu erhellen (c). Insbesondere die Ausführungen unter (c) verstehen sich ausdrücklich als *Hypothese*, die sich in der weiteren Diskussion erst noch bewähren muß, diese vielleicht aber auch anregen und weiterführen kann.

(a) Die Rede vom Menschensohn findet sich im *Neuen Testament* fast ausschließlich in den Evangelien,[42] wobei den Belegstellen der synopti-

---

[40] Zu dem vor allem von *H. Schürmann* geschätzten Begriff vgl. auch *Thüsing*, Theologien 93 f.110–112.

[41] Vgl. die Berichte bei: *I. H. Marshall*, Son of Man; *G. Haufe*, Menschensohn-Problem; *R. Maddox*, Methodenfrage; *S. Légasse*, Jésus; *W. G. Kümmel*, Jesusforschung: ThR 45 (1980) 43–84; *C. Colpe*, Untersuchungen. Zur Lit. vgl. *C. Colpe*, ThWNT VIII 403 f, sowie die Nachträge in: ThWNT X/2 1283–1286.

[42] Sonst nur noch – abgesehen von der hier irrelevanten Stelle Hebr 2,6 – in Apg 7,56; Offb 1,13; 14,14.

schen Evangelien unser besonderes Interesse gelten muß.[43] Üblicherweise unterscheidet man drei Gruppen von Menschensohnworten, und zwar die vom *Kommen*,[44] die vom *irdischen Wirken*[45] und die vom *Leiden und Auferstehen* des Menschensohnes.[46] Die zuletzt genannte Gruppe, deren Aussage in Q (noch) nicht bekannt ist, muß trotz gelegentlich gegenteiliger Einschätzung[47] weiterhin zumindest „unter dem starken Verdacht der nachösterlichen Bildung" verbleiben.[48] Sofern man nicht annimmt, daß Jesus in Mk 2,10; Lk 7,34 par; Lk 9,58 par lediglich „von sich als *Menschen* gesprochen" habe,[49] gilt dies auch für die Sprüche vom irdischen Wirken des Menschensohnes. Vor allem das Logion Lk 12,8f par Mt 10,32f; Mk 8,38,[50] in dem zumindest terminologisch noch deutlich zwischen Jesus und dem Menschensohn unterschieden wird, spricht dafür, daß hier beziehungsweise in den Aussagen vom kommenden Menschensohn der traditionsgeschichtliche Ausgangspunkt der neutestamentlichen Menschensohnsprüche zu suchen ist, der am ehesten noch bis auf Jesus selbst zurückreichen könnte. Dieser terminologischen Unter-

---

[43] Zum Menschensohn im Johannesevangelium vgl. *R. Schnackenburg,* Joh I 411–423.

[44] Lk 11,30 par; 12,8 f.40 par; 17,24.26 f(30) par. – Mk 8,38 par; 13,26 f par; 14,62 par. – Mt 10,23; 13,41; 16,28; 19,28; 25,31. – Lk 17,22; 18,8; 21,36.

[45] Lk 7,34 par; 9,58 par; 12,10 par. – Mk 2,10.28 par; 10,45 par. – Mt 13,37; 16,13. – Lk 6,22; 19,10.

[46] Mk 8,31 par; 9,9.12.31 par; 10,33 f par (vgl. 10,45 par; s. Anm. 45); 14,21.41 par. – Lk 22,48; 24,7.

[47] So zuletzt bes. *R. Pesch,* Mk II 99 ff, der Mk 9,31a auf Jesus zurückführen möchte.

[48] So zuletzt *Oberlinner,* Todeserwartung 140–146, Zitat: 146. Beachtung verdient die Analyse von *P. Hoffmann,* Mk 8,31, der Mk 8,31* für den traditionsgeschichtlich ältesten (allerdings nicht authentischen) Bestand der Leidensansagen hält.

[49] So: *Colpe,* ThWNT VIII 433–435, Zitat: 433; zur terminologischen Möglichkeit: ebd. 404–408. – In diesem Fall wäre „Menschensohn" weder titular noch als Würdebezeichnung zu verstehen und müßte für unsere Überlegungen ohnehin ausgeklammert werden.

[50] *Haufe,* Menschensohn-Problem 140, bezeichnet „die Frage nach dem Verständnis von Lk. 12,8 f." als „die Gretchenfrage des Menschensohn-Problems." Die von *R. Bultmann* (vgl. Theologie 31 f) vorgetragene Auffassung, daß die Sprüche vom kommenden Menschensohn die ältesten (z. T. authentisch) seien, hat vor allem im deutschen Raum ein breites Echo gefunden; vgl. u.a. *H. E. Tödt,* Menschensohn; *G. Bornkamm,* Jesus 208–210; *Hahn,* Hoheitstitel 13–53 (weitere Autoren bei *W. G. Kümmel,* Verhalten 201 Anm. 5). An dieser Sicht ist aus *traditionsgeschichtlichen* Gründen m.E. trotz der religionsgeschichtlichen Beobachtung *K. Müllers,* Menschensohn und Messias (vgl. bes. 66), daß die Sprüche vom Erdenwirken primär sein könnten, festzuhalten.

scheidung am Anfang und als Anfang der Entwicklung entspricht der Befund, daß Jesus sich selbst nirgends direkt mit dem Menschensohn identifiziert, obwohl die neutestamentliche Überlieferung ganz selbstverständlich voraussetzt, daß Jesus gemeint ist, wenn vom Menschensohn die Rede ist. Vom Menschensohn wird überhaupt nur in der 3. Person gesprochen, allerdings nie im Sinne einer Prädikation („Jesus ist der Menschensohn"). Erst recht fehlt ein direktes Bekenntnis zu Jesus als dem Menschensohn.[51]

Dies deutet darauf hin, daß die neutestamentliche Menschensohnbezeichnung kaum als christologische Titulatur aufgekommen sein kann. Im Rahmen der sich entwickelnden Christologie wird vielmehr zunächst das durch die Auferweckung erlangte messianische Amt Jesu (vgl. Röm 1,3 f) seiner *Funktion* nach mit Hilfe der Menschensohnvorstellung umschrieben (vgl. 1 Thess 1,10). Daraus ist jedoch nicht zu schließen, daß die Menschensohnbezeichnung überhaupt erst im Rahmen der nachösterlichen Christologie entstand. Die Tatsache, daß die Menschensohnbezeichnung nie direkt in das christologische Bekenntnis einging, wie auch der Umstand, daß es fast ausschließlich Jesus selbst ist, der vom Menschensohn spricht,[52] lassen eher vermuten, daß die nachösterliche Applikation der Menschensohnfunktion auf den Messias (bzw. Sohn Gottes) Jesus durch Aussagen Jesu über den Menschensohn beeinflußt ist. Als möglicherweise authentisches Jesuswort ist unter dieser Rücksicht wiederum insbesondere Lk 12,8 f par; Mk 8,38 zu erwägen. Ob dieses und andere Menschensohnworte tatsächlich authentisch sind, hängt nicht zuletzt von der Frage ab, ob sie inhaltlich mit der sonstigen Verkündigung Jesu zu vereinbaren sind.

(b) Bevor wir uns aber dieser Frage zuwenden, ist ein Blick auf das *Menschensohnverständnis im Frühjudentum* erforderlich,[53] wobei zwei Aspekte von besonderer Bedeutung sein dürften:
1. Der Menschensohn ist keineswegs primär oder gar ausschließlich eine *Richtergestalt;* er ist vielmehr zugleich *Heilsgestalt* und sein Richteramt ist nur die Kehrseite seiner Heilsfunktion.

---

[51] Vgl. dazu und zum Folgenden: *Merklein,* Auferweckung 16–25.
[52] Ausnahmen: Apg 7,56; Offb 1,13; 14,14.
[53] Vgl. dazu: *Hahn,* Hoheitstitel 13–23; *U. B. Müller,* Messias 19–155; *K. Müller,* Menschensohn und Messias; *J. Theisohn,* Richter 5–148; *Colpe,* ThWNT VIII 422–433; *H. Bietenhard,* „Der Menschensohn". Auf das Problem der Herkunft der Menschensohnvorstellung kann hier nicht eingegangen werden; auch können die z. T. recht unterschiedlichen Analysen nicht diskutiert werden. Ich folge im großen und ganzen den Analysen von *K. Müller.*

Nach *Dan 7*[54] ist der Menschenähnliche („einer wie ein Menschensohn": V. 13) der Repräsentant der eschatologischen Königsherrschaft (,mal^{e}kû': V. 14), die im Sinne des Danielbuches wohl als Herrschaft *Gottes* (vgl. Dan 2,34.44f) zu verstehen ist.[55] In *äthHen 46–47; 48,2–7*, von *K. Müller* als „Grundvision" bezeichnet,[56] hat der (präexistente) himmlische Menschensohn, ein Engelwesen, die Funktion, die gottlosen Könige zu richten. Doch geschieht dies, um die Gerechten (= Israel?)[57] zu rächen[58] beziehungsweise ihnen Gerechtigkeit widerfahren zu lassen und sie zu retten. Die Richterfunktion ist daher nur die negative Folie für die Heilsfunktion, die der Menschensohn für die Gerechten[59] ausübt (vgl. 46,3; 48,4–7). Dasselbe dürfte auch für *äthHen 62–63; 69,26–29* aus der dritten Bilderrede gelten, wo der Menschensohn (hier „Mannessohn" oder „Sohn der Nachkommenschaft der Mutter der Lebendigen" genannt) mit der irdisch-messianischen Gestalt des „Auserwählten" kontaminiert wurde.[60] Das Gericht geschieht, um das eschatologische Erwählungskollektiv der Heiligen und Auserwählten zu sammeln (62,8). Die Gerechten und Auserwählten werden sich freuen und gerettet werden (62,12f) und mit dem Menschensohn die Heilszeit ohne Ende genießen (62,14–16). Bestätigt wird die Heilsfunktion des Menschensohnes durch das Nachtragskapitel der Bilderreden *äthHen 71 (vgl. 70)*, in dem eine

---

[54] Zur Analyse vgl. neben den in der vorigen Anm. genannten Arbeiten noch: *P. Weimar*, Daniel 7; *K. Müller*, Menschensohn im Danielzyklus; *A. Deissler*, Menschensohn.

[55] Der Menschensohn ist mehr als nur ein „Symbol" der Gottesherrschaft (so: *Colpe*, ThWNT VIII 424; dagegen: *K. Müller*, Menschensohn im Danielzyklus 48–50); nach *K. Müller*, aaO. 68, „präsentiert sich der Menschensohn (in VV.13f; Anm. d. Verf.) als der vom Hochbetagten zum legitimen Inhaber herrscherlicher Gewalt über ein eschatologisches Reich ... erhobene Völkerengel Israel." Ob die „Danielvorlage" nur die VV. 9.10.13 (ohne V. 14a) umfaßte (so: *K. Müller*, aaO. 42–44; anders: *Weimar*, aaO. 24f.30–32; *Colpe*, ThWNT VIII 422f), bleibt m.E. fraglich; aber selbst dann ist die Funktion des Menschensohnes zu einseitig bestimmt, wenn man in ihm (nur) einen Vermittler göttlicher *Straf*gerichtsbarkeit sieht (so: *K. Müller*, aaO. 47).

[56] *K. Müller*, Menschensohn und Messias 163–167.

[57] Die Opposition zu den heidnischen Königen dürfte es nahelegen, hier noch an Gesamtisrael zu denken; in jedem Fall handelt es sich um das eschatologische Erwählungskollektiv.

[58] „Für sie" wird das Gericht vollzogen: 47,2.

[59] Nach 48,4 sogar für die „Völker" (unter Anspielung auf Jes 42,6; 49,6).

[60] Vgl. *K. Müller*, Menschensohn und Messias 167–169. Auf die Identifizierung des Menschensohnes mit dem „Gesalbten" in äthHen 48,10 52,4 muß hier nicht näher eingegangen werden; s. dazu *K. Müller*, aaO. 169–171.

esoterische Gruppe zu Wort kommt, die sich auf Henoch beruft.[61] Danach ist der zum Menschensohn erhöhte (70,1) und schließlich selbst in die Funktion des Menschensohnes eingesetzte (71,14) Henoch der endzeitliche Garant des Heils für die Gerechten, die auf den Wegen Henochs wandeln (71,15–17).

Nur kurz verwiesen sei auf den „Menschen" beziehungsweise den „Mann" (aus dem Meere) in *4 Esr 13*. Die überkommene Menschensohnvorstellung ist hier ganz in der Gestalt des Messias ben David aufgegangen beziehungsweise in ihr weitergeführt.[62] Für unsere Zwecke bedeutsam ist, daß auch in 4 Esr 13 die Vernichtung der Feinde (VV. 8–11.27f.37f) der Sammlung und Rettung Israels (VV. 12f.35f.46–50) und der Erlösung der Schöpfung (VV. 25f) dient.

Fazit: Der Menschensohn, der ursprünglich eine himmlische Gestalt (Engel) ist, hat also durchaus richterliche Funktion. Doch bezieht sich diese auf die Sünder, die (fremden) Könige oder die (Heiden-) Völker und bildet nur die negative Folie für die Heilsfunktion, die der Menschensohn in bezug auf Israel oder das Erwählungskollektiv ausübt. An dieser Heilsfunktion dürfte sogar das primäre Überlieferungsinteresse der Tradenten gehaftet haben; sie ist eine entscheidende Voraussetzung für die Kontamination des Menschensohnes mit der Messiasgestalt, die ebenfalls der Heilsvorstellung zuzuordnen ist.

2. Der Menschensohn der frühjüdischen Apokalyptik ist strukturell im Kontext der *Völkerengelvorstellung* zu sehen.[63] Dies ist ganz deutlich in *Dan 7* der Fall. Im Sinne des Danielbuches ist der Menschensohn von Dan 7,13f der Völkerengel Israels (=Michael; vgl. Dan 10,13.21).[64] Der

---

[61] Vgl. *Colpe*, ThWNT VIII 428f.

[62] Vgl. *K. Müller*, aaO. 179–185.

[63] Dies wird m.E. meist zu wenig beachtet. Die Folge ist, daß man (wohl unter dem Einfluß der ntl christologischen Fragestellung) auf den *Begriff* „Menschensohn" fixiert ist und die (wenigen) Belege im Sinne einer einheitlichen frühjüdischen Traditionsgeschichte verstehen will, was offensichtlich nur schwer gelingt. Diese Schwierigkeit entfällt, wenn man die Menschensohnvorstellung und ihre unterschiedlichen Ausprägungen als gruppenspezifische Interpretationen und Transformationen (auch die jeweilige geschichtliche Situation dürfte eine Rolle spielen) der Völkerengelvorstellung betrachtet. Die Frage nach dem „Menschensohn" ist daher in diesen größeren Traditionskomplex hineinzustellen, der auch andere Adaptionen – z. B. nichtverschlüsselter Art (vgl. „Michael" in 1 QM 17) oder andersverschlüsselter Art (vgl. „Melchisedek" in 11 QMelch) – enthält.

[64] Vgl. *U. B. Müller*, Messias 26–36; *K. Müller*, Menschensohn im Danielzyklus 48–50.56–78.passim. Außer den unten angeführten Texten vgl. auch TestDan 5,4; 6,2–7; TestLev 5,6.

Befund, daß die Königsherrschaft, die in V. 14 dem Menschensohn übertragen wird, dann in der Deutung der Vision dem „Volk der Heiligen des Höchsten", also Israel beziehungsweise dem Erwählungskollektiv, übergeben wird (V. 27; vgl. VV. 21.25a), ist keineswegs im Sinne einer traditionsgeschichtlichen Dekadenz von einem göttlichen oder himmlischen Königtum zu einem irdisch-nationalen zu interpretieren.[65] Das Ganze ist vielmehr im Zusammenhang mit der in der Apokalyptik beliebten Idee von der Parallelität von himmlischer und irdischer Welt (die Völkerengel als die himmlischen Doppelgänger der irdischen Völker) zu verstehen. Der Übertragung der Herrschaft an den Völkerengel Israels entspricht die Übertragung der Herrschaft an Israel. Geradezu klassisch formuliert ist dieser Gedanke in 1 QM 17,7f:[66] „Um mit Freude zu erleuchten die E[rwählten (?) I]sraels, mit Frieden und Segen für Gottes Los, aufzurichten unter den Göttlichen Michaels Herrschaft und Israels Herrschaft unter allem Fleisch . . ."[67] Ein sachlich vergleichbarer Gedanke begegnet schon in der *Tiervision äthHen 85–90*, wo Judas nur standhalten kann, weil „jener Mann" (!) (= Michael; vgl. äthHen 89,61–64; 90,22) ihm zu Hilfe kommt (90,13b.14.17). In der „*Grundvision*" der Bilderreden des äthHen ist zwar nicht von einer Übertragung der Herrschaft an den Menschensohn die Rede. Doch dürfte er auch dort als (präexistentes) himmlisches Gegenbild des eschatologischen Erwählungskollektivs zu verstehen sein. Daher kann es – durchaus entsprechend dem Verhältnis von Vision und Deutung in Dan 7 – im Anschluß an die Grundvision heißen, daß die Könige, die dort dem Menschensohn überantwortet wurden (46,4–6), in die Hände der Auserwählten Gottes übergeben werden (48,9).

Daß der Menschensohn als *himmlischer* Repräsentant und Doppelgänger des eschatologischen Erwählungskollektivs dann in den Texten, in denen

---

[65] Gegen *Colpe*, ThWNT VIII 424f.

[66] Mit *P. v.d. Osten-Sacken*, Gott 95–100, ist 1 QM 17,5b–8 als relecture von 1 QM 1 unter dem Einfluß von Dan (bes. 11,40ff; 12,1ff; es müßte jedoch auch unbedingt Dan 7 genannt werden) zu werten. Dies scheint zu bestätigen, daß man in Qumran noch nach 63 v.Chr. (zur Datierung vgl. *J. Maier*, Texte II 111f) den danielischen Menschenähnlichen im Sinne der Völkerengelvorstellung verstanden hat. An einer messianischen Interpretation wie in der Tradition der Bilderreden des äthHen, die in Qumran auch nicht bekannt gewesen sein dürften (keine Funde), ist Qumran jedenfalls nicht interessiert. Dies bestätigt m.E. wieder, daß die Menschensohnvorstellungen des äthHen höchst gruppenspezifische Traditionen sind und nicht im Duktus einer allgemeinen Entwicklung ausgewertet werden dürfen.

[67] Übersetzung nach *Maier*, Texte I.

er mit dem (irdischen) Messias kontaminiert wurde, nicht mehr explizit hervortritt, ist eine Folge der Kontamination. Dies ändert aber nichts an der grundsätzlichen Richtigkeit der dem Menschensohn strukturell inhärenten Doppelgängerrolle. Sie bildet wahrscheinlich geradezu eine der maßgeblichen Voraussetzungen für die zu beobachtende Kontamination, so daß diese insofern nur als eine spezifische Interpretation derselben erscheint: *Als* Repräsentant des Erwählungskollektivs kann der Menschensohn die Züge des Messias auf sich ziehen.

Zusammenfassend geurteilt, ist für den Menschensohn also eine Doppelfunktion zu beachten. Auf der einen Seite ist er der *Mandatar Gottes,* der in dessen Auftrag das Gericht über die Heiden oder die Sünder vollzieht und damit das Heil für das eschatologische Israel oder das Erwählungskollektiv heraufführt. Aus der Sicht des Erwählungskollektivs und in bezug auf dieses ist er daher Garant und Repräsentant des eschatologischen Heils. Andererseits – und damit integral zusammenhängend – ist er der (zumindest ursprünglich) himmlische *Repräsentant des eschatologischen Erwählungskollektivs,* so daß die Einweisung in seine eschatologische Funktion[68] das Heil beziehungsweise die Herrschaft für das Erwählungskollektiv auf Erden heraufführt.

Diese Doppelfunktion stellt für die frühjüdische Menschensohnvorstellung meines Erachtens eine Art struktureller Prämisse dar, die eine gewisse Konstanz besitzt und selbst dort, wo sie transformiert wird, die Voraussetzung für die Transformation bildet.

(c) Da die frühjüdischen Texte eine je zeit- und gruppenspezifische Variante der Menschensohnvorstellung widerspiegeln dürften, kann zur religionsgeschichtlichen Erhellung der neutestamentlichen Rede vom Menschensohn nicht von einem bestimmten Einzeltext (z. B. Dan 7) ausgegangen werden. Es empfiehlt sich vielmehr, die genannte Prämisse zugrundezulegen und nach eventuellen Spezifizierungen zu fragen.

Dabei ist im Blick auf eine mögliche Rede Jesu vom Menschensohn insbesondere *Lk 12,8f par Mt 10,32f; Mk 8,38* zu behandeln und zu prüfen, wobei der Q-Version[69] die traditionsgeschichtliche Priorität zukommen dürfte:[70]

---

[68] Dies kann unterschiedlich formuliert werden: Sein Name wird vor dem Hochbetagten genannt (äthHen 48,2); er wird auf den Thron seiner Herrlichkeit gesetzt (äthHen 62,2); er wird vor den Hochbetagten geführt und es wird ihm die Herrschaft übertragen (Dan 7,13f).

[69] Zur Rekonstruktion vgl. *S. Schulz,* Q 66–69; *Kümmel,* Verhalten 204–206; *R. Pesch,* Autorität 27–35.

[70] *Kümmel,* aaO. 209, hält demgegenüber Mk 8,38 in folgender Fassung für

Jeder, der sich zu mir vor den Menschen bekennt,
zu dem wird sich auch der Menschensohn vor den Engeln Gottes bekennen.
Wer aber mich vor den Menschen verleugnet,
den wird auch der Menschensohn vor den Engeln Gottes verleugnen.

Nach diesem Wort hat die Stellungnahme zu Jesus eine entsprechende Stellungnahme des Menschensohnes zur Folge. Zwischen Jesus und Menschensohn besteht also eine enge „personale Beziehung".[71] Dennoch bleibt die terminologische Unterscheidung zu beachten; sie darf nicht vorschnell im Sinne einer „Identifizierung" aufgehoben werden.[72] Wer ist nun dieser Menschensohn? Da er ausdrücklich im Verein mit den „Engeln" genannt wird, legt sich unter religionsgeschichtlicher Rücksicht nahe, in ihm selbst ein himmlisches Wesen zu sehen, das von Gott mit der Wahrnehmung der eschatologischen Funktion beauftragt ist. Diese eschatologische Aufgabe besteht nach unserem Spruch im Sich-bekennen und Verleugnen den Menschen gegenüber, je nach deren Stellungnahme zu Jesus. Dies schließt zweifellos einen richterlichen Akt ein, der jedoch für Gericht *und* Heil offen ist, insofern man voraussetzen kann, daß das Verleugnen die Übereignung an das Gericht, das Sich-bekennen aber die endgültige Teilhabe am eschatologischen Heil zur Folge hat. Die Formulierung „verleugnen" scheint sogar darauf hinzuweisen, daß der Menschensohn eigentlich und primär eine heilsmittlerische Funktion hat, die im Falle einer Ablehnung Jesu eben nicht zum Zuge kommen kann und damit zum Gericht führt.

Sofern man unser Logion unter der Präsupposition der Authentizität mit Jesu Botschaft von der Gottesherrschaft in Zusammenhang bringt, wird man den Menschensohn als den *himmlischen Repräsentanten des eschatologischen Heils* (konkret der Gottesherrschaft) bezeichnen müssen, wogegen religionsgeschichtlich nichts einzuwenden ist. Da von einer Einsetzung in diese Funktion nicht die Rede ist, wird man annehmen dürfen, daß dies bereits vorausgesetzt ist. Dieser Gedanke würde sich ausgezeichnet der Botschaft Jesu einfügen; er wäre geradezu die Komplementärvor-

---

ursprünglich: „Wer sich meiner schämt in diesem ehebrecherischen und sündigen Geschlecht, dessen wird sich der Menschensohn schämen, wenn er kommt (in Herrlichkeit?) mit den heiligen Engeln" (+ ein analoger positiver Komplementärsatz). An der inhaltlichen Aussage ändert sich dadurch nichts Nennenswertes.

[71] *Kümmel*, aaO. 211.
[72] Gegen *Pesch*, Autorität 44.46.

stellung zu Lk 10,18.[73] Die Entscheidung im Himmel ist gefallen, der Satan gestürzt und dem Menschensohn als dem endzeitlichen Repräsentanten der Gottesherrschaft die Macht übertragen.[74] Unter dieser Voraussetzung fällt neues Licht auf die in unserem Logion angesprochene enge Relation zwischen Jesus und dem Menschensohn. Jesus, der bereits als der irdische Repräsentant der Gottesherrschaft gewürdigt werden konnte,[75] wäre dann eine Art irdischer Doppelgänger des himmlischen Menschensohnes: Jesu Aufgabe besteht darin, das Geschehen, das im Himmel bereits verwirklicht ist, auf Erden zu proklamieren und in Gang zu setzen.[76] Der Stellungnahme zum Proklamator dieses Geschehens auf Erden entspricht daher die Stellungnahme des Repräsentanten der himmlischen Realität.

In unserem Logion ist die Stellungnahme des Menschensohnes für die Zukunft angekündigt, die mit der Vollendung des von Jesus proklamierten Geschehens und damit mit dem Kommen der Gottesherrschaft (Lk 11,2 par) in eins fallen dürfte. Dann wird der Menschensohn, der die in der himmlischen Welt bereits verwirklichte Gottesherrschaft repräsentiert, auch für die irdische Welt unübersehbar in Erscheinung treten.[77] Die dann auch irdisch voll verwirklichte Heilsrealität wird all diejenigen umfassen, die der Menschensohn als zu ihm gehörig erkennt.

Der Menschensohn erweist sich somit auch als *Repräsentant des eschatologischen Erwählungskollektivs*. Unter dieser Rücksicht läßt sich die Parallelität zwischen Jesus und Menschensohn noch weiter entfalten. Denn auch Jesus konnte als Repräsentant des Erwählungskollektivs

---

[73] Siehe oben V/1.

[74] Vgl. auch Offb 12,7–12, wo die Vorstellung aber bereits nachösterlich und christologisch adaptiert ist.

[75] Siehe VIII/1(b).

[76] Als religionsgeschichtliche Parallele für diese Doppelgängerschaft könnte auf 11 QMelch verwiesen werden (s. dazu: *A.S. v.d. Woude*, Melchisedek; *M. de Jonge – ders.*, 11 Q Melchizedek; vgl. *P. Stuhlmacher*, Evangelium 144–146): Der himmlischen Einsetzung des (Engels) Melchisedek (= Michael; vgl. *v.d. Woude*, aaO. 368–372; *de Jonge – ders.*, aaO. 305f) in die Richter- und Herrscherfunktion (unter Bezug auf Jes 52,7: Dein Himmlischer [= Melchisedek] ist König; Z. 16.24) entspricht die Proklamation dieses Geschehens auf Erden durch den „Freudenboten", den „Messias des Geistes" (Z. 16.18). Der Unterschied zur Botschaft Jesu besteht darin, daß 11 QMelch eine Zukunftserwartung artikuliert (die von *Stuhlmacher*, aaO. 146, vorgenommene Identifizierung des Freudenboten mit dem Lehrer der Gerechtigkeit ist m.E. nicht überzeugend), während für Jesus das himmlische Geschehen schon vollendet ist, so daß auch das eschatologische Geschehen auf Erden anheben kann.

[77] Vgl. die Rede vom *Kommen* des Menschensohnes in Mk 8,38* (s.o. Anm. 70).

gewürdigt werden. Dieses ist dem Anspruch Jesu nach prinzipiell ganz Israel, dem der Heilszuspruch der Seligpreisungen und die Proklamation der Gottesherrschaft gilt. Doch suspendiert das grundsätzlich auf ganz Israel ausgerichtete göttliche Erwählungshandeln nicht die Freiheit Israels; vielmehr stellt es Israel vor die Entscheidung, die angesichts der Botschaft und der Person Jesu zu fallen hat. Jesus als der irdische Repräsentant der Gottesherrschaft wird damit zum Kriterium des eschatologischen Israel. Jesu Repräsentanz Israels ist daher präzise als Repräsentanz des eschatologisch zu *sammelnden* Israel anzusprechen. Deshalb kann auch der Menschensohn als der Repräsentant des endgültigen, das heißt des eschatologisch *gesammelten* Israel nur diejenigen als zu ihm gehörig anerkennen, die sich von dem von Jesus repräsentierten Geschehen der Gottesherrschaft erfassen ließen und zu Jesus bekannt haben.[78]

Nun könnte man gegen die hier vorgetragene Würdigung des Menschensohnes den *Einwand* erheben, daß dann die vorausgesetzte sachliche Verbindung von Menschensohn und Gottesherrschaft auch in einer terminologischen Verknüpfung der beiden Begriffe ihren Niederschlag gefunden haben müßte. Tatsächlich aber stehen Gottesherrschaft und Menschensohn in der synoptischen Tradition relativ unverbunden nebeneinander, so daß *Ph. Vielhauer* feststellte: „Die Worte vom Menschensohn und die von der Gottesherrschaft gehören offenbar zwei verschiedenen Überlieferungssträngen der Herrenworte an."[79] Ohne auf die weiteren Ausführungen *Vielhauers* über die Unechtheit der Menschensohnworte und ihre – nach seiner Meinung – sachliche Unvereinbarkeit mit der Botschaft Jesu von der Gottesherrschaft eingehen zu können,[80] ist positiv zu betonen, daß die faktische Unverbundenheit von Gottesherrschaft und Menschensohn gerade unter Voraussetzung der dargebotenen Interpretation des Menschensohnes nicht verwunderlich ist. Denn wenn der Men-

---

[78] Die hinter diesen Ausführungen stehende theologisch-sachliche Spannung zwischen der Wirksamkeit eines auf ganz Israel ausgerichteten Erwählungshandelns Gottes und der menschlichen Freiheit, sich diesem Erwählungshandeln zu verweigern, darf nicht zugunsten eines der beiden Spannungspole aufgehoben werden. Weder kann die Wirksamkeit göttlichen Handelns durch die menschliche Entscheidung in ihre Grenzen verwiesen werden, noch kann der Ernst menschlicher Entscheidung zugunsten eines sich doch durchsetzenden göttlichen Heilshandelns abgeschwächt werden. Bei Paulus kommt diese Dialektik in den kaum ausgleichbaren Sätzen in Röm 9,6b und Röm 11,26a zur Sprache; für Jesus könnte man evtl. auf die Spannung zwischen Lk 12,8f par und der Sühnedeutung seines Todes verweisen.

[79] *Vielhauer,* Gottesreich 58.

[80] AaO. 60–80.88.

schensohn den Gedanken der Repräsentanz der Gottesherrschaft impliziert, dann ist gar nicht zu erwarten, daß diese noch eigens genannt wird, wenn vom Menschensohn die Rede ist. Auf der anderen Seite ist zu beachten, daß der Menschensohn zwar der himmlische Repräsentant der Gottesherrschaft, nicht aber mit ihr identisch ist. Mit der Vorstellung vom Menschensohn konnte nur ein ganz bestimmter Aspekt der Gottesherrschaft und keineswegs deren gesamte inhaltliche Breite zum Ausdruck gebracht werden. Insbesondere der für Jesus so entscheidende Gedanke von der Gottesherrschaft als einem gegenwärtigen dynamischen Geschehen konnte mit Hilfe des Menschensohnes nicht artikuliert werden. Denn dieses Geschehen (repräsentiert durch Jesus) bezieht sich auf die irdische Wirklichkeit, während die Gottesherrschaft, sofern sie der Menschensohn repräsentiert, bereits eine feste (himmlische) Größe ist. Vom Menschensohn kann daher bestenfalls im Zusammenhang mit der Vollendung des irdischen Geschehens, also im Zusammenhang mit dem Kommen der Gottesherrschaft, gesprochen werden. Doch kann auch die Rede vom Kommen der Gottesherrschaft nicht einfach durch die vom Kommen des Menschensohnes ersetzt werden, da mit diesem wegen seiner Doppelfunktion als des (himmlischen) Repräsentanten der Gottesherrschaft *und* des eschatologischen Erwählungskollektivs die spezifische semantische Note des Kriteriums der Teilhabe am endgültigen Heil der Gottesherrschaft verbunden ist. Gerade in dieser Funktion, die wiederum nicht mit dem Begriff der Gottesherrschaft zu fassen ist, tritt er in Lk 12,8f par auf.

Man wird demnach feststellen dürfen, daß bei Lk 12,8f par wohl doch mit einem *authentischen Jesuswort* zu rechnen ist.[81] Inhaltlich fügt sich

---

[81] Der Einwand *Vielhauers*, Gottesreich 76–79, das Logion verweise auf eine Gerichtssituation, die erst nach Ostern gegeben sei, ist nicht stichhaltig; vgl. *Tödt*, Menschensohn 310f. E. *Käsemann*, Sätze 78f, möchte unser Logion auf Grund der Zugehörigkeit zur Gattung der „Sätze heiligen Rechts" der urchristlichen Prophetie zuschreiben; zur Problematik dieser Gattung s. jedoch *K. Berger*, Zu den sogenannten Sätzen, bes. 19–24; vgl. auch *Becker*, Johannes 100f; *Kümmel*, Verhalten 211f. *Hoffmann*, Studien 155, meint, daß in Lk 12,8f par „bereits vom Menschensohn-Bekenntnis her nach der Bedeutung des historischen Jesus zurückgefragt" werde; doch dürfte es ein Menschensohn-Bekenntnis wohl nie gegeben haben (vgl. *Merklein*, Auferweckung 24f). *H. Schürman*, Beobachtungen, ist gegen die Authentizität skeptisch (135f) und möchte aus dem kommentierenden Charakter der Menschensohnworte in den Q-Kompositionen die „Präsumtion" ableiten, „es könne sich um sekundäre Bildungen handeln" (142); so sehr dies für Lk 11,30 par; 12,40 par zutreffen dürfte, ist das Verfahren methodisch m.E. nicht ausreichend (vgl. auch *A.*

das Logion unter den erläuterten Verstehensvoraussetzungen ohne Schwierigkeit in den Befund der sonstigen Verkündigung Jesu ein. Der bereits gefallenen göttlichen Heilsentscheidung für Israel (IV/2;3), die sich negativ im Sturz Satans aus dem Himmel ausdrückt (V/1), entspricht positiv die Übertragung der eschatologischen Herrschaft an den Menschensohn, den himmlischen Repräsentanten Israels. Jesus selbst kommt in diesem endzeitlichen Geschehen die Aufgabe zu, die Gottesherrschaft, die im Himmel durch die Machtübertragung an den Menschensohn bereits Faktum ist, als nun auch die Erde erfassendes Geschehen zu proklamieren (V/2;3) und – auch dies entspricht dem Wechsel der himmlischen Machtverhältnisse – dem Unheilskollektiv das eschatologische Erwählungshandeln Gottes zuzusprechen (V/4). Zwischen Jesus und Menschensohn besteht so ein inniges Wechselverhältnis. Beide sind, wenngleich auf verschiedenen „lokalen" (himmlisch – irdisch) und „aktionalen" (bereits verwirklicht – noch geschehend) Ebenen, Repräsentanten der Gottesherrschaft und zugleich des eschatologischen Erwählungskollektivs. Wenn das Geschehen der Gottesherrschaft auf Erden die im Himmel bereits präformierte Wirklichkeit eingeholt hat, beziehungsweise umgekehrt ausgedrückt, wenn die Gottesherrschaft kommt (vgl. Lk 11,2 par), wird daher auch der Menschensohn, entsprechend der Stellungnahme zu Jesus auf Erden, das wahre Erwählungskollektiv, dem das Heil der Gottesherrschaft endgültig zukommt, vor der himmlischen Welt agnoszieren (Lk 12,8f par).

Wenn man nicht annehmen will, daß Jesus nur ein einziges Mal vom Menschensohn gesprochen hat, liegt es nahe, nach weiteren möglicherweise authentischen Menschensohnworten Ausschau zu halten. Unter Zugrundelegung der bisherigen Erkenntnisse kommen dafür am ehesten die Logien *Lk 17,24.26f par Mt 24, 27.37–39* in Frage.[82] Sie wären dann keineswegs ausschließlich als Gerichtsworte zu werten. Zunächst würden sie vielmehr betonen, daß die Gottesherrschaft, als deren Repräsentant der Menschensohn fungiert, plötzlich und unerwartet in Erscheinung treten wird. Allerdings läßt schon die spezifische Funktion des Menschensohnes als des Repräsentanten des eschatologischen Erwählungskollektivs keinen Zweifel daran – und der Verweis auf die Zeitgenossen des Noach in Lk 17,26f par unterstreicht dies noch –, daß das endgültige

---

Vögtle, Logienquelle 96–98): die kommentierende Stellung eines Wortes in einer Komposition beweist noch nicht dessen sekundären Charakter, zumal dann nicht, wenn es sich um ein ursprünglich isoliertes Einzellogion handeln dürfte, wie es durch Mk 8,38* für Lk 12,8f par naheliegt.

[82] So u. a. auch *Bultmann, Tödt, Hahn* (s. o. Anm. 50).

Erscheinen der Gottesherrschaft eine Scheidung unter den Menschen herbeiführen wird. Das Kriterium dafür war in Lk 12,8f par genannt worden.[83] Zu konzedieren ist jedoch, daß ein positiver Nachweis der Authentizität von Lk 17,24.26f par nicht zu führen ist. Es könnte sich, die Echtheit von Lk 12,8f par vorausgesetzt, auch um durchaus kongeniale, aber nachösterliche Bildungen handeln.

In jedem Fall wird man aber daran festhalten, daß Jesus vom Menschensohn gesprochen haben kann. Die vorgeschlagene Interpretation von Lk 12,8f par läßt dieses Wort nicht nur mit der sonstigen Botschaft Jesu in Einklang bringen, sondern liefert darüber hinaus noch einen plausiblen Ausgangspunkt, von dem her sich die gesamte Traditionsgeschichte der neutestamentlichen Menschensohnvorstellung verständlich machen lassen dürfte. Denn wenn es zutrifft, daß Jesus sich als eine Art irdischen Doppelgänger des himmlischen Menschensohnes verstanden hat, ist es nur folgerichtig, daß die nachösterliche Gemeinde diesen Jesus, den sie aufgrund der Auferweckung als den bei Gott inthronisierten messianischen Sohn Gottes bekannte (vgl. Röm 1,3f), nun selbst als mit der Funktion des himmlischen Menschensohnes betraut ansah und von ihm die Rettung im Endgericht erwartete (vgl. 1 Thess 1,10). Unter dieser Voraussetzung mußte es zu einer christologischen relecture etwaiger authentischer Menschensohnworte kommen, die wiederum die Voraussetzung für die Neubildung von Worten darstellt, in denen dann auch Jesu Erdenwirken und schließlich sein Leiden und Auferstehen als das Wirken beziehungsweise das Geschick des Menschensohnes artikuliert wurde.[84]

---

[83] Unter Berücksichtigung des hier vorgeschlagenen Menschensohnverständnisses könnte selbst Mk 14,62 in seinem Grundbestand auf Jesus zurückgehen, obgleich es in seiner jetzigen Form (Anspielung auf Dan 7,13 *und* Ps 110,1) wohl doch den Eindruck einer nachträglichen Reflexion hinterläßt.

[84] Auf die weitere Traditionsgeschichte der Menschensohnvorstellung im NT kann hier nicht näher eingegangen werden. Doch sei wenigstens auf den Hebr verwiesen, dessen eigentümliche Christologie von der Menschensohntradition mitbeeinflußt sein könnte. Dies gilt vor allem für die auffällige Identifizierung bzw. Parallelisierung von Jesus und Melchisedek in Hebr. 5–7, wenn man bedenkt, daß Menschensohn und Melchisedek nur apokalyptische Verschlüsselungen Michaels (als des himmlischen Repräsentanten des Erwählungskollektivs) sein dürften. Daß der „Sohn" in Hebr 1 so betont über die Engel gestellt wird, könnte als eine entfernte Reaktion auf eine mißverstandene Applikation der Menschensohn(=Engel!)-Vorstellung auf Jesus verstanden werden.

IX. Ausblick

Mag für den Historiker die Arbeit getan sein, wenn er, so gut ihm das möglich ist, aus den verfügbaren Quellen Verkündigung und Wirken Jesu nachgezeichnet hat, so kann der Theologe dabei nicht stehen bleiben. Und dies nicht deshalb, weil eine spätere Theologie Jesus in einer grandiosen Apotheose seiner historischen Existenz entrissen hätte, sondern zuallererst, weil der historische Jesus selbst mit einem kaum zu überbietenden theologischen Anspruch aufgetreten ist.

Kann dieser Anspruch Jesu heute noch als die über Heil und Unheil der Menschen entscheidende Frage übernommen werden? Die Theologie, die uns im Anspruch Jesu begegnet, ist schon deshalb eine uns fremde Theologie, weil sie sich als Phänomen der Vergangenheit, mit der sie engstens verflochten ist, darstellt. So mag den heutigen Christen befremden, daß Jesus sich gar nicht direkt an ihn, den Menschen aus den (Heiden-)Völkern, sondern ganz dezidiert an Israel gewandt hat. Es kommt hinzu, daß dieses Israel, das Jesus eschatologisch zu sammeln gedachte, inzwischen eine lange und von dieser Sammlungsbewegung unabhängige Geschichte durchlaufen hat. Mit dem Verweis auf den eschatologischen Anspruch Jesu stellt sich eine weitere Frage. Zwar läßt sich das Problem der wahrscheinlich auch von Jesus geteilten Naherwartung theologisch mit dem Hinweis abmildern, daß das eigentliche Anliegen Jesu nicht in der Ansage zeitlicher Nähe, sondern in der Proklamation des mit ihm anhebenden Geschehens der Gottesherrschaft bestanden hat. Aber: Kann die Ansage eines Geschehens, das selbst nach knapp 2000 Jahren immer noch nicht zum Ziel gekommen ist, wirklich noch geglaubt werden? Könnte Jesus, wenn er eine Naherwartung geteilt hat, die sich objektiv als nicht zutreffend erwiesen hat, nicht auch bezüglich eines bereits stattfindenden eschatologischen Heilshandelns Gottes einem subjektiven Irrtum zum Opfer gefallen sein? Und ist nicht der Tod Jesu, zumal sein Tod am Kreuz, das Indiz schlechthin, daß Jesus eben nicht der irdische Repräsentant des eschatologisch handelnden Gottes gewesen sein kann? Viele Zeitgenossen Jesu haben es so gesehen.

(1) Dennoch haben die Jünger Jesu an seiner Botschaft festgehalten und sich schon bald nach seinem Tode als Gemeinde zusammengefunden. Sie berufen sich für ihre Entscheidung auf Ostern und ihre Erfahrung des Auferweckten. Tatsächlich steht und fällt Jesu Botschaft mit dem *Bekenntnis zum Auferweckten.* Dieses erst ermöglicht das Festhalten an

der Gültigkeit der Botschaft Jesu und ihre Weiterverkündigung auch nach seinem Tod, sofern es Gottes auferweckendes, neuschaffendes, eschatologisches Handeln *an* Jesus als Bestätigung und Kontinuum des schöpferisch-erwählenden, eschatologischen Handelns Gottes *in* Jesus werten muß. Das österliche Bekenntnis ist auch der Grund, daß das von Jesus proklamierte Geschehen der Gottesherrschaft weder durch eine enttäuschte Naherwartung noch durch einen langen seitherigen Zeitenlauf theologisch legitim in Frage gestellt werden kann. Selbst ein nach menschlichem Ermessen offenkundiges Aufhören dieses Geschehens könnte einen solchen Zweifel nicht rechtfertigen. Gerade die Auferweckung des Gekreuzigten weist jeden aus menschlicher Erfahrung kommenden Einwand als theologisch unangemessen zurück, weil sie dazu herausfordert und es ermöglicht, Gott, dessen sich durchsetzende Herrschaft Jesus verkündet hat, als den zu glauben, der die Toten lebendig macht und das, was nicht ist, ins Dasein ruft (Röm 4,17).

In diesem Glauben muß übrigens die Auferweckung Jesu selbst als Bestätigung des von ihm angesagten Geschehens der Gottesherrschaft gewürdigt werden. Denn in dem auferweckten Jesus ist dieses Geschehen bereits zum Ziel gekommen. In ihm ist die neue Schöpfung, auf welche die Gottesherrschaft abzielt, bereits verwirklicht. Was in Zukunft auf diese Welt noch zu-kommt, ist in ihm schon Realität. Es ist daher nur konsequent, daß das Urchristentum eine *Christologie* ausgebildet und in Jesus den kommenden Menschensohn der Endzeit oder den Messias, in dem die Hoffnung Israels erfüllt ist, erblickt hat.

Verständlich ist daher auch, daß es schon früh Versuche gegeben hat, die Botschaft von der Gottesherrschaft in der Christologie aufgehen zu lassen. Berühmt geworden ist die Aussage Markions über das Evangelium, in dem das Reich Gottes Christus selbst ist (Tertullian, Adversus Marcionem IV 33,8). Und Origenes sprach von Christus als der ,autobasileia‘ (In Matthaeum Commentarius, tomus XIV 7, zu Mt 18,23). So richtig diese Sicht insofern ist, als nach Ostern der Glaube an die Gottesherrschaft nur im Glauben an Christus festgehalten werden kann, so ist eine Identifizierung von Christus und Gottesherrschaft, von Christologie und Eschatologie, doch sehr problematisch. Es hat seinen guten sachlichen Grund, daß das Neue Testament selbst demgegenüber zurückhaltend ist (vgl. 1 Kor 15,23–28). Denn die volle Bedeutung der Christologie entfaltet sich erst dann, wenn sie umfangen ist von einer *theo*-logisch orientierten Eschatologie, die zu dem Christus, in dem bereits das Geschehen der Gottesherrschaft zum Ziel gekommen ist, alle Menschen und alle Welt versammelt, damit einmal Gott alles in allem sein kann, wie

es Paulus in sachlicher Umschreibung des Gedankens der Gottesherrschaft in 1 Kor 15,28 ausgedrückt hat.

(2) Jesu Botschaft von der Gottesherrschaft ist primär *Botschaft an Israel.*
So wenig dadurch die Heidenvölker vom eschatologischen Heil ausgeschlossen sind, so bleibt doch die Gültigkeit dieser Botschaft an den
Adressaten Israel gebunden, und die christliche *Kirche* kann die Heilszusage Jesu nur auf sich beziehen, sofern sie in Kontinuität zu jenem Israel
steht, dem Jesus verkündigt hat.

Jesu Botschaft zielte auf ganz Israel. Dem ganzen Volk, das er als einziges
Unheilskollektiv vor-fand, galt die Zusage des eschatologischen Erwählungshandelns Gottes. Bereits Jesus mußte aber die Erfahrung machen,
daß das Volk, das zu sammeln er sich gesandt wußte, seiner Botschaft
wohl mehrheitlich ablehnend gegenüberstand. Und als nach Ostern die
Botschaft Jesu unablösbar an das Bekenntnis zu dem Gekreuzigten, von
Gott aber Auferweckten und zum Messias Inthronisierten gebunden war,
setzten sich diese Erfahrungen seitens der Jüngergemeinde fort. Aus der
Sammlung ganz Israels wurde faktisch die Sammlung eines Teil-Israel, das
sich allerdings – theologisch konsequent – als den eigentlichen Samm-
lungsort des Erwählungskollektivs Israel verstehen mußte, das auch nach
Ausweis der frühjüdischen Religionsgeschichte nicht unbedingt mit der
völkischen Definition Israels deckungsgleich war. In ähnlicher Weise war
aus der Sammlungsbewegung der Asidäer der Makkabäerzeit, die
zunächst ganz Israel anvisierte, eine Reihe von Gruppierungen hervorge-
gangen, die mehr oder minder mit ähnlichen Ansprüchen auftraten. Das
Axiom des Paulus „Nicht alle aus Israel sind Israel" (Röm 9,6b) ist
keineswegs eine christlich-antijüdische Parole, sondern nur die christliche
Adaption eines Theologumenons, das faktisch schon längst vor Paulus das
Frühjudentum bewegt hatte. Im frühen Christentum führt der Gedanke
des wahren Erwählungskollektivs allerdings nicht in die esoterische Sepa-
ration etwa qumranischen Zuschnitts. Die eschatologische „Gemeinde
Gottes" („ekklēsia tou theou'), die sich in Jerusalem um die Zwölf scharte,
blieb – ganz im Sinne der Botschaft Jesu – offen für die Sammlung ganz
Israels. Dasselbe gilt für die Q-Gemeinde, die unter (sachlich folgerichti-
ger) Verschärfung der Gerichtspredigt weiterhin an ganz Israel die Botschaft Jesu ausrichtete.

Ein Novum aus der Sicht des Frühjudentums stellt der Aufbruch der
Jüngergemeinde zur Heidenmission dar. Die theologischen Voraussetzungen dafür hatten vor allem die „Hellenisten" um Stephanus geliefert
(vgl. Apg 6), die wohl die tempel- und torakritische Relevanz des Süh-

netodes Jesu deutlich erkannten und daher auch als erste die Volksgrenzen Israels überschritten (vgl. Apg 8,4–8; 11,20f). Ihre Theologie und Praxis waren die Grundlage, die Paulus dann theologisch zur Lehre von der Rechtfertigung der Glaubenden und praktisch zu seiner Konzeption der *Heiden*mission ausbaute. Bei all dem bleibt aber festzuhalten, daß selbst Paulus den für Jesus konstitutiven Gedanken der eschatologischen Erwählung Israels nicht aufgibt. Seine eifrig betriebene Kollektentätigkeit für die „Armen" in Jerusalem (Gal 2,10) dürfte keineswegs der kompromißhaften Einsicht entsprungen sein, einem Rechtsanspruch Jerusalems gerecht werden zu müssen. Viel eher dürfte Paulus darin – vielleicht im Anschluß an trito-jesajanische Tradition (vgl. Jes 60,5–17; 61,6; 66,12) – den Auftakt zur eschatologischen Völkerwallfahrt zum Zion gesehen haben. In Röm 11 wird er geradezu von der prophetischen Vision geleitet, daß das Heil der Heiden – nun in Umkehrung des Völkerwallfahrtsmotivs – Israel reizen soll (VV. 11.14) und daß der Eingang der Vollzahl der Heiden zur Rettung ganz Israels führen wird (VV. 25f).

Diese Vision des Paulus hat sich zwar nicht erfüllt. Theologisch ist der Gedanke des Paulus jedoch für jede Ekklesiologie unverzichtbar, die an der Gültigkeit der Botschaft Jesu festhalten will. Denn diese wäre in der Tat völlig ad absurdum geführt, wenn sich das erwählende Handeln Gottes, das sie für Israel proklamiert, gerade an Israel als wirkungslos erweisen würde. Insofern ist für Paulus jener Rest Israels so wichtig, der sich dem Evangelium nicht verschlossen hat (Röm 11,5–7). Er stellt zu der Wurzel das Kontinuum dar, in das auch die wilden Zweige des heidnischen Ölbaums eingepflanzt wurden (Röm, 11,16–18). Nur in der Kontinuität zu jenem Israel, das sich dem von Jesus proklamierten Erwählungshandeln geöffnet hat, kann sich die christliche Kirche als Gottesvolk verstehen. Auf diese Kontinuität ist sie bleibend angewiesen. Angewiesen bleibt sie aber auch auf das andere Israel, das als völkische Größe in geschichtlicher Kontinuität zu jenen steht, die sich der Botschaft Jesu und dem Evangelium verschlossen haben. Denn das eschatologische Erwählungshandeln Gottes, auf das sich ja auch die Kirche beruft, wäre zumindest zur Farce verkommen, wenn es – unbeschadet aller menschlichen Freiheit, sich ihm zu verweigern – nur zur Schaffung eines Rest-Israel mit der geschichtlich begrenzten Funktion, die Kontinuitätsbrücke zu der nahezu ausschließlich heidenchristlichen Kirche zu bilden, fähig wäre und Israel als Volk fallen ließe. Insofern darf die Kirche auch das Volk Israel nie aus ihren Augen verlieren, weil ihre eigene Vollendung engstens mit der Hoffnung verbunden ist, daß die ausgebrochenen

Zweige wieder in den Ölbaum eingepfropft werden (Röm 11,24), dessen Wurzel auch die Zweige der Kirche aus den Heiden trägt (Röm 11,18). Nur in Kontinuität zu Israel, dem Jesus die Botschaft der Gottesherrschaft verkündet hat, und in der Hoffnung auf die endliche Erlösung Israels, das sich dieser Botschaft verweigert hat, läßt sich an der Gültigkeit der Botschaft Jesu festhalten (vgl. Röm 11,25–27). Unter dieser Voraussetzung darf und muß die Kirche sich aber auch als Adressatin der Botschaft Jesu und gleichzeitig als deren Sachwalterin verstehen.

(3) Unter dieser christologischen und ekklesiologischen Prämisse darf auch heute noch geglaubt werden, daß das Geschehen der Gottesherrschaft, das Jesus proklamiert hat, diese unsere Welt nicht losgelassen hat, sondern – zumal in der Verkündigung des Evangeliums – seine göttliche Wirkmacht entfaltet (vgl. Röm 1,16f), die in schöpferischer Tat die Gottlosen zu Gerechten macht (vgl. Röm 4,5). Die Kirche stellt sich so dar als der Ort der Sammlung des eschatologischen Gottesvolkes, das auf die Befreiung der (immer noch) so verderbten und verderblichen Welt harrt (vgl. Röm 8,21). Und sofern die Kirche in Fortführung des Auftrags Jesu an seine Jünger (Lk 10,9 par) dieses befreiende Geschehen in Wort und Tat verlautbart, darf sie sich – analog (!) zu Jesus – als Repräsentantin und Sachwalterin der Gottesherrschaft verstehen. Eine Identifizierung von Gottesherrschaft und Kirche muß jedoch ausgeschlossen bleiben. Es wäre ein gefährlicher Aktionismus, wenn Menschen sich in den Gedanken versteigen würden, das Werk des scheinbar so untätigen Gottes in die eigenen Hände nehmen zu müssen, weil es dadurch seiner Hoffnungskraft beraubt würde, die gerade aus dem qualitativen Unterschied zwischen menschlichem und göttlichem Handeln lebt.
Kirche ist Repräsentantin der Gottesherrschaft und muß sich als solche verstehen, wenn sie dem Auftrag Jesu gerecht werden will, allerdings immer nur *im* Auftrag Jesu und *in Analogie* zu seiner Repräsentanz sowie *unter eschatologischem Vorbehalt*. Die Kirche und der einzelne Christ können niemals mit der gleichen Sicherheit wie Jesus (vgl. Lk 11,20 par) einzelne ihrer Aktionen als Ereignis der Gottesherrschaft qualifizieren; sie können bestenfalls die *hoffnungsvolle* Gewißheit haben, daß das umfassendere und von *Gott* veranstaltete Geschehen in ihrem Handeln zum Ereignis wird. Inwieweit das von der Kirche und den Christen durchaus selbst zu verantwortende Tun tatsächlich Ereignis der geschehenden Gottesherrschaft ist, wird der „Tag des Herrn" offenbaren (vgl. 1 Kor 3,13; 4,4). So wenig also einerseits menschliches Tun das Geschehen der Gottesherrschaft für sich selbst beanspruchen kann, so darf

andererseits der mit diesem Tun notwendigerweise zu verbindende eschatologische Vorbehalt nicht dazu verleiten, vor der Aktivität Gottes in die Untätigkeit zu verfallen. Dabei geht es nicht darum, daß menschliche Untätigkeit das Kommen der Gottesherrschaft in irgendeiner Weise in Frage stellen könnte. Aber eine Kirche, die um das Kommen der Gottesherrschaft betet und davon überzeugt ist, daß die Gottesherrschaft ein schon gegenwärtiges Geschehen ist, hätte sich selbst von ihrem eigenen Glauben verabschiedet, wenn sie sich auf eine rein verbale Verkündigung zurückzöge und tatenlos Welt und Mensch ihrer konkreten Not überlassen würde. Die Kirche, die das Geschehen der Gottesherrschaft verkündet, kann sich vielmehr mit keiner Gegenwart abfinden, die offensichtlich vom Ziel dieses Geschehens noch weit entfernt ist. In einer geschichtlichen Situation, in der die apokalyptische Naherwartung als Hoffnungsmodell schon längst desillusioniert ist, kann die Kirche ihrer unaufgebbaren Hoffnung auf die Gottesherrschaft nur dadurch treu bleiben, daß sie darauf drängt und daran mitarbeitet, die vorfindliche Welt, soweit nur irgend möglich, auf die in der Verkündigung proklamierte Gegen-Welt der Gottesherrschaft hin zu verändern. Die Verbindung der Verkündigung der Gottesherrschaft mit den Krankenheilungen im Auftrag Jesu an seine Jünger (Lk 10,9 par) ist nicht zufällig, sondern auch für das Wirken der Kirche wesentlich, wenngleich diese heute in der Regel nicht mehr über eine charismatische Heilfähigkeit verfügt und ihre Heilungsaufgabe in viel nüchternerer Weise verwirklichen muß. Not, Hunger und Unfrieden sind dabei ihre ureigensten Aktionsräume, die von der Sache der Gottesherrschaft, die auf den umfassenden Schalom zielt, vorgegeben sind. Gerade in solch notwendigem und friedensstiftendem Handeln kann sich die Kirche als vom Geschehen der Gottesherrschaft erfaßte Gemeinschaft erfahren und der Welt präsentieren, ohne damit ihre hoffnungsvolle Botschaft mit dem Anspruch diskreditieren zu müssen, daß ihr *eigenes Tun* die Gottesherrschaft herbeiführt.

Wenn es um das Handeln geht, ist noch auf einen weiteren Gesichtspunkt zu verweisen. Jesu Botschaft von der Gottesherrschaft war eingebettet in seine *Praxis der Barmherzigkeit*, in der Gottes eschatologisches Erwählungshandeln erfahrbar wurde. Jesu Praxis vergebender Barmherzigkeit ist geradezu der Ort, an dem seine Botschaft von der Gottesherrschaft konkret wird und von dem her seine Weisungen ihr Maß und ihre Ermöglichung erhalten. Die Kirche, die Jesu Botschaft von der Gottesherrschaft fortführt, sich selbst unter den Anspruch seiner Weisung stellt und die Menschen damit konfrontiert, muß daher, wenn Jesu Botschaft nicht desavouiert werden soll, in analoger Weise Ort der Barmherzigkeit sein. Und, in der Tat, sie *kann* dieser Ort sein, weil sie selbst aus nichts anderem lebt als aus der erwählenden Vergebung Gottes. Nur aus diesem erfahrbaren Raum der Barmherzigkeit heraus läßt sich das eschatologische Ethos Jesu verwirklichen und als Handlungsmodell der Welt anbieten.

An diesem Punkt zeigt sich aber zugleich wieder, wie wichtig es ist, zwischen Kirche und Gottesherrschaft klar zu differenzieren. Denn daß die Kirche selbst sich oftmals nur halbherzig auf das Geschehen der Gottesherrschaft einläßt und es nur sehr unzulänglich wagt, aus der Vergebung Gottes zu leben, ist schmerzliche Tatsache. Trotz der auf den Auftrag Jesu sich gründenden Hoffnung, daß in ihrem Verkündigen und Handeln das Geschehen der Gottesherrschaft Ereignis wird, wird sich daher die Kirche bewußt bleiben müssen, daß sie – auch im Hinblick auf sich selbst – immer beten muß: „Zu uns komme *deine* Königsherrschaft!", und: „Vergib *uns* unsere Schuld . . .!" (Lk 11,2.4 par).

Literaturverzeichnis

Die bibliographischen Abkürzungen richten sich nach S. *Schwertner,* Theologische Realenzyklopädie. Abkürzungsverzeichnis, Berlin-New York 1976.

Aland K. (Hrsg.), Vollständige Konkordanz zum griechischen Neuen Testament II. Spezialübersichten (ANTT IV/2) Berlin-New York 1978.

Annen F., Die Dämonenaustreibungen Jesu in den synoptischen Evangelien, in: ThBer 5 (1976) 107–146.

Bacher W., Die exegetische Terminologie der jüdischen Traditionsliteratur I/II, Leipzig 1899/1905 (Nachdr. Hildesheim 1965).

–, Tradition und Tradenten in den Schulen Palästinas und Babyloniens. Studien und Materialien zur Entstehungsgeschichte des Talmuds, Berlin 1914 (Nachdr. 1966).

Baltensweiler H., Die Ehe im Neuen Testament. Exegetische Untersuchung über Ehe, Ehelosigkeit und Ehescheidung (AThANT 52) Zürich-Stuttgart 1967.

Bammel F., Art. πτωχός κτλ., in: ThWNT VI 888–915.

Banks R., Jesus and the Law in the Synoptic Tradition (MSSNTS 28) Cambridge-London-New York-Melbourne 1975.

Barth G., Art. Bergpredigt I. Im Neuen Testament, in: TRE V 603–618.

Bauer, W., Griechisch-Deutsches Wörterbuch zu den Schriften des Neuen Testaments und der übrigen urchristlichen Literatur, Berlin ⁵1958 (Nachdr. 1963).

Baumbach G., Jesus von Nazareth im Lichte der jüdischen Gruppenbildung (AVTRW 54) Berlin 1971.

–, Der sadduzäische Konservativismus, in: *J. Maier – J. Schreiner* (Hrsg.), Literatur (s. u.) 201–213.

Becker J., Das Heil Gottes. Heils- und Sündenbegriffe in den Qumrantexten und im Neuen Testament (StUNT 3) Göttingen 1964.

–, Johannes der Täufer und Jesus von Nazareth (BSt 63) Neukirchen 1972.

–, Das Gottesbild Jesu und die älteste Auslegung von Ostern, in: *G. Strecker* (Hrsg.), Jesus (s. u.) 105–126.

–, Das Evangelium nach Johannes I/II (ÖTK 4/1.2) Gütersloh-Würzburg 1979/81.

Ben-Chorin Sch., Bruder Jesus. Der Nazarener in jüdischer Sicht, München 1967.

–, Theologia Judaica. Gesammelte Aufsätze, Tübingen 1982.

Berger K., Zu den sogenannten Sätzen heiligen Rechts: NTS 17 (1970/71) 10–40.

–, Zum traditionsgeschichtlichen Hintergrund christologischer Hoheitstitel: NTS 17 (1970/71) 391–425.

–, Die Gesetzesauslegung Jesu. Ihr historischer Hintergrund im Judentum und im Alten Testament I. Markus und Parallelen (WMANT 40) Neukirchen 1972.

–, Die königlichen Messiastraditionen des Neuen Testaments: NTS 20 (1974) 1–44.

Betz O., Offenbarung und Schriftforschung in der Qumransekte (WUNT 6) Tübingen 1960.

–, *Probleme des Prozesses Jesu, in: Aufstieg und Niedergang der römischen Welt. Geschichte und Kultur Roms im Spiegel der neueren Forschung (hrsg. v. H. Temporini – W. Haase)* II 25/1, Berlin-New York 1982, 565–647.

Bietenhard, H., „Der Menschensohn" – ὁ υἱὸς τοῦ ἀνθρώπου. Sprachliche, religionsgeschichtliche und exegetische Untersuchungen zu einem Begriff der synoptischen Evangelien. I. Sprachlicher und religionsgeschichtlicher Teil, in: Aufstieg und Niedergang der römischen Welt. Geschichte und Kultur Roms im Spiegel der neueren Forschung (hrsg. v. *H. Temporini – W. Haase*) II 25/1, Berlin-New York 1982, 265–350.

(Strack H. L.) – Billerbeck P., Kommentar zum Neuen Testament aus Talmud und Midrasch I–IV, München ⁵1969 (I), ⁴1965 (II–IV) (= Bill.).

Blank J., Jesus von Nazareth. Geschichte und Relevanz, Freiburg-Basel-Wien 1972.

Blass F. – Debrunner A., Grammatik des neutestamentlichen Griechisch (bearbeitet v. *F. Rehkopf*), Göttingen ¹⁵1979 (= Bl-Debr).

Blinzler J., Die Niedermetzelung von Galiläern durch Pilatus: NT 2 (1958) 24–49.

–, Der Prozeß Jesu, Regensburg ⁴1969.

Boecker H. J., Recht und Gesetz im Alten Testament und im Alten Orient (NStB 10) Neukirchen 1976.

Bornkamm G., Jesus von Nazareth (UB 19) Stuttgart-Berlin-Köln-Mainz ⁸1968.

–, Das Doppelgebot der Liebe, in: *ders.*, Geschichte und Glaube I. Gesammelte Aufsätze III (BEvTh 48) München 1968, 37–45.

Bousset W. – Greßmann H., Die Religion des Judentums im späthellenistischen Zeitalter (HNT 21) Tübingen ⁴1966.

Brandon S. G. F., Jesus and the Zealots. A Study of the Political Factor in Primitive Christianity, Manchester 1967.

Branscomb B. H., Jesus and the Law of Moses, New York 1930.

Braun H., Spätjüdisch-häretischer und frühchristlicher Radikalismus. Jesus von Nazareth und die essenische Qumransekte I/II (BHTh 24) Tübingen ²1969.

–, Vom Erbarmen Gottes über den Gerechten. Zur Theologie der Psalmen Salomos, in: *ders.*, Gesammelte Studien zum Neuen Testament und seiner Umwelt, Tübingen ³1971, 8–69.

–, „Umkehr" in spätjüdisch-häretischer und in frühchristlicher Sicht, in: *ders.*, Gesammelte Studien (s. o.) 70–85.

–, Qumran und das Neue Testament I/II, Tübingen 1966.

Brocke M. u. a., (Hrsg.), Das Vaterunser. Gemeinsames im Beten von Juden und Christen, Freiburg–Basel–Wien 1974.

Broer I., Die Antithesen und der Evangelist Matthäus. Versuch, eine alte These zu revidieren: BZ NF 19 (1975) 50–63.

–, Freiheit vom Gesetz und Radikalisierung des Gesetzes. Ein Beitrag zur Theologie des Evangelisten Matthäus (SBS 98) Stuttgart 1980.

Brox N., Das messianische Selbstverständnis des historischen Jesus, in: *K. Schubert* (Hrsg.), Vom Messias zum Christus. Die Fülle der Zeit in religionsgeschichtlicher und theologischer Sicht, Wien–Freiburg–Basel 1964, 165–201.

Buber M., Zwei Glaubensweisen, Zürich 1950.

–, Königtum Gottes, Heidelberg ³1956.

Bultmann R., Die Geschichte der synoptischen Tradition (FRLANT 29) Göttingen ⁶1964.

–, Jesus, Tübingen 1926 (= Siebenstern-Taschenbuch 17, München-Hamburg ²1965).

–, Theologie des Neuen Testaments (UTB 630) Tübingen ⁷1977.

Burchard Ch., Das doppelte Liebesgebot in der frühen christlichen Überlieferung, in: *E. Lohse u.a.* (Hrsg.), Ruf (s.u.) 39–62.

–, Versuch, das Thema der Bergpredigt zu finden, in: *G. Strecker* (Hrsg.), Jesus (s.u.) 409–432.

Burger Ch., Jesus als Davidssohn. Eine traditionsgeschichtliche Untersuchung (FRLANT 98) Göttingen 1970.

Carmignac, J., Recherches sur le „Notre Père", Paris 1969.

Chilton B. D., God in Strength. Jesus' Announcement of the Kingdom (SNTU, Ser. B, 1) Freistadt 1979.

Clark K. W., „Realized Eschatology": JBL 59 (1940) 367–383.

Colpe, C., Art. ὁ υἱὸς τοῦ ἀνθρώπου, in: ThWNT VIII 403–481.

–, Neue Untersuchungen zum Menschensohn-Problem: ThRv 77 (1981) 353–372.

Conzelmann, H., Die Mitte der Zeit. Studien zur Theologie des Lukas (BHTh 17) Tübingen ⁵1964.

–, Grundriß der Theologie des Neuen Testaments (EETh 2) München ²1968.

–, Das Selbstbewußtsein Jesu, in: *ders.*, Theologie als Schriftauslegung. Aufsätze zum Neuen Testament (BEvTh 65) München 1974, 30–41.

Cullmann O., Jesus und die Revolutionären seiner Zeit. Gottesdienst, Gesellschaft, Politik, Tübingen ²1970.

Dahl N. A., Der gekreuzigte Messias, in: *H. Ristow – K. Matthiae* (Hrsg.), Der historische Jesus und der kerygmatische Christus. Beiträge zum Christusverständnis in Forschung und Verkündigung, Berlin ²1961, 149–169.

Dalman G., Jesus – Jeschua. Die drei Sprachen Jesu. Jesus in der Synagoge, auf dem Berge, beim Passahmahl, am Kreuz, Leipzig 1922 (Nachdr. Darmstadt 1967).

–, Die Worte Jesu. Mit Berücksichtigung des nachkanonischen jüdischen Schrifttums und der aramäischen Sprache I. Einleitung und wichtige Begriffe, Leipzig ²1930 (Nachdr. Darmstadt 1965).

Daube D., The New Testament and Rabbinic Judaism (JLCR 2) London 1956.

Dautzenberg G., Die Zeit des Evangeliums. Mk 1,1–15 und die Konzeption des Markusevangeliums: BZ NF 21 (1977) 219–234; 22 (1978) 76–91.

–, Der Wandel der Reich-Gottes-Verkündigung in der urchristlichen Mission, in: *ders. u.a.* (Hrsg.), Zur Geschichte des Urchristentums (QD 87) Freiburg-Basel-Wien 1979, 11–32.

–, Ist das Schwurverbot Mt 5,33–37; Jak 5,12 ein Beispiel für die Torakritik Jesu?: BZ NF 25 (1981) 47–66.

–, Der Glaube in der Jesusüberlieferung, in: *B. Jendorff u.a.* (Hrsg.), Anwalt des Menschen. Beiträge aus Theologie und Religionspädagogik, Gießen 1983, 41–62.

Davies W. D., The Setting of the Sermon on the Mount, Cambridge 1964.

Deissler A., Der „Menschensohn" und „das Volk der Heiligen des Höchsten" in Dan 7, in: *R. Pesch u.a.* (Hrsg.), Jesus (s.u.) 81–91.

Delobel J. (Hrsg.), Logia. Les paroles de Jésus – The sayings of Jesus (Mémorial J. Coppens) (BEThL 59) Leuven 1982.

Dibelius M., Die urchristliche Überlieferung von Johannes dem Täufer (FRLANT 15) Göttingen 1911.

–, Jesus (SG 1130) Berlin (1939) ⁴1966 (mit einem Nachtrag von *W. G. Kümmel*).

Dietrich E. K., Die Umkehr (Bekehrung und Buße) im Alten Testament und im

Judentum bei besonderer Berücksichtigung der neutestamentlichen Zeit, Stuttgart 1936.

Dietrich W., Gott als König. Zur Frage nach der theologischen und politischen Legitimität religiöser Begriffsbildung: ZThK 77 (1980) 251–268.

Dietzfelbinger Ch., Die Antithesen der Bergpredigt (TEH 186) München 1975.

Dinkler E., Petrusbekenntnis und Satanswort. Das Problem der Messianität Jesu, in: *ders.*, Signum crucis. Aufsätze zum Neuen Testament und zur Christlichen Archäologie, Tübingen 1967, 283–312.

Dodd C. H., The Apostolic Preaching and its Developments, London ⁷1951.

–, The Parables of the Kingdom, London ¹³1953.

Dorneich M., Vaterunser. Bibliographie, Freiburg i. Br. 1982.

Dupont J., Les Béatitudes I–III (EB) Paris 1969–73.

– (Hrsg.), Jésus aux origines de la christologie (BEThL 40) Leuven-Gembloux 1975.

Eichholz G., Auslegung der Bergpredigt (BSt 46) Neukirchen ²1970.

Eisler R., ΙΗΣΟΥΣ ΒΑΣΙΛΕΥΣ ΟΥ ΒΑΣΙΛΕΥΣΑΣ. Die messianische Unabhängigkeitsbewegung vom Auftreten Johannes des Täufers bis zum Untergang Jakobs des Gerechten I/II, Heidelberg 1929/30.

Ernst J., Anfänge der Christologie (SBS 57) Stuttgart 1972.

Fabry H.-J., Die Wurzel ŠÛB in der Qumran-Literatur. Zur Semantik eines Grundbegriffes (BBB 46) Bonn 1975.

Feld H., Das Verständnis des Abendmahls (EdF 50) Darmstadt 1976.

Fiedler P., Jesus und die Sünder (BET 3) Frankfurt-Bern 1976.

Flender H., Die Botschaft Jesu von der Herrschaft Gottes, München 1968.

Flusser D., Jesus in Selbstzeugnissen und Bilddokumenten (RoMo 140) Hamburg 1968 (u. ö.).

–, Die rabbinischen Gleichnisse und der Gleichniserzähler Jesus I. Das Wesen der Gleichnisse, Bern-Frankfurt-Las Vegas 1981.

Foerster W., Art. δαίμων κτλ., in: ThWNT II 1–21.

Frankemölle H., Die Makarismen (Mt 5,1–12; Lk 6,20–23). Motive und Umfang der redaktionellen Komposition: BZ NF 15 (1971) 52–75.

Friedrich G., Art. προφήτης κτλ. D. Propheten und Prophezeien im Neuen Testament, E. Propheten in der alten Kirche, in: ThWNT VI 829–863.

Fuchs A., Intention und Adressaten der Bußpredigt des Täufers bei Mt 3,7–10, in: *ders.* (Hrsg.), Jesus in der Verkündigung der Kirche (SNTU, Ser. A, 1) Linz 1976, 62–75.

Fuchs E., Die Frage nach dem historischen Jesus, in: *ders.*, Zur Frage nach dem historischen Jesus. Gesammelte Aufsätze II, Tübingen ²1965, 143–167.

–, Das Zeitverständnis Jesu, in: *ders.*, Zur Frage (s. o.) 304–376.

Fuller R. H., Die Wunder Jesu in Exegese und Verkündigung, Düsseldorf ³1969.

–, Das Doppelgebot der Liebe. Ein Testfall für die Echtheitskriterien der Worte Jesu, in: *G. Strecker* (Hrsg.), Jesus (s. u.) 317–329.

Geiger R., Die lukanischen Endzeitreden. Studien zur Eschatologie des Lukas-Evangeliums (EHS.T XXII/16) Bern-Frankfurt 1973.

Gerhardsson B., Memory and Manuscript. Oral Tradition and Written Transmission in Rabbinic Judaism and Early Christianity (ASNU 22) Uppsala 1961.

–, Tradition and Transmission in Early Christianity (CNT 20) Lund-Copenhagen 1964.

Gese H., Das Gesetz, in: *ders.,* Zur biblischen Theologie (BEvTh 78) München 1977, 55–84.

Goguel M., Au seuil de l'Évangile. Jean-Baptiste, Paris 1928.

Goppelt L., Das Problem der Bergpredigt. Jesu Gebot und die Wirklichkeit dieser Welt, in: *ders.,* Christologie und Ethik. Aufsätze zum Neuen Testament, Göttingen 1968, 27–43.

–, Theologie des Neuen Testaments I. Jesu Wirken in seiner theologischen Bedeutung (hrsg. v. *J. Roloff*), Göttingen 1975.

Gräßer E., Das Problem der Parusieverzögerung in den synoptischen Evangelien und in der Apostelgeschichte (BZNW 22) Berlin-New York ³1977.

–, Die Naherwartung Jesu (SBS 61) Stuttgart 1973.

–, Motive und Methoden der neueren Jesusliteratur. An Beispielen dargestellt: VF 18 (1973, Heft 2) 3–45.

–, Zum Verständnis der Gottesherrschaft: ZNW 65 (1974) 3–26.

–, Der Mensch als Thema der Theologie, in: *E. E. Ellis – ders.,* Jesus und Paulus (FS W. G. Kümmel) Göttingen 1975, 129–150.

–, Jesus und das Heil Gottes. Bemerkungen zur sog. „Individuierung des Heils", in: *G. Strecker* (Hrsg.), Jesus (s.u.) 167–184.

Greshake G. – Lohfink G., Naherwartung – Auferstehung – Unsterblichkeit. Untersuchungen zur christlichen Eschatologie (QD 71) Freiburg-Basel-Wien 1975.

Grimm W., Weil Ich dich liebe. Die Verkündigung Jesu und Deuterojesaja (ANTI 1) Bern-Frankfurt 1976.

Grundmann W., Das Evangelium nach Lukas (ThHK III) Berlin o.J. (⁵1969).

–, Art. χρίω κτλ., in: ThWNT IX 482–485. 518–576.

Guelich R., The Antitheses of Matthew V. 21–48: Traditional and/or Redactional?: NTS 22 (1976) 444–457.

Gunneweg A. H. J., Herrschaft Gottes und Herrschaft des Menschen. Eine alttestamentliche Aporie von aktueller Bedeutung: KuD 27 (1981) 164–179.

Hahn F., Christologische Hoheitstitel. Ihre Geschichte im frühen Christentum (FRLANT 83) Göttingen ³1966.

–, Die alttestamentlichen Motive in der urchristlichen Abendmahlsüberlieferung: EvTh 27 (1967) 337–374.

–, Methodologische Überlegungen zur Rückfrage nach Jesus, in: *K. Kertelge* (Hrsg.), Rückfrage (s.u.) 11–77.

–, Das Verständnis des Opfers im Neuen Testament, in: *K. Lehmann – E. Schlink* (Hrsg.), Das Opfer Jesu Christi und seine Gegenwart in der Kirche. Klärungen zum Opfercharakter des Herrenmahles, Freiburg i. Br.-Göttingen 1983, 51–91.

Harnisch W., Die Metapher als heuristisches Prinzip. Neuerscheinungen zur Hermeneutik der Gleichnisreden Jesu: VF 24 (1979, Heft 1) 53–89.

–, (Hrsg.), Gleichnisse Jesu. Positionen der Auslegung von Adolf Jülicher bis zur Formgeschichte (WdF 366) Darmstadt 1982.

–, (Hrsg.), Die neutestamentliche Gleichnisforschung im Horizont von Hermeneutik und Literaturwissenschaft (WdF 575) Darmstadt 1982.

Haufe G., Das Menschensohn-Problem in der gegenwärtigen wissenschaftlichen Diskussion: EvTh 26 (1966) 130–141.

Hengel M., Die Zeloten. Untersuchungen zur jüdischen Freiheitsbewegung in der Zeit von Herodes I. bis 70 n. Chr. (ASJU 1) Leiden-Köln ²1976.

–, Nachfolge und Charisma. Eine exegetisch-religionsgeschichtliche Studie zu Mt 8,21 f. und Jesu Ruf in der Nachfolge (BZNW 34) Berlin 1968.

–, Judentum und Hellenismus. Studien zu ihrer Begegnung unter besonderer Berücksichtigung Palästinas bis zur Mitte des 2. Jh. v. Chr. (WUNT 10) Tübingen 1969.

–, War Jesus Revolutionär? (CwH 110) Stuttgart 1970.

–, Gewalt und Gewaltlosigkeit. Zur „politischen Theologie" in neutestamentlicher Zeit (CwH 118) Stuttgart 1971.

–, Jesus und die Tora: ThBeitr 9 (1978) 152–172.

–, Der stellvertretende Sühnetod Jesu. Ein Beitrag zur Entstehung des urchristlichen Kerygmas: IKaZ 9 (1980) 1–25.135–147.

Hiers R. H., The historical Jesus and the Kingdom of God. Present and Future in the Message and Ministry of Jesus (UFHM 38) Gainesville 1973.

–, Satan, Demons, and the Kingdom of God: SJTH 27 (1974) 35–47.

Hoffmann P., Studien zur Theologie der Logienquelle (NTA NS 8) Münster 1972.

–, Mk 8,31. Zur Herkunft und markinischen Rezeption einer alten Überlieferung, in: *ders. u.a.* (Hrsg.), Orientierung (s.u.) 170–204.

–, „Er weiß, was ihr braucht . . ." (Mt 6,7). Jesu einfache und konkrete Rede von Gott, in: *N. Lohfink u.a.*, „Ich will euer Gott werden". Beispiele biblischen Redens von Gott (SBS 100) Stuttgart ²1982, 151–176.

–, Eschatologie und Friedenshandeln in der Jesusüberlieferung, in: *U. Luz u.a.*, Eschatologie und Friedenshandeln. Exegetische Beiträge zur Frage christlicher Friedensverantwortung (SBS 101) Stuttgart ²1982, 115–152.

– – *Eid V.*, Jesus von Nazareth und eine christliche Moral. Sittliche Perspektiven der Verkündigung Jesu (QD 66) Freiburg-Basel-Wien 1975.

– *u.a.* (Hrsg.), Orientierung an Jesus. Zur Theologie der Synoptiker (FS J. Schmid) Freiburg-Basel-Wien 1973.

Holtz T., Jesus aus Nazaret. Was wissen wir von ihm? (Berlin 1979) Zürich-Einsiedeln-Köln 1981.

Howard V. P., Das Ego Jesu in den synoptischen Evangelien. Untersuchungen zum Sprachgebrauch Jesu (MThSt 14) Marburg 1975.

Hübner H., Das Gesetz in der synoptischen Tradition. Studien zur These einer progressiven Qumranisierung und Judaisierung innerhalb der synoptischen Tradition, Witten 1973.

–, Mark. VII. 1–23 und das ‚jüdisch-hellenistische' Gesetzesverständnis: NTS 22 (1976) 319–345.

Huppenbauer H. W., Der Mensch zwischen zwei Welten. Der Dualismus von Qumran (Höhle I) und der Damaskusfragmente. Ein Beitrag zur Vorgeschichte des Evangelims (AThANT 34) Zürich 1959.

Jeremias G., Der Lehrer der Gerechtigkeit (StUNT 2) Göttingen 1963.

Jeremias J., Jesu Verheißung für die Völker, Stuttgart ²1959.

–, Die Gleichnisse Jesu, Göttingen ⁶1962.

–, Abba, in: *ders.*, Abba. Studien zur neutestamentlichen Theologie und Zeitgeschichte, Göttingen 1966, 15–67.

–, Die Abendmahlsworte Jesu, Göttingen ⁴1967.

–, Neutestamentliche Theologie I. Die Verkündigung Jesu, Gütersloh 1971.

–, Das Problem des historischen Jesus (CwH 32) Stuttgart [7]1977.

–, Art. παῖς θεοῦ C. παῖς θεοῦ im Spätjudentum in der Zeit nach der Entstehung der LXX, D. παῖς θεοῦ im Neuen Testament, in: ThWNT V 676–713.

–, Art. πολλοί, in: ThWNT VI 536–545.

Jörns K.-P., Die Gleichnisverkündigung Jesu. Reden von Gott als Wort Gottes, in: E. Lohse u.a. (Hrsg.), Ruf (s.u.) 157–178.

de Jonge M. – v. d. Woude A. S., 11 Q Melchizedek and the New Testament: NTS 12 (1965/66) 301–326.

Jülicher A., Die Gleichnisreden Jesu I/II, Tübingen 1910 (Nachdr. Darmstadt 1969).

Jüngel E., Paulus und Jesus. Eine Untersuchung zur Präzisierung der Frage nach dem Ursprung der Christologie (HUTh 2) Tübingen [4]1972.

Kähler M., Der sogenannte historische Jesus und der geschichtliche, biblische Christus, Leipzig (1892) [2]1896 (Neudr. [TB 2] München 1953).

Käsemann E., Das Problem des historischen Jesus, in: *ders.*, Exegetische Versuche und Besinnungen I, Göttingen 1964, 187–214.

–, Sätze heiligen Rechtes im Neuen Testament, in: *ders.*, Exegetische Versuche und Besinnungen II, Göttingen [3]1968, 69–82.

–, Die neue Jesus-Frage, in: *J*. Dupont (Hrsg.), Jésus (s.o.) 47–57.

Kertelge K. (Hrsg.), Rückfrage nach Jesus. Zur Methodik und Bedeutung der Frage nach dem historischen Jesus (QD 63) Freiburg-Basel-Wien 1974.

–, Die Überlieferung der Wunder Jesu und die Frage nach dem historischen Jesus, in: *ders.* (Hrsg.), Rückfrage (s.o.) 174–193.

–, Die Wunder Jesu in der neueren Exegese, in: ThBer 5 (1976) 71–105.

Kippenberg H. G., Religion und Klassenbildung im antiken Judäa. Eine religionssoziologische Studie zum Verhältnis von Tradition und gesellschaftlicher Entwicklung (StUNT 14) Göttingen 1978.

Klauck H.-J., Allegorie und Allegorese in synoptischen Gleichnistexten (NTA NS 13) Münster 1978.

Klausner J., Jesus von Nazareth. Seine Zeit, sein Leben und seine Lehre, Jerusalem [3]1952.

Klein G., „Reich Gottes" als biblischer Zentralbegriff: EvTh 30 (1970) 642–670.

–, Art. Eschatologie IV. Neues Testament, in: TRE X 270–299.

Koch K., Offenbaren wird sich das Reich Gottes. Die Malkuta Jahwäs im Profeten-Targum: NTS 25 (1979) 158–165.

– –, *Schmidt J. M.* (Hrsg.), Apokalyptik (WdF 365) Darmstadt 1982.

Kraeling C. H., John the Baptist, New York–London 1951.

Kramer W., Christos Kyrios Gottessohn. Untersuchungen zu Gebrauch und Bedeutung der christologischen Bezeichnungen bei Paulus und den vorpaulinischen Gemeinden (AThANT 44) Zürich–Stuttgart 1963.

Kraus H.-J., Theologie der Psalmen (BK XV/3) Neukirchen 1979.

Kretzer A., Die Herrschaft der Himmel und die Söhne des Reiches. Eine redaktionsgeschichtliche Untersuchung zum Basileiabegriff und Basileiaverständnis im Matthäusevangelium (SBM 10) Stuttgart–Würzburg 1971.

Kruse H., Das Reich Satans: Bib. 58 (1977) 29–61.

Kümmel W. G., Verheißung und Erfüllung. Untersuchungen zur eschatologischen Verkündigung Jesu (AThANT 6) Zürich [3]1956.

–, Jesus und der jüdische Traditionsgedanke, in: *ders.*, Heilsgeschehen und

Geschichte (I). Gesammelte Aufsätze 1933–1964 (hrsg. v. *E. Gräßer u. a.*) (MThSt 3) Marburg 1965, 15–35.

–, Die Gottesverkündigung Jesu und der Gottesgedanke des Spätjudentums, in: *ders.*, Heilsgeschehen (I) (s. o.) 107–125.

–, Die Naherwartung in der Verkündigung Jesu, in: *ders.*, Heilsgeschehen (I) (s. o.) 457–470.

–, Äußere und innere Reinheit des Menschen bei Jesus, in: *ders.*, Heilsgeschehen und Geschichte II. Gesammelte Aufsätze 1965–1977 (hrsg. v. *E. Gräßer u. a.*) (MThST 16) Marburg 1978, 117–129.

–, Jesu Antwort an Johannes den Täufer. Ein Beispiel zum Methodenproblem in der Jesusforschung, in: *ders.*, Heilsgeschehen II (s. o.) 177–200.

–, Das Verhalten Jesus gegenüber und das Verhalten des Menschensohns. Markus 8,38 par. und Lukas 12,8 f par. Matthäus 10,32 f, in: *ders.*, Heilsgeschehen II (s. o.) 201–214.

–, Jesusforschung seit 1950, in: ThR NS 31 (1965/66) 15–46. 289–315.

–, Ein Jahrzehnt Jesusforschung (1965–1975) (ab 1978 lautet der Titel: Jesusforschung seit 1965): ThR NS 40 (1975) 289–336; 41 (1976) 197–258.295–363; 43 (1978) 105–161.233–265; 45 (1980) 40–84.293–337.

–, Jesusforschung seit 1965: Nachträge 1975–1980: ThR NS 46 (1981) 317–363; 47 (1982) 136–165.348–383.

Kuhn H.-W., Enderwartung und gegenwärtiges Heil. Untersuchungen zu den Gemeindeliedern von Qumran mit einem Anhang über Eschatologie und Gegenwart in der Verkündigung Jesu (StUNT 4) Göttingen 1966.

–, Ältere Sammlungen im Markusevangelium (StUNT 8) Göttingen 1971.

Kuhn K. G., βασιλεὺς κτλ. C. ‚mal‹ᵉ›kût schāmajim' in der rabbinischen Literatur, in: ThWNT I 570–573.

Ladd G. E., The Presence of the Future. The Eschatology of Biblical Realism, Grand Rapids 1974.

–, The Kingdom of God in Jewish Apocryphal Literature: BS 109 (1952) 55–62.164–174.318–331; 110 (1953) 32–49.

Lambrecht J., Jesus and the Law. An Investigation of Mk 7,1–23: EThL 53 (1977) 24–82.

Lang F., Erwägungen zur eschatologischen Verkündigung Johannes des Täufers, in: *G. Strecker* (Hrsg.), Jesus (s. u.) 459–473.

Lapide P. E., Der Rabbi von Nazaret. Wandlungen des jüdischen Jesusbildes, Trier 1974.

–, Ist das nicht Josephs Sohn? Jesus im heutigen Judentum, Stuttgart–München 1976.

– – *Luz U.*, Der Jude Jesus. Thesen eines Juden, Antworten eines Christen, Zürich–Einsiedeln–Köln 1979.

Lattke M., Zur jüdischen Vorgeschichte des synoptischen Begriffs der „Königsherrschaft Gottes", in: *P. Fiedler – D. Zeller* (Hrsg.), Gegenwart und kommendes Reich (FS A. Vögtle) Stuttgart 1975, 9–25.

Laufen R., Die Doppelüberlieferungen der Logienquelle und des Markusevangeliums (BBB 54) Königstein/Ts.–Bonn 1980.

Légasse S., Jésus historique et le Fils de l'Homme. Aperçu sur les opinions contemporaines, in: *L. Monloubou* (Hrsg.) Apocalypses et théologies de l'espérance (LeDiv 95) Paris 1977, 271–298.

Leroy H., Jesus. Überlieferung und Deutung (EdF 95) Darmstadt 1978.

Lietzmann H., Der Prozeß Jesu, in: *ders.*, Kleine Schriften II. Studien zum Neuen Testament (TU 68) Berlin 1958, 251–276.

Limbeck M., Die Ordnung des Heils. Untersuchungen zum Gesetzesverständnis des Frühjudentums, Düsseldorf 1971.

–, Satan und das Böse im Neuen Testament, in: *H. Haag*, Teufelsglaube, Tübingen 1974, 271–388.

Lindeskog G., Die Jesusfrage im neuzeitlichen Judentum. Ein Beitrag zur Geschichte der Leben-Jesu-Forschung, Uppsala 1938 (Nachdr. Darmstadt 1973).

Linnemann E., Gleichnisse Jesu. Einführung und Auslegung, Göttingen ⁵1969.

–, Jesus und der Täufer, in: *G. Ebeling u. a.* (Hrsg.), Festschrift für Ernst Fuchs, Tübingen 1973, 219–236.

–, Hat Jesus Naherwartung gehabt?, in: *J. Dupont* (Hrsg.), Jésus (s. o.) 103–110.

Lohfink G., Jesus und die Ehescheidung. Zur Gattung und Sprachintention von Mt 5,32, in: *H. Merklein – J. Lange* (Hrsg.), Biblische Randbemerkungen (FS R. Schnackenburg) Würzburg 1974, 207–217.

–, Der Ursprung der christlichen Taufe, in: ThQ 156 (1976) 35–54.

–, Gott in der Verkündigung Jesu, in: *M. Hengel u. a.* (Hrsg.), Heute von Gott reden, München–Mainz 1977, 50–65.

–, Wie hat Jesus Gemeinde gewollt? Zur gesellschaftlichen Dimension des christlichen Glaubens, Freiburg–Basel–Wien 1982.

Lohmeyer E., Das Urchristentum I. Johannes der Täufer, Göttingen 1932.

Lohse E., Märtyrer und Gottesknecht. Untersuchungen zur urchristlichen Verkündigung vom Sühntod Jesu Christi (FRLANT 64) Göttingen ²1963.

–, Die Gottesherrschaft in den Gleichnissen Jesu, in: *ders.*, Die Einheit des Neuen Testaments. Exegetische Studien zur Theologie des Neuen Testaments, Göttingen 1973, 49–61.

–, Jesu Worte über den Sabbat, in: *ders.*, Einheit (s. o.) 62–72.

–, „Ich aber sage euch", in: *ders.*, Einheit (s. o.) 73–87.

–, Grundriß der neutestamentlichen Theologie (ThW 5) Stuttgart–Berlin–Köln–Mainz 1974.

–, Glaube und Wunder. Ein Beitrag zur theologia crucis in den synoptischen Evangelien, in: *ders.*, Die Vielfalt des Neuen Testaments. Exegetische Studien zur Theologie des Neuen Testaments II, Göttingen 1982, 29–44.

–, u. a. (Hrsg.), Der Ruf Jesu und die Antwort der Gemeinde (FS J. Jeremias) Göttingen 1970.

Lorenzmeier Th., Zum Logion Mt 12,28; Lk 11,20, in: *H. D. Betz u. a.* (Hrsg.), Neues Testament und christliche Existenz (FS H. Braun) Tübingen 1973, 289–304.

Lührmann D., Die Redaktion der Logienquelle (WMANT 33) Neukirchen 1969.

–, Liebet eure Feinde (Lk 6,27–36/Mt 5,39–48): ZThK 69 (1972) 412–438.

–, Die Frage nach Kriterien für ursprüngliche Jesusworte – eine Problemskizze, in: *J. Dupont* (Hrsg.), Jésus (s. o.) 59–72.

–, . . . womit er alle Speisen für rein erklärte (Mk 7,19): WuD 16 (1981) 71–92.

Luz U., Einige Erwägungen zur Auslegung Gottes in der ethischen Verkündigung Jesu, in: EKK.V 2, Zürich–Einsiedeln–Köln–Neukirchen 1970, 119–130.

Maddox R., Methodenfragen in der Menschensohnforschung: EvTh 32 (1972) 143–160.

Maier J., Die Texte vom Toten Meer I/II, München–Basel 1960.

–, Jesus von Nazareth in der talmudischen Überlieferung (EdF 82) Darmstadt 1978.

–, Art. Armut IV. Judentum, in: TRE IV 80–85.

–, Geschichte der jüdischen Religion. Von der Zeit Alexanders des Grossen bis zur Aufklärung mit einem Ausblick auf das 19./20. Jahrhundert (GLB) Berlin–New York 1972.

–, Tempel und Tempelkult, in: *ders. – J. Schreiner* (Hrsg.), Literatur (s. u.) 371–390.

– – *J. Schreiner* (Hrsg.), Literatur und Religion des Frühjudentums, Würzburg–Gütersloh 1973.

Marchel W., Abba, Père! La prière du christ et des chrétiens. Étude éxégétique sur les origines et la signification de l'invocation à la divinité comme père, avant et dans le Nouveau Testament (AnBib 19) Rom 1963.

Marshall I. H., The Synoptic Son of Man Sayings in Recent Discussion: NTS 12 (1965/66) 327–351.

Merkel H., Jesus und die Pharisäer: NTS 14 (1967/68) 194–208.

–, Markus 7,15 – das Jesuswort über die innere Verunreinigung: ZRGG 20 (1968) 340–363.

Merklein H., Der Jüngerkreis Jesu, in: *K. Müller* (Hrsg.), Die Aktion Jesu und die Re-Aktion der Kirche. Jesus von Nazareth und die Anfänge der Kirche, Würzburg 1972, 65–100.

–, Erwägungen zur Überlieferungsgeschichte der neutestamentlichen Abendmahlstraditionen: BZ NF 21 (1977) 88–101. 235–244.

–, „Dieser ging als Gerechter nach Hause . . .“. Das Gottesbild Jesu und die Haltung der Menschen nach Lk 18,9–14: BiKi 32 (1977) 34–42.

–, Die Gottesherrschaft als Handlungsprinzip. Untersuchung zur Ethik Jesu (FzB 34) Würzburg ²1981.

–, Zur Entstehung der urchristlichen Aussage vom präexistenten Sohn Gottes, in: *G. Dautzenberg u. a.* (Hrsg.), Zur Geschichte des Urchristentums (QD 87) Freiburg–Basel–Wien 1979, 33–62.

–, Die Auferweckung Jesu und die Anfänge der Christologie (Messias bzw. Sohn Gottes und Menschensohn): ZNW 72 (1981) 1–26.

–, Die Umkehrpredigt bei Johannes dem Täufer und Jesus von Nazaret: BZ NF 25 (1981) 29–46.

–, Art. μετάνοια, μετανοέω, in: EWNT II 1022–1031.

Meyer R., Tradition und Neuschöpfung im antiken Judentum. Dargestellt an der Geschichte des Pharisäismus, in: SSAW.PH Bd. 110, Heft 2, 7–88.

–, Art. Σαδδουκαῖος, in: ThWNT VII 35–54.

–, Art. Φαρισαῖος A. Der Pharisäismus im Judentum, in: ThWNT IX 11–36.

Moore G. F., Judaism in the First Centuries of the Christian Era. The Age of the Tannaim I–III, Cambridge (Mass.) ¹⁰1966.

Müller K., Jesu Naherwartung und die Anfänge der Kirche, in: *ders.* (Hrsg.), Die Aktion Jesu und die Re-Aktion der Kirche. Jesus von Nazareth und die Anfänge der Kirche, Würzburg 1972, 9–29.

–, Menschensohn und Messias. Religionsgeschichtliche Vorüberlegungen zum

Menschensohnproblem in den synoptischen Evangelien: BZ NF 16 (1972) 161–187; 17 (1973) 52–66.

–, Jesus und die Sadduzäer, in: *H. Merklein – J. Lange* (Hrsg.), Biblische Randbemerkungen (FS R. Schnackenburg) Würzburg 1974, 3–24.

–, Der Menschensohn im Danielzyklus, in: *R. Pesch u. a.* (Hrsg.), Jesus (s. u.) 37–80.

–, Art. Apokalyptik/Apokalypsen III. Die jüdische Apokalyptik. Anfänge und Merkmale, in: TRE III 202–251.

–, Das Judentum in der religionsgeschichtlichen Arbeit am Neuen Testament. Eine kritische Rückschau auf die Entwicklung einer Methodik bis zu den Qumranfunden (Judentum und Umwelt 6) Frankfurt/M. – Bern 1983.

Müller U. B., Messias und Menschensohn in jüdischen Apokalypsen und in der Offenbarung des Johannes (StNT 6) Gütersloh 1972.

–, Vision und Botschaft. Erwägungen zur prophetischen Struktur der Verkündigung Jesu: ZThK 74 (1977) 416–448.

Münchow Ch., Ethik und Eschatologie. Ein Beitrag zum Verständnis der frühjüdischen Apokalyptik mit einem Ausblick auf das Neue Testament, Göttingen 1981.

Mußner F., Die Wunder Jesu. Eine Einführung (SK 10) München 1967.

–, Gab es eine „galiläische Krise"?, in: *P. Hoffmann u. a.* (Hrsg.), Orientierung (s. o.) 238–252.

–, Ursprünge und Entfaltung der neutestamentlichen Sohneschristologie. Versuch einer Rekonstruktion, in: *L. Scheffczyk* (Hrsg.), Grundfragen der Christologie heute (QD 72) Freiburg–Basel–Wien 1975, 77–113.

–, Jesu Ansage der Nähe der eschatologischen Gottesherrschaft nach Markus 1,14.15. Ein Beitrag der modernen Sprachwissenschaft zur Exegese, in: *J. Auer – ders.*, Gottesherrschaft – Weltherrschaft (FS R. Graber) Regensburg 1980, 33–49.

Neuenzeit P., Das Herrenmahl. Studien zur paulinischen Eucharistieauffassung (StANT 1) München 1960.

Neuhäusler E., Anspruch und Antwort Gottes. Zur Lehre von den Weisungen innerhalb der synoptischen Jesusverkündigung, Düsseldorf 1962.

Niederwimmer K., Jesus, Göttingen 1968.

Nissen A., Gott und der Nächste im antiken Judentum. Untersuchungen zum Doppelgebot der Liebe (WUNT 15) Tübingen 1974.

Oberlinner L., Die Stellung der „Terminworte" in der eschatologischen Verkündigung des Neuen Testaments, in: *P. Fiedler – D. Zeller* (Hrsg.), Gegenwart und kommendes Reich (FS A. Vögtle) Stuttgart 1975, 51–66.

–, Todeserwartung und Todesgewißheit Jesu. Zum Problem einer historischen Begründung (SBB 10) Stuttgart 1980.

v. d. Osten-Sacken P., Gott und Belial. Traditionsgeschichtliche Untersuchungen zum Dualismus in den Texten aus Qumran (StUNT 6) Göttingen 1969.

Otto R., Reich Gottes und Menschensohn. Ein religionsgeschichtlicher Versuch, München ³1954.

Paschen W., Rein und Unrein. Untersuchung zur biblischen Wortgeschichte (StANT 24) München 1970.

Patsch H., Abendmahl und historischer Jesus (CThM Reihe A, Bd. 1) Stuttgart 1972.

Percy E., Die Botschaft Jesu. Eine traditionskritische und exegetische Untersuchung (Lunds Universitets Årsskrift NF Avd. 1 Bd. 49. Nr. 5) Lund 1953.

Perrin N., The Kingdom of God in the Teaching of Jesus, London 1963.

–, Was lehrte Jesus wirklich? Rekonstruktion und Deutung, Göttingen 1972.

–, Jesus and the Language of the Kingdom. Symbol and Metaphor in New Testament Interpretation, London 1976.

Pesce M., Discepolato gesuano e discepolato rabbinico. Problemi e prospettive della comparazione, in: Aufstieg und Niedergang der römischen Welt. Geschichte und Kultur Roms im Spiegel der neueren Forschung (hrsg. v. *H. Temporini – W. Haase*) II 25/1, Berlin-New York 1982, 351–389.

Pesch R., Naherwartungen. Tradition und Redaktion in Mk 13, Düsseldorf 1968.

–, Jesu ureigene Taten? Ein Beitrag zur Wunderfrage (QD 52) Freiburg–Basel–Wien 1970.

–, Freie Treue. Die Christen und die Ehescheidung, Freiburg–Basel–Wien 1971.

–, Zur theologischen Bedeutung der „Machttaten" Jesu. Reflexionen eines Exegeten: ThQ 152 (1972) 203–213.

–, Das Messiasbekenntnis des Petrus (Mk 8,27–30). Neuverhandlung einer alten Frage: BZ NF 17 (1973) 178–195; 18 (1974) 20–31.

–, Das Markusevangelium I/II (HThK II/1.2) Freiburg–Basel–Wien 1976/77.

–, Das Abendmahl und Jesu Todesverständnis (QD 80) Freiburg–Basel–Wien 1978.

–, Über die Autorität Jesu. Eine Rückfrage anhand des Bekenner- und Verleugnerspruchs Lk 12,8f par., in: *R. Schnackenburg u. a.* (Hrsg.), Die Kirche des Anfangs (FS H. Schürmann) Freiburg–Basel–Wien 1978, 25–55.

–, *u. a.* (Hrsg.), Jesus und der Menschensohn (FS A. Vögtle) Freiburg–Basel–Wien 1975.

Pesch W. (Hrsg.), Jesus in den Evangelien. Ein Symposion (SBS 45) Stuttgart 1970.

Piper J., ‚Love your enemies'. Jesus' love command in the synoptic gospels and in the early Christian paraenesis. A history of the tradition and interpretation of its uses (MSSNTS 38) Cambridge–London–New York–New Rochelle–Melbourne –Sydney 1979.

Polag A., Die Christologie der Logienquelle (WMANT 45) Neukirchen 1977.

–, Fragmenta Q. Textheft zur Logienquelle, Neukirchen 1979.

Preuß H. D., (Hrsg.), Eschatologie im Alten Testament (WdF 480) Darmstadt 1978.

v. Rad G., Art. βασιλεὺς κτλ. B.: ‚mǽlæk' und ‚malᵉkûṯ' im AT, in: ThWNT I 563–569.

Räisänen H., Zur Herkunft von Markus 7,15, in: *J. Delobel* (Hrsg.), Logia (s. o.) 477–484.

Ricoeur P. – Jüngel E., Zur Hermeneutik religiöser Sprache (EvTh Sonderheft) München 1974.

Riesenfeld H., The Gospel Tradition and Its Beginnings. A Study in the Limits of „Formgeschichte", London 1957.

Riesner R., Jesus als Lehrer. Eine Untersuchung zum Ursprung der Evangelien-Überlieferung (WUNT, 2. Reihe, 7) Tübingen 1981.

Robinson J. A. T., Jesus and His Coming. The Emergence of a Doctrine, London 1957.

Robinson J. M., Kerygma und historischer Jesus, Zürich–Stuttgart ²1967.

Roloff J., Das Kerygma und der irdische Jesus. Historische Motive in den Jesus-Erzählungen, Göttingen 1970.

Ruager S., Das Reich Gottes und die Person Jesu (ANTI 3) Frankfurt–Bern–Cirencester/U.K. 1979.

Sabugal S., La embajada mesianica de Juan Bautista (Mt 11, 2–6 = Lk 7,18–23). Historia, Exégesis teológica, Hermenéutica, Madrid 1980.

Schäfer P., Die Torah der messianischen Zeit: ZNW 65 (1974) 27–42.

Schaller B., Die Sprüche über Ehescheidung und Wiederheirat in der synoptischen Überlieferung, in: *E. Lohse u. a.* (Hrsg.), Ruf (s. o.) 226–246.

Schenk W., Synopse zur Redenquelle der Evangelien. Q-Synopse und Rekonstruktion in deutscher Übersetzung mit kurzen Erläuterungen, Düsseldorf 1981.

Schenke L., Die Wundererzählungen des Markusevangeliums (SBB) Stuttgart o. J.

Schlatter A., Der Evangelist Matthäus. Seine Sprache, sein Ziel, seine Selbständigkeit. Ein Kommentar zum ersten Evangelium, Stuttgart ⁶1963.

–, Johannes der Täufer (hrsg. v. *W. Michaelis*), Basel 1956.

Schlosser J., Le Règne de Dieu dans les dits de Jésus I.II (EB) Paris 1980.

Schmidt K. L., Der Rahmen der Geschichte Jesu. Literarkritische Untersuchungen zur ältesten Jesusüberlieferung, Darmstadt (Berlin 1919) ²1964.

Schmidt W. H., Königtum Gottes in Ugarit und Israel. Zur Herkunft der Königsprädikation Jahwes (BZAW 80) Berlin ²1966.

– – *Becker J.*, Zukunft und Hoffnung (Kohlhammer Taschenbücher 1014: Biblische Konfrontationen) Stuttgart–Berlin–Köln–Mainz 1981.

Schmithals W., Das Bekenntnis zu Jesus Christus, in: *ders.*, Jesus Christus in der Verkündigung der Kirche. Aktuelle Beiträge zum notwendigen Streit um Jesus, Neukirchen 1972, 60–79.

Schnackenburg R., Gottes Herrschaft und Reich. Eine biblisch-theologische Studie, Freiburg–Basel–Wien ³1963.

–, Das Johannesevangelium I–III (HThK IV/1–3) Freiburg–Basel–Wien 1965/71/75.

–, Der eschatologische Abschnitt Lukas 17,20–38, in: *ders.*, Schriften zum Neuen Testament. Exegese in Fortschritt und Wandel, München 1971, 220–243.

–, „Das Evangelium" im Verständnis des ältesten Evangelisten, in: *P. Hoffmann u. a.* (Hrsg.), Orientierung (s. o.) 309–324.

–, Die Bergpredigt, in: *ders.* (Hrsg.), Die Bergpredigt. Utopische Vision oder Handlungsanweisung?, Düsseldorf 1982, 13–59.

Schnider F., Jesus der Prophet (OBO 2) Freiburg/Schweiz–Göttingen 1973.

– – *Stenger W.*, Johannes und die Synoptiker. Vergleich ihrer Parallelen (BiH 9) München 1971.

Schottroff L., Der Mensch Jesus im Spannungsfeld von Politischer Theologie und Aufklärung: ThPr 8 (1973) 243–257.

–, Gewaltverzicht und Feindesliebe in der urchristlichen Jesustradition. Mt 5,38–48; Lk 6,27–36, in: *G. Strecker* (Hrsg.) Jesus (s. u.) 197–221.

Schrage W., Theologie und Christologie bei Paulus und Jesus auf dem Hintergrund der modernen Gottesfrage: EvTh 36 (1976) 121–154.

–, Ethik des Neuen Testaments (GNT 4) Göttingen 1982.

185

Schubert K., Die jüdischen Religionsparteien in neutestamentlicher Zeit (SBS 43) Stuttgart 1970.

–, Jesus im Lichte der Religionsgeschichte des Judentums, Wien–München 1973.

Schürmann H., Der Einsetzungsbericht Lk 22,19–20. II. Teil einer quellenkritischen Untersuchung des lukanischen Abendmahlsberichtes Lk 22,7–38 (NTA 20,4) Münster 1955.

–, Das hermeneutische Hauptproblem der Verkündigung Jesu. Eschato-logie und Theo-logie im gegenseitigen Verhältnis, in: *ders.*, Traditionsgeschichtliche Untersuchungen zu den synoptischen Evangelien, Düsseldorf 1968, 13–35.

–, Zur Traditions- und Redaktionsgeschichte von Mt 10,23, in: *ders.*, Untersuchungen (s. o.) 150–156.

–, Jesu ureigener Tod. Exegetische Besinnungen und Ausblick, Freiburg–Basel–Wien 1975.

–, Beobachtungen zum Menschsohn-Titel in der Redequelle. Sein Vorkommen in Abschluß- und Einleitungswendungen, in: *R. Pesch u. a.* (Hrsg.), Jesus (s. o.) 124–147.

–, Das Gebet des Herrn als Schlüssel zum Verstehen Jesu, Freiburg–Basel–Wien ⁴1981.

–, Das Lukasevangelium I (HThK III/I) Freiburg–Basel–Wien ²1982.

–, Das Zeugnis der Redenquelle für die Basileia-Verkündigung Jesu, in: *J. Delobel* (Hrsg.), Logia (s. o.) 121–200.

Schütz R., Johannes der Täufer (AThANT 50) Zürich–Stuttgart 1967.

Schulz S., Q. Die Spruchquelle der Evangelisten, Zürich 1972.

Schweitzer A., Geschichte der Leben-Jesu-Forschung, Tübingen ⁶1951 (= Siebenstern-Taschenbuch 77/78, Hamburg ²1972).

Schweizer E., Das Evangelium nach Markus (NTD 1) Göttingen ²1968.

–, Formgeschichtliches zu den Seligpreisungen Jesu: NTS 19 (1972/73) 121–126.

–, Art. πνεῦμα κτλ., in: ThWNT VI 387–453.

–, Art. υἱὸς κτλ., in: ThWNT VIII 355–357.364–395.401f.

Scobie Ch. H. H., John the Baptist, London 1964.

Seckler M., Plädoyer für Ehrlichkeit mit Wundern: ThQ 151 (1971) 337–345.

Sellin G., Allegorie und „Gleichnis". Zur Formenlehre der synoptischen Gleichnisse: ZThK (1978) 281–335.

Sint J. A., Die Eschatologie des Täufers, die Täufergruppen und die Polemik der Evangelien, in: *K. Schubert* (Hrsg.), Vom Messias zum Christus. Die Fülle der Zeit in religionsgeschichtlicher und theologischer Sicht, Wien–Freiburg–Basel 1964, 55–163.

Sjöberg E., Gott und die Sünder im palästinischen Judentum. Nach dem Zeugnis der Tannaiten und der apokryphisch-pseudepigraphischen Literatur (BWANT 79) Stuttgart–Berlin 1938.

Smend R. – Luz U., Gesetz (Kohlhammer Taschenbücher 1015: Biblische Konfrontationen) Stuttgart–Berlin–Köln–Mainz 1981

Soggin J. A., Art.: ‚mælæk' König, in: ThAT I 908–920.

Stauffer E., Jesus. Gestalt und Geschichte (DTb 332) Bern–München 1957.

–, Die Botschaft Jesu damals und heute (DTb 333) Bern–München 1959.

Steck O. H., Israel und das gewaltsame Geschick der Propheten. Untersuchungen zur Überlieferung des deuteronomistischen Geschichtsbildes im Alten Testament, Spätjudentum und Urchristentum (WMANT 23) Neukirchen 1967.

Stegemann H., Der lehrende Jesus. Der sogenannte biblische Christus und die geschichtliche Botschaft Jesu von der Gottesherrschaft: NZSTh 29 (1982) 3–20.

Stoebe H. J., Art.: ‚ḥæsæd' Güte, in: ThAT I 600–621.

Strack H. L. – Billerbeck R., siehe *Billerbeck*.

– – *Stemberger G.*, Einleitung in Talmud und Midrasch, München [7]1982.

Strecker G., Die Makarismen der Bergpredigt: NTS 17 (1970/71) 255–275.

–, Die Antithesen der Bergpredigt (Mt 5,21–48 par): ZNW 69 (1978) 36–72.

–, (Hrsg.), Jesus Christus in Historie und Theologie (FS H. Conzelmann) Tübingen 1975.

Strobel A., Die Stunde der Wahrheit. Untersuchungen zum Strafverfahren gegen Jesus (WUNT 21) Tübingen 1980.

Stuhlmacher P., Das paulinische Evangelium I. Vorgeschichte (FRLANT 95) Göttingen 1968.

–, Das Gesetz als Thema biblischer Theologie: ZThK 75 (1978) 251–280.

–, Existenzstellvertretung für die Vielen: Mk 10,45 (Mt 20,28), in: *R. Albertz u. a.* (Hrsg.), Werden und Wirken des Alten Testaments (FS C. Westermann) Göttingen-Neukirchen 1980, 412–427.

Suggs M. J., Wisdom, Christology, and Law in Matthew's Gospel, Cambridge (Mass.) 1970.

–, The Antitheses as Redactional Products, in: *G. Strecker* (Hrsg.), Jesus (s. o.) 433–444.

Suhl A. (Hrsg.), Der Wunderbegriff im Neuen Testament (WdF 295) Darmstadt 1980.

Theisohn J., Der auserwählte Richter. Untersuchungen zum traditionsgeschichtlichen Ort der Menschensohngestalt der Bilderreden des Äthiopischen Henoch (StUNT 12) Göttingen 1975.

Theißen G., Urchristliche Wundergeschichten. Ein Beitrag zur formgeschichtlichen Erforschung der synoptischen Evangelien (StNT 8) Gütersloh 1974.

–, Soziologie der Jesusbewegung. Ein Beitrag zur Entstehungsgeschichte des Urchristentums (TEH 194) München [2]1978.

–, „Wir haben alles verlassen" (Mc. X. 28). Nachfolge und soziale Entwurzelung in der jüdisch-palästinensischen Gesellschaft des 1. Jahrhunderts n. Chr., in: *ders.*, Studien zur Soziologie des Urchristentums (WUNT 19) Tübingen 1979, 106–141.

–, Die Tempelweissagung Jesu. Prophetie im Spannungsfeld von Stadt und Land, in: *ders.*, Studien (s. o.) 142–159.

–, Gewaltverzicht und Feindesliebe (Mt 5,38–48/Lk 6,27–38) und deren sozialgeschichtlicher Hintergrund, in *ders.*, Studien (s. o.) 160–197.

Thoma C., Der Pharisäismus, in: *J. Maier – J. Schreiner* (Hrsg.), Literatur (s. o.) 254–272.

–, Christliche Theologie des Judentums (CiW VI 4a/b) Aschaffenburg 1978.

Thüsing W., Die neutestamentlichen Theologien und Jesus Christus I. Kriterien aufgrund der Rückfrage nach Jesus und des Glaubens an seine Auferweckung, Düsseldorf 1981.

Thyen H., Studien zur Sündenvergebung im Neuen Testament und seinen alttestamentlichen und jüdischen Voraussetzungen (FRLANT 96) Göttingen 1970.

–, ΒΑΠΤΙΣΜΑ ΜΕΤΑΝΟΙΑΣ ΕΙΣ ΑΦΕΣΙΝ ΑΜΑΡΤΙΩΝ, in: *E. Dinkler* (Hrsg.), Zeit und Geschichte (FS R. Bultmann) Tübingen 1964, 97–125.

Tödt H. E., Der Menschensohn in der synoptischen Überlieferung, Gütersloh 1959.

Trautmann M., Zeichenhafte Handlungen Jesu. Ein Beitrag zur Frage nach dem geschichtlichen Jesus (FzB 37) Würzburg 1980.

Trilling W., Das wahre Israel. Studien zur Theologie des Matthäus-Evangeliums (StANT 10) München 1964.

–, Fragen zur Geschichtlichkeit Jesu, Düsseldorf ³1969.

–, Zur Entstehung des Zwölferkreises. Eine geschichtskritische Überlegung, in: *R. Schnackenburg u. a.* (Hrsg.), Die Kirche des Anfangs (FS H. Schürmann) Freiburg–Basel–Wien 1978, 201–222.

–, Die Botschaft Jesu. Exegetische Orientierungen, Freiburg–Basel–Wien 1978.

Vielhauer Ph., Art. Johannes, der Täufer, in: RGG³ III 804–808.

–, Gottesreich und Menschensohn in der Verkündigung Jesu, in: *ders.*, Aufsätze zum Neuen Testament (TB 31) München 1965, 55–91.

Vögtle A., Jesus und die Kirche, in: *M. Roesle – O. Cullmann* (Hrsg.), Begegnung der Christen (FS O. Karrer) Stuttgart–Frankfurt 1959, 54–81.

–, Der Einzelne und die Gemeinschaft in der Stufenfolge der Christusoffenbarung, in: *J. Daniélou – H. Vorgrimler* (Hrsg.), Sentire Ecclesiam (FS H. Rahner) Freiburg–Basel–Wien 1961, 50–91.

–, Jesus von Nazareth, in: *R. Kottje – B. Moeller* (Hrsg.), Ökumenische Kirchengeschichte I, Mainz–München 1970, 3–24.

–, Exegetische Erwägungen über das Wissen und Selbstbewußtsein Jesu, in: *ders.*, Das Evangelium und die Evangelien. Beiträge zur Evangelienforschung, Düsseldorf 1971, 296–344.

–, Die sogenannte Taufperikope Mk 1,9–11. Zur Problematik der Herkunft und des ursprünglichen Sinns, in: EKK.V 4, Zürich–Einsiedeln–Köln–Neukirchen 1972, 105–139.

–, Das Vaterunser – ein Gebet für Juden und Christen?, in: *M. Brocke u. a.* (Hrsg.), Das Vaterunser (s. o.) 165–195.

–, Bezeugt die Logienquelle die authentische Redeweise Jesu vom „Menschensohn"? in: *J. Delobel* (Hrsg.), Logia (s. o.) 77–99.

Volz P., Die Eschatologie der jüdischen Gemeinde im neutestamentlichen Zeitalter. Nach den Quellen der rabbinischen, apokalyptischen und apokryphen Literatur, Tübingen 1934 (Nachdr. Hildesheim 1966).

Walter N., „Historischer Jesus" und der Osterglaube. Ein Diskussionsbeitrag zur Christologie: ThLZ 101 (1976) 321–338.

Weder H., Die Gleichnisse Jesu als Metaphern. Traditions- und redaktionsgeschichtliche Analysen und Interpretationen (FRLANT 120) Göttingen 1978.

Weimar P., Daniel 7. Eine Textanalyse, in: *R. Pesch u. a.* (Hrsg.), Jesus (s. o.) 11–36.

Weiser A., Die Knechtsgleichnisse der synoptischen Evangelien (StANT 29) München 1971.

–, Was die Bibel Wunder nennt. Ein Sachbuch zu den Berichten der Evangelien, Stuttgart ⁵1982.

Weiß H.-F., Der Pharisäismus im Lichte der Überlieferung des Neuen Testaments, in: SSAW.PH Bd. 110, Heft 2, 89–132.

–, Art. Φαρισαῖος B. Die Pharisäer im Neuen Testament, in: ThWNT IX 36–49.

Weiss J., Die Predigt Jesu vom Reiche Gottes, Göttingen ³1964 (Nachdr. der 2. neubearbeiteten Aufl. von 1900; 1. Aufl. 1892).

Wengst K., Christologische Formeln und Lieder des Urchristentums (StNT 7) Gütersloh 1972.

Westerholm S., Jesus and Scribal Authority (CB.NT 10) Lund 1978.

Wilckens U., Die Missionsreden der Apostelgeschichte. Form- und traditionsgeschichtliche Untersuchungen (WMANT 5) Neukirchen ³1974.

Wildberger H., Art. *"mn'* fest, sicher, in: ThAT I 177–209.

Wink W., John the Baptist in the Gospel Tradition (MSSNTS 7) Cambridge 1968.

Winter P., On the Trial of Jesus (SJ 1) Berlin–New York ²1974.

Wolf P., Gericht und Reich Gottes bei Johannes und Jesus, in: *P. Fiedler – D. Zeller* (Hrsg.), Gegenwart und kommendes Reich (FS A. Vögtle) Stuttgart 1975, 43–49.

Wolff H., Jesus der Mann. Die Gestalt Jesu in tiefenpsychologischer Sicht, Stuttgart ²1976.

v. d. Woude A. S., Melchisedek als himmlische Erlösergestalt in den neugefundenen eschatologischen Midraschim aus Qumran Höhle XI: OTS 14 (1965) 354–373.

–, Art. χρίω κτλ., in: ThWNT IX 500–502.508–511.512–518.

Wrede W., Das Messiasgeheimnis in den Evangelien. Zugleich ein Beitrag zum Verständnis des Markusevangeliums, Göttingen (1901) ⁴1969.

Zeller D., Das Logion Mt 8,11 f/Lk 13,28 f und das Motiv der „Völkerwallfahrt": BZ NF 15 (1971) 222–237; 16 (1972) 84–93.

–, Die weisheitlichen Mahnsprüche bei den Synoptikern (FzB 17) Würzburg 1977.

Zimmerli W., Die Seligpreisungen der Bergpredigt und das Alte Testament, in: *E. Bammel u. a.* (Hrsg.), Donum gentilicium (FS D. Daube) Oxford 1978, 8–26.

Zmijewski J., Die Eschatologiereden des Lukas-Evangeliums. Eine traditions- und redaktionsgeschichtliche Untersuchung zu Lk 21,5–36 und Lk 17,20–37 (BBB 40) Bonn 1972.

Zwergel H. A., Die Bedeutung von Leben und Tod Jesu von Nazaret in tiefenpsychologischer Sicht, in: *R. Pesch – ders.*, Kontinuität in Jesus. Zugänge zu Leben, Tod und Auferstehung, Freiburg–Basel–Wien 1974, 95–124(140–144).

Das wird Sie interessieren:

Das wird Sie interessieren:

Franz Josef Schierse
Konkordanz zur Einheitsübersetzung der Bibel
Format 16,5 × 24 cm; 1792 Seiten; gebunden; Kunstleder;
Subskriptionspreis bis 31. 12. 1984: DM 168,–, ab 1. 1. 1985: DM 198,–
Nr. 32271

In der „Konkordanz zur Einheitsübersetzung der Bibel" von Franz
Schierse ist in etwa 1200 Artikeln der Wortschatz der Einheitsübersetzung
der Bibel aufgenommen und bearbeitet. Es handelt sich um eine Auswahl-
konkordanz zur Gesamtbibel. Die Auswahl wurde aufgrund folgender
Überlegungen getroffen:

1. Ausgeschlossen wurden alle Eigennamen. Diese Entscheidung ist im
   Zweck der Konkordanz selbst begründet, die primär für den Gebrauch
   der Lehrer und Seelsorger gedacht ist. Diese Gruppen arbeiten eher
   themenorientiert. Bibeltheologisch relevante Eigennamen kommen nicht
   häufig vor, so daß die meisten Eigennamen nur ein zusätzlicher Balast
   wären.

2. Ausgewählt wurden theologisch relevante Stichwörter. Die Bibelstellen
   werden nach der Reihenfolge der Bücher aufgeführt. Es werden auch
   Bibelstellen mit aufgeführt, die zwar das Stichwort selbst nicht enthalten, die aber thematisch mit dem Stichwort zu tun haben. Thematisch
   zusammenhängende Stichwörter wurden zusammengefaßt.

Heinrich Zimmermann
Neutestamentliche Methodenlehre
Darstellung der historisch-kritischen Methode
7. Auflage; neubearbeitet von Klaus Kliesch; 330 Seiten; kartoniert;
DM 26,80
Nr. 30027

Bei der Neubearbeitung der 7. Auflage ist vor allem wichtig, daß die
26. Auflage von Nestle-Aland, Novum Testamentum Graece, eingearbeitet
wurde. Einige Kürzungen wurden vorgenommen, damit die Methodenlehre um ein Kapitel über Linguistik erweitert werden konnte.

Carl Heinz Peisker
Evangelien-Synopse der Einheitsübersetzung
380 Seiten; kartoniert; DM 19,80
Nr. 32121

Dieses Arbeitsbuch hat den besonderen Vorzug, daß es den philologisch
und sprachlich hervorragenden Text der Einheitsübersetzung verwendet
und ihn für eine gründliche Beschäftigung mit den synoptischen Evangelien
in Studium, Unterricht und Predigtvorbereitung erschließt.